95,00

LA MARCHE
DE RADETZKY

JOSEPH ROTH

LA MARCHE
DE RADETZKY

roman

TRADUIT DE L'ALLEMAND
PAR BLANCHE GIDON
ET REVU PAR ALAIN HURIOT

ÉDITIONS DU SEUIL
27, rue Jacob, Paris VIe

Titre original : *Radetzkymarsch*.
© 1950, by Verlag Allert de Lange, Amsterdam et Verlag
Kiepenheuer & Witsch, Köln.

ISBN 2-02-006270-4.
© 1982, Éditions du Seuil, pour la traduction française.
Première publication en France, Librairie Plon, Paris.

Première partie

LA MARCHE DE RADETZKY

I

Les Trotta n'étaient pas de vieille noblesse. Le grand-père avait été anobli après la bataille de Solferino. Il était slovène et avait pris le nom de son village natal, Sipolje. Il avait été choisi par le destin pour accomplir une prouesse peu commune. Mais lui-même devait faire en sorte que les temps futurs en perdissent la mémoire.

A la bataille de Solferino, il commandait une section en qualité de sous-lieutenant. Le combat était engagé depuis une demi-heure. A trois pas devant lui, il voyait, de dos, ses soldats. La première ligne de sa section était à genoux, la seconde debout. Tous étaient sereins, sûrs de la victoire. Ils avaient mangé copieusement, ils avaient bu de l'eau-de-vie aux frais et en l'honneur de l'Empereur qui était au front depuis la veille. Çà et là, dans les lignes, l'un d'eux tombait. Trotta sautait vivement dans la brèche et tirait avec les fusils abandonnés par les morts et les blessés. Tantôt il resserrait le rang éclairci, tantôt il le redéployait. L'oreille tendue, le regard aiguisé par cent combats, il ne perdait rien des péripéties de la bataille. Dans le crépitement de la fusillade, son ouïe affinée distinguait les rares commandements du capitaine. Ses yeux perçants pénétraient le brouillard gris-bleu flottant devant les lignes ennemies. Jamais il ne tirait sans avoir visé, chacun de ses coups portait. Les hommes sentaient sa main et son regard, entendaient son appel et se trouvaient en sûreté.

L'ennemi suspendit le combat. Sur toute la longueur du front, à perte de vue, un ordre courut : « Cessez le feu ! ». Çà et là, on perçut encore le cliquetis d'une baguette de fusil, la déflagration d'un coup solitaire et attardé. Entre les deux fronts, le brouillard s'éclaircit un peu. Il était midi, on fut soudain enveloppé de la chaleur d'un soleil

9

orageux voilé d'argent. Alors, entre le sous-lieutenant et ses soldats, l'Empereur apparut avec deux officiers d'état-major. Il allait porter à ses yeux les jumelles que lui passait l'un de ses compagnons. Trotta savait ce que cela signifiait : en admettant même que l'ennemi fût en train de battre en retraite, son arrière-garde était certainement tournée vers les Autrichiens, et qui brandissait des jumelles donnait à entendre qu'il constituait une cible de choix. Or c'était le jeune Empereur ! Trotta sentit son cœur lui battre dans la gorge. La peur de la catastrophe inimaginable, sans bornes, qui allait l'anéantir lui-même, le régiment, l'armée, l'État, le monde entier, fit passer en lui de brûlants frissons. Ses genoux tremblèrent. Et l'éternelle rancune nourrie par le simple officier du front contre les grands seigneurs de l'état-major, qui n'avaient pas la moindre idée de la dure pratique du métier, dicta au sous-lieutenant cet acte qui devait graver ineffaçablement son nom dans les annales du régiment. A deux mains, il empoigna le monarque par les épaules pour le forcer à se baisser. Sans doute le geste du sous-lieutenant fut-il trop brusque, l'Empereur s'abattit aussitôt. Ses compagnons se précipitèrent sur lui. Au même instant, un coup de feu traversait l'épaule gauche du sous-lieutenant, le coup de feu qui était précisément destiné au cœur de l'Empereur. Partout, d'un bout à l'autre du front, le crépitement confus et désordonné des fusils arrachés à leur somnolence se réveilla. L'Empereur, que ses compagnons exhortaient impatiemment à quitter cet endroit périlleux, se pencha cependant sur le sous-lieutenant étendu et, se souvenant de son devoir impérial, demanda à l'homme évanoui, qui n'entendait plus rien, comment il s'appelait. Un major, un sous-officier et deux hommes portant une civière arrivaient au pas de course, dos courbé, tête baissée. Les officiers d'état-major mirent tout d'abord l'Empereur à terre, puis s'y jetèrent eux-mêmes. « Là ! Le lieutenant ! » criait l'Empereur au major hors d'haleine.

Entre-temps, le feu s'était calmé et, tandis que le jeune officier adjoint se mettait à la tête des soldats en annonçant d'une voix claire : « La section à mon commandement ! », François-Joseph et ses compagnons se relevaient, les infirmiers sanglaient avec précaution le blessé sur le brancard. Puis tous se retirèrent en direction du quartier général où une tente blanche comme neige abritait la plus proche infirmerie.

La clavicule gauche de Trotta était fracassée. Le projectile, arrêté juste sous l'omoplate, fut extrait en présence du chef suprême de l'armée, sous les hurlements inhumains du blessé que la douleur avait fait sortir de son évanouissement.

Quatre semaines plus tard, Trotta était guéri. Quand il rejoignit sa garnison de Hongrie méridionale, il avait le grade de capitaine et la plus haute des distinctions honorifiques de la monarchie : l'ordre de Marie-Thérèse, ainsi que la particule. Il s'appelait désormais capitaine Joseph Trotta von Sipolje.

Comme si on lui avait échangé sa propre vie contre une vie étrangère toute neuve, fabriquée dans un atelier, chaque nuit, avant de s'endormir, chaque matin, après son réveil, il se répétait son nouveau grade et son nouvel état, se plantait devant son miroir et s'assurait qu'il avait toujours le même visage. Pris entre la familiarité maladroite dont usaient ses camarades pour essayer d'effacer la distance qu'une incompréhensible destinée avait soudain établie entre eux et lui, et ses propres efforts pour afficher devant tout le monde son habituelle désinvolture, le capitaine Trotta, nouveau noble, sembla perdre son équilibre. Il avait l'impression d'être condamné à marcher dorénavant, et jusqu'à la fin de sa vie, dans les chaussures d'autrui, sur un parquet glissant, poursuivi par de mystérieux chuchotements, attendu par de craintifs regards. Son grand-père n'avait été qu'un petit paysan, son père, ancien sergent-major, était devenu maréchal des logis-chef dans la gendarmerie, sur la région frontalière, dans le sud de la monarchie. Depuis qu'il avait perdu un œil en se battant avec des contrebandiers bosniaques, il vivait au château de Laxenburg, comme invalide militaire et gardien de parc, donnait à manger aux cygnes, taillait les haies, défendait le cytise au printemps, plus tard le sureau contre des mains chapardeuses et non autorisées et, pendant les nuits tièdes, il chassait de l'obscurité bienfaisante des bancs du parc les couples d'amoureux sans abri. Il avait paru naturel et convenable que le fils d'un sous-officier eût le simple grade de sous-lieutenant d'infanterie. Mais son propre père parut s'éloigner tout à coup du noble et distingué capitaine qu'auréolait l'éclat inaccoutumé et presque inquiétant de la faveur impériale, comme un nuage d'or. L'affection mesurée que le fils témoignait au vieillard sembla exiger un changement de conduite et une forme nouvelle de rapports entre père et fils. Il y avait cinq ans que le capitaine n'avait pas vu son père mais, tous les quinze jours, quand, selon un rite immuable, il montait la garde, il écrivait au vieil homme une courte lettre, dans le corps de garde, à la pauvre lueur vacillante d'une bougie d'ordonnance, après avoir visité les factionnaires, noté les heures de relève et inscrit dans la colonne des « observations particulières » un « néant » vigoureux et net qui niait pour ainsi dire la seule possibilité d'observations particulières. Écrites sur du papier jaune et fibreux de format in-octavo, les lettres se ressemblaient comme des bulletins de permission et des notes de service : portant la suscription « Cher père » sur la gauche, à quatre doigts de distance du bord supérieur, à deux doigts du bord latéral, elles commençaient par une brève information sur la santé du signataire, continuaient en exprimant l'espoir que celle du destinataire était « de même » et se terminaient par la formule : « Avec les respects de votre fils fidèle et reconnaissant » qui faisait toujours l'objet d'un nouvel alinéa, en bas, à droite et un peu en retrait sur une diagonale partant de la suscription. Mais comment faire maintenant pour modifier la forme réglementaire de ces lettres, prévue pour la durée d'une vie de soldat, d'autant qu'avec le nouveau grade, on ne menait plus le même train de vie, et comment intercaler, entre les phrases stéréotypées, des informations inusitées sur des conditions d'existence auxquelles on n'était pas accoutumé et qu'on avait à peine comprises soi-même ? En cette tranquille soirée où, pour la première fois depuis sa guérison, et pour remplir son devoir d'épistolier, il s'installa à la table que les lames espiègles d'hommes qui s'ennuyaient avaient largement entamée, profondément entaillée, le capitaine Trotta se rendit compte qu'il ne dépasserait jamais le « Cher père ». Il posa sa plume stérile contre l'encrier, arracha un petit bout de la mèche tremblotante de la bougie, comme s'il attendait une heureuse inspiration de sa lumière atténuée, puis il s'égara doucement parmi les souvenirs de son enfance, de son village, de sa mère et de l'École militaire. Il considéra les ombres gigantesques projetées par de tout petits objets sur les murs nus, badigeonnés de bleu, la courbe légère de son sabre pendu auprès de la porte, avec le collier sombre passé en travers de la coquille..Il écouta la pluie tomber inlassablement et tambouriner sa chanson sur le zinc qui recouvrait l'appui de fenêtre. Il finit par se lever, résolu à aller voir son père la semaine suivante, après la traditionnelle audience de remerciement à l'Empereur, pour laquelle on devait le convoquer dans quelques jours.

Une semaine plus tard, l'audience eut lieu : juste dix minutes, pas plus, d'impériale faveur, dix à douze questions, extraites de dossiers, auxquelles on répondait, en se tenant au garde-à-vous, par un « Oui, Sire » qui devait partir comme un coup de fusil plein de douceur, mais aussi de résolution, puis le capitaine Trotta partit immédiatement en fiacre pour voir son père à Laxenburg. Il trouva le vieil homme dans la cuisine de son logement, assis en bras de chemise à sa table nue et lisse sur laquelle on apercevait un mouchoir bleu foncé à bordure rouge, ainsi qu'une impressionnante tasse de café fumant qui embaumait. Une canne noueuse de merisier rouge pendait par son bec au bord de la table et se balançait doucement. Une blague à tabac frippée, toute gonflée d'un ordinaire fibreux, bâillait à côté de la longue pipe en terre blanche, jaunie, brunie, dont la coloration s'harmonisait avec la forte moustache blanche du vieillard. Au milieu de ce pauvre logis alloué par l'administration, le capitaine Trotta von Sipolje se dressait comme un dieu militaire, avec son écharpe chatoyante, son casque verni rayonnant comme un noir soleil d'une espèce toute particulière, des bottines à élastiques, sans un pli, cirées comme des miroirs, ses éperons étincelants, les deux rangées de boutons brillants, presque flamboyants, de sa tunique, sous la bénédiction de l'insigne de Marie-Thérèse au surnaturel pouvoir. Ainsi le fils se tenait devant son père, qui se leva lentement, comme s'il voulait mettre une ombre à l'éclat de son enfant par la lenteur de son accueil. Le capitaine Trotta baisa la main de son père, pencha la tête davantage, reçut un baiser sur le front, un autre sur la joue.

— Assieds-toi, dit le vieillard.

Le capitaine déboucla une partie de ses splendeurs et s'assit.

— Je te félicite, dit le père, de sa voix ordinaire, dans le dur allemand des Slaves de l'armée.

Il faisait éclater les consonnes comme un orage et portait de légers accents sur les syllabes finales pour les alourdir. Cinq ans plus tôt, il parlait encore slovène à son fils, bien que le jeune garçon n'en comprît que quelques phrases et n'en pût proférer une seule lui-même. Mais aujourd'hui, l'emploi de sa langue maternelle devant celui que le sort et l'impériale faveur avaient tellement éloigné de lui semblait sans doute au vieillard une familiarité trop osée, alors que son fils, de son côté, surveillait les lèvres de son propre père pour saluer le premier mot slovène qui en sortirait comme l'écho d'une lointaine intimité, d'une familiarité perdue.

— Félicitations, félicitations ! tonnait de nouveau le maréchal des logis-chef. De mon temps, ça n'allait pas si vite, de mon temps, on était encore tracassé par le vieux Radetzky !

— C'est bien fini ! se disait le capitaine Trotta.

Son père était séparé de lui par une montagne de grades militaires.

— Avez-vous encore du *rakija,* père ? dit-il pour affirmer un dernier reste de communauté familiale.

Ils burent, trinquèrent, burent encore. Après chaque rasade, le père gémissait, se perdait en un interminable accès de toux, se violaçait, crachait, se calmait lentement et se mettait à raconter de banales histoires datant de son propre service militaire, dans l'intention non douteuse de diminuer les mérites et la carrière de son fils. Finalement, le capitaine se leva, baisa la main de son père, reçut le baiser paternel sur le front et sur la joue, ceignit son sabre, se coiffa de son shako et s'en alla avec l'intime conviction qu'il avait vu son père pour la dernière fois en cette vie...

Ce fut la dernière fois, en effet. Le fils écrivit ses lettres habituelles au vieillard, ce fut le seul rapport qui les unit. Le capitaine Trotta avait été séparé de sa longue lignée de rustiques ancêtres slaves. Une race nouvelle commençait avec lui. Les années se succédèrent, rondement, comme une roue qui tourne, régulière et paisible. Conformément à son rang, Trotta épousa la nièce — laquelle n'était plus très jeune, mais avait du bien — de son colonel, la fille d'un préfet de Bohême occidentale. Il engendra un fils, goûta la régularité d'une saine vie militaire dans une petite garnison, gagnant tous les matins, à cheval, le terrain d'exercice, faisant tous les après-midi sa partie d'échecs au café, avec le notaire, s'acclimatant dans son grade, son état, sa dignité et sa gloire. Il avait pour le métier militaire des dons moyens dont il donnait chaque année, lors des grandes manœuvres, des preuves moyennes. Il était bon époux, méfiant à l'égard des femmes, hostile au jeu, bougon, mais équitable dans le service, ennemi acharné de tout mensonge, de toute conduite efféminée, de toute lâcheté indolente, de toute verbosité laudative et de toute frénésie ambitieuse. Il était aussi simple et aussi irréprochable que ses états de service et seule la colère qui le prenait quelquefois aurait pu avertir un psychologue que l'âme du capitaine Trotta recélait aussi ces abîmes obscurs où dorment les tempêtes et les voix inconnues d'ancêtres anonymes.

Il ne lisait pas de livres, le capitaine Trotta, et dans son for intérieur il plaignait son fils grandissant, déjà condamné à utiliser l'ardoise, le crayon et l'éponge, le papier, la règle et la table de multiplication, sans parler des inévitables manuels de lecture. Le capitaine était encore persuadé que son fils, lui aussi, devait être soldat. Il ne lui venait pas à l'esprit que désormais, et jusqu'à l'extinction de la famille, un Trotta pût exercer un autre métier. Eût-il eu deux, trois, quatre fils — mais sa femme était faible, avait recours aux médecins et aux traitements, une nouvelle grossesse eût mis ses jours en danger — que tous fussent devenus soldats. On parlait d'une nouvelle guerre, il était prêt à partir du jour au lendemain. Il lui semblait même à peu près certain qu'il était élu pour mourir en combattant. Dans sa solide simplicité, il tenait la mort sur le champ de bataille pour une conséquence nécessaire de la gloire militaire. Il en fut ainsi jusqu'au jour où, avec une négligente curiosité, il prit le premier livre de lecture de son fils, qui venait d'avoir cinq ans, et auquel, grâce à l'ambition de sa mère, un précepteur faisait goûter beaucoup trop tôt les misères scolaires. Il lut la prière du matin, en vers. C'était toujours la même depuis des décennies, il s'en souvenait encore. Il lut *les Quatre Saisons, le Renard et le Lièvre, le Roi des animaux.* Il consulta la table des matières et y trouva l'indication d'un texte de lecture qui semblait le concerner lui-même car il était intitulé : *François-Joseph Ier à la bataille de Solferino.* Il lut et dut s'asseoir : « A la bataille de Solferino — tel était le début de ce passage — notre Empereur et Roi, François-Joseph, se trouva exposé à un grand danger. » Trotta lui-même y paraissait, mais combien transformé ! « Dans l'ardeur du combat — lisait-on — le monarque s'était risqué tellement en avant qu'il fut tout à coup cerné par la cavalerie ennemie. En cet instant de suprême danger, un tout jeune lieutenant arriva à bride abattue sur un alezan couvert de sueur, en brandissant son sabre. Oh ! comme les coups se mirent à pleuvoir sur la tête et le dos des cavaliers

15

ennemis ! » Et, plus loin : « Une lance ennemie transperça la poitrine du juvénile héros. La majorité des ennemis était déjà abattue. Son épée nue à la main, notre jeune et intrépide monarque put facilement tenir tête à des attaques qui s'affaiblissaient peu à peu. Toute la cavalerie ennemie fut alors faite prisonnière. Le jeune lieutenant — Joseph, chevalier von Trotta était son nom — reçut la plus haute distinction que notre pays puisse conférer à ses héroïques enfants : l'ordre de Marie-Thérèse. »

Le livre de lecture à la main, le capitaine Trotta s'en alla derrière la maison, dans le petit verger où sa femme travaillait par les après-midi suffisamment tièdes et, les lèvres exsangues, presque sans voix, il lui demanda si elle avait eu connaissance de cette infâme lecture. Elle fit oui, de la tête, en souriant.

— C'est une imposture ! cria le capitaine, et il lança le livre sur la terre mouillée.

— Mais c'est pour les enfants ! répondit doucement sa femme.

Le capitaine lui tourna le dos. La colère le secouait comme la tempête un faible arbrisseau. Il rentra vite à la maison, son cœur palpitait. C'était l'heure de sa partie d'échecs. Il décrocha son sabre, boucla son ceinturon à sa taille, d'un geste hargneux et violent, et quitta la maison à grands pas farouches. Celui qui l'aurait vu alors aurait pu croire qu'il s'en allait assommer une bande d'ennemis. Au café, après avoir perdu deux parties sans desserrer les dents, quatre profonds plis barrant son front étroit et pâle sous ses cheveux rudes et courts, d'une main furieuse, il renversa les pièces tintantes et dit à son partenaire :

— Il faut que je vous demande conseil !

Silence.

— On a abusé de moi, continua-t-il, les yeux braqués sur les verres étincelants du notaire.

Il s'aperçut alors, au bout d'un moment, que les mots lui manquaient. Il aurait dû apporter le livre. Cet objet odieux entre les mains, il lui aurait été beaucoup plus facile de s'expliquer.

— Ah, mais comment ? demanda le juriste.

— Je n'ai jamais servi dans la cavalerie, dit le capitaine, considérant que c'était là la meilleure entrée en matière, bien qu'il se rendît compte qu'on ne saisirait pas ce qu'il voulait dire. Et ces écrivassiers sans vergogne racontent dans les livres pour enfants que je suis arrivé à bride abattue, sur un alezan couvert de sueur, pour sauver l'Empereur, voilà ce qu'ils disent.

Le notaire comprit, lui-même connaissait le passage par les manuels de ses fils.

— Vous y attachez trop d'importance, capitaine, dit-il. Pensez donc, c'est pour les enfants !

Trotta le regarda, effrayé. A ce moment, il eut l'impression que le monde entier s'était ligué contre lui : les auteurs de livres de lecture, le notaire, sa femme, son fils, le précepteur.

— Tous les faits historiques, reprit le notaire, sont altérés pour l'usage scolaire. Et, à mon avis, on a raison. Il faut aux enfants des exemples à leur portée, qui se gravent dans leur esprit. Quant à l'exacte vérité, ils l'apprendront plus tard.

— L'addition ! s'écria le capitaine, puis il se leva.

Il se rendit à la caserne, surprit le lieutenant Amerling, officier de service, avec une demoiselle dans le bureau du sergent-major, inspecta lui-même les postes de garde, fit chercher le sergent, appela le sous-officier de service au rapport, fit mettre la compagnie en ligne et ordonna des exercices d'armes dans la cour. Tous lui obéirent, déconcertés et tremblants. Il manquait plusieurs hommes dans chaque section, qui demeurèrent introuvables. Le capitaine Trotta ordonna de faire l'appel.

— Les absents, demain au rapport ! dit-il au lieutenant.

Les hommes, la respiration haletante, faisaient la manœuvre au fusil. Les baguettes cliquetaient, les courroies volaient, les mains brûlantes claquaient sur le métal frais des canons, les puissantes crosses martelaient la terre sourde et molle.

— Armez ! commanda le capitaine.

L'air vibrait du sourd crépitement des cartouches chargées à blanc.

— Une demi-heure de salut ! ordonna le capitaine.

Au bout de dix minutes, il changea de commandement.

— A genoux pour la prière !

Calmé, il écouta le choc mat des durs genoux contre la terre, les cailloux et le sable. Il était encore capitaine, maître de sa compagnie. Il allait le leur montrer, à ces écrivassiers !

Ce jour-là, il n'alla pas au mess, il ne dîna même pas, il se coucha. Il dormit lourdement, d'un sommeil sans rêves. Le lendemain matin, au rapport des officiers, il présenta sa laconique et retentissante requête au colonel. On la transmit. Alors commença le martyre du capitaine Trotta, chevalier von Sipolje, chevalier de la vérité. Il fallut des semaines pour que le ministère de la Guerre répondît que la plainte avait été transmise au ministère de l'Instruction et des Cultes. Et de nouvelles semaines s'écoulèrent jusqu'au jour où arriva la réponse du ministère. Elle était ainsi conçue :

« Monsieur le Chevalier,
Très honoré Capitaine,

En réponse à votre très honorée plainte, ayant trait au texte n° 15 des manuels de lecture rédigés et publiés par Messieurs les professeurs Weidner et Srdcny et autorisés dans les écoles primaires et collèges d'Autriche aux termes de la loi du 21 juillet 1864, M. le ministre de l'Instruction se permet d'attirer très respectueusement votre attention sur le fait que, conformément à l'arrêté du 21 mars 1840, les livres de lecture d'intérêt historique concernant la haute personnalité de l'Empereur François-Joseph, ainsi que les autres membres de la haute maison régnante, doivent être adaptés aux facultés d'assimilation des écoliers et à l'obtention des meilleurs résultats pédagogiques possibles. Ladite lecture n° 15, visée dans votre très honorée requête, a été examinée personnellement par Son Excellence, M. le ministre des Cultes, et autorisée par lui pour l'usage scolaire. Il a été dans les intentions des autorités supérieures universitaires, aussi bien que dans celles des autorités primaires, de donner des actions héroïques des membres de l'armée une image adaptée au caractère enfantin, à l'imagination et aux sentiments patriotiques des jeunes générations, sans altérer la réalité des événements, mais sans les reproduire non plus avec cette sécheresse qui exclut toute stimulation de l'imagination ainsi que des sentiments patriotiques. En conséquence de ces considérations et d'autres considérations analogues, le soussigné vous prie très respectueusement, Monsieur, de vouloir bien renoncer à votre très honorée requête. »

La missive était signée par le ministre des Cultes et de l'Instruction. Le colonel la remit au capitaine Trotta en lui disant d'un ton paternel :

— Renoncez à cette histoire !

Trotta prit la lettre sans mot dire. Huit jours après, par la voie hiérarchique réglementaire, il envoyait une demande d'audience à Sa Majesté et trois semaines plus tard, un matin, il était au château, face à face avec le chef suprême des armées.

— Rendez-vous compte, mon cher Trotta, disait l'Empereur, que c'est une affaire très désagréable, mais qui ne nous donne le mauvais rôle ni à l'un ni à l'autre. Renoncez à cette histoire !

— Sire, répondit le capitaine, c'est un mensonge.

— On ment beaucoup, confirma l'Empereur.

— J'en suis incapable, Sire, dit le capitaine d'une voix étranglée.

L'Empereur s'approcha du capitaine. Le monarque était à peine plus grand que Trotta. Ils se regardèrent dans les yeux.

— Mes ministres, reprit François-Joseph, doivent bien savoir ce qu'ils ont à faire. Il faut que je m'en remette à eux. Vous me comprenez, mon cher capitaine Trotta ?

Et un instant après :

— Nous nous y prendrons autrement. Vous verrez !

L'audience était terminée.

Bien que son père vécût encore, Trotta ne se fit pas conduire à Laxenburg. Il retourna dans sa garnison et demanda son congé.

Il se retira avec le grade de commandant. Il se fixa en Bohême, dans la petite propriété de son beau-père. La faveur impériale ne l'abandonna pas. Il fut informé quelques semaines plus tard que l'Empereur avait daigné accorder sur sa cassette particulière cinq mille florins au fils de son sauveur, pour son instruction. En même temps, Trotta était élevé au rang de baron.

Joseph Trotta, baron von Sipolje, reçut de mauvaise grâce, comme un affront, les faveurs impériales. Sans lui, on mena et perdit la campagne contre les Prussiens. Il était amer. Déjà, ses tempes devenaient d'argent, ses yeux ternes, son pas était lent, sa main lourde, sa bouche plus silencieuse qu'auparavant. Bien qu'il fût dans ses meilleures années, il paraissait vieillir vite. Il avait été chassé de ce paradis qu'était sa foi rudimentaire en l'Empereur, la vertu, la vérité et le droit. Prisonnier de la résignation et du mutisme, il découvrait que la ruse fonde la pérennité du monde, la force des lois et l'éclat des majestés. L'Empereur en ayant occasionnellement exprimé le désir, le texte n° 15 disparut des manuels de lecture de la monarchie. Le nom de Trotta subsista exclusivement dans les annales du régiment.

Le commandant vécut sa vie, tel le porteur inconnu d'une gloire vite éteinte, telle l'ombre fugitive qu'un objet dissimulé projette dans la clarté du monde des vivants. Il maniait l'arrosoir et le sécateur dans la propriété de son beau-père et, comme son père au parc de Laxenburg, taillait les arbres et fauchait les gazons, défendait le cytise en été, et plus tard le sureau, contre des mains chapardeuses et non autorisées, remplaçait les lattes pourries des barrières par des lattes neuves bien rabotées, tenait en état outils et harnais, bridait et sellait les chevaux bais de sa propre main, remplaçait les serrures rouillées de la porte cochère et des portes intérieures, introduisait avec soin une cale de bois proprement taillée entre les gonds fatigués qui s'affaissaient, restait des journées entières dans la forêt, tirait du petit gibier, passait des nuits chez le garde, s'inquiétait des poules, des engrais, de la moisson, des fruits, des fleurs de ses espaliers, du domestique et du cocher. Ladre et méfiant, il s'acquittait de menus achats. Du bout des doigts, il extrayait précautionneusement des pièces de monnaie de sa bourse feutrée qu'il remettait ensuite en sûreté contre sa poitrine. Il devint un petit paysan slovène. Il était parfois repris de son ancienne colère qui le secouait comme une violente tempête secoue un frêle arbrisseau. Alors il frappait son domestique et les flancs des chevaux, claquait les portes sans égard pour les serrures qu'il avait réparées lui-même, menaçait les journaliers de mort et d'anéantissement. Au déjeuner, il envoyait promener son assiette d'un geste hargneux, jeûnait et grondait comme un chien. Auprès de lui, dans des pièces séparées, vivaient sa femme, faible et maladive, son fils qui ne voyait son père qu'à table et dont les bulletins scolaires lui étaient présentés deux fois l'an, sans lui arracher ni louange ni blâme, son beau-père qui mangeait gaiement sa pension, aimait les filles, passait des semaines à la ville et craignait son gendre. C'était un vieux petit paysan slovène que le baron Trotta. Il continuait d'écrire une lettre à son père, deux fois par mois, tard dans la soirée, à la lueur vacillante d'une bougie, sur des feuilles de papier jaune de format in-octavo : « Cher père » à quatre doigts de distance du bord supérieur et à deux doigts du bord latéral. Il ne recevait de réponse que rarement.

Le baron pensait bien quelquefois à aller voir son père. Il y avait longtemps qu'il s'ennuyait du maréchal des logis-chef, qu'il avait la nostalgie de la saine pauvreté du local administratif, du tabac fibreux et du *rakija* distillé par le vieil homme. Mais le fils avait peur de la dépense, exactement comme son père, son grand-père et son arrière-grand-père. Il était redevenu beaucoup plus proche de l'invalide du château de Laxenburg qu'il ne l'était, des années auparavant, lorsque, paré de l'éclat tout frais de sa noblesse neuve, il avait bu du *rakija* dans la cuisine badigeonnée de bleu du petit logement de fonction. Il ne parlait jamais de ses origines à sa femme. Il sentait qu'un orgueil déplacé séparerait la descendante d'une assez ancienne famille de fonctionnaires d'État et le maréchal des logis-chef slovène. Il n'invita donc jamais son père. Par une belle journée de mars, alors que le baron se rendait chez son régisseur en foulant sous ses pas des mottes de terre durcie, un domestique lui remit une lettre de l'intendant du château de Laxenburg. L'invalide était mort, il s'était endormi sans souffrances, à l'âge de quatre-vingt-un ans. Le baron dit simplement :

— Va trouver Mme la Baronne, qu'on prépare mes bagages, je pars ce soir pour Vienne !

Il alla chez son régisseur s'informer des semailles, parla du temps, donna ordre de commander trois nouvelles charrues, de faire venir le vétérinaire le lundi, la sage-femme le jour même pour la servante enceinte, dit en prenant congé :

— Mon père est mort, je vais passer trois jours à Vienne.

Il salua d'un doigt négligent et partit.

Sa valise était prête, on attela les chevaux, il fallait une heure pour aller à la gare. Il avala hâtivement sa soupe et sa viande, puis il dit à sa femme :

— Je ne peux pas manger davantage ! Mon père était un brave homme. Tu ne l'as jamais vu...

Était-ce une oraison funèbre ? Était-ce une plainte ?

— Tu vas venir avec moi ! dit-il à son fils effrayé.

Sa femme se leva pour aller préparer les affaires de l'enfant. Pendant qu'elle était occupée à l'étage au-dessus, Trotta dit au petit :

— Tu vas voir ton grand-père.

L'enfant trembla et baissa les yeux.

Quand ils arrivèrent, le maréchal des logis-chef était mis en bière. Il gisait, avec sa moustache rebelle, veillé par huit cierges d'un mètre et deux invalides, ses deux camarades, dans son uniforme bleu foncé, trois médailles étincelantes en travers de la poitrine, sur le catafalque dressé dans son logement. Une Ursuline priait dans l'angle de la fenêtre aux rideaux tirés. Les invalides se mirent au garde-à-vous quand Trotta entra. Il était en tenue de commandant, avec l'ordre de Marie-Thérèse, il s'agenouilla, son fils tomba également à genoux aux pieds du défunt dont les énormes semelles se dressaient à la hauteur du visage juvénile. Pour la première fois de sa vie, le commandant ressentit dans la région du cœur une fine et pénétrante blessure. Ses petits yeux restèrent secs. Dans son pieux embarras, il marmonna un, deux, trois *Pater,* se releva, se pencha sur le mort, mit un baiser sur la puissante moustache, salua les invalides de la main et dit à son fils :

— Viens !

— Tu l'as vu ? lui demanda-t-il, dehors.

— Oui, répondit le petit garçon.

— Il n'était que maréchal des logis-chef, dit le père. C'est moi qui ai sauvé la vie de l'Empereur à la bataille de Solferino, nous avons reçu le titre de baron après.

L'enfant ne répondit rien.

On enterra l'invalide dans le petit cimetière de Laxenburg, division militaire. Six camarades en bleu foncé transportèrent le cercueil de la chapelle à la tombe. Pendant la cérémonie, le commandant Trotta, en shako et grande tenue, resta la main appuyée sur l'épaule de son fils. L'enfant sanglotait. Les tristes airs de musique militaire, les monotones psalmodies des prêtres, perceptibles toutes les fois que la musique cessait, l'encens qui se dissipait doucement causaient au petit garçon une douleur incompréhensible qui lui serrait la gorge. Et les coups de fusils tirés sur la tombe par une demi-section l'ébranlèrent par l'impitoyable prolongement de leur écho. On envoya, martiale, une salve de coups de feu à la suite de l'âme du mort, qui montait tout droit au ciel, disparue de cette terre à jamais.

Le père et le fils s'en retournèrent. Le baron resta silencieux pendant toute la durée du voyage. Lorsqu'ils descendirent du train et montèrent dans la voiture qui les attendait derrière le jardin de la gare, alors seulement le baron dit :

— Ne l'oublie pas, ton grand-père !

Et le baron retourna à sa tâche quotidienne. Et les années se succédèrent, comme une roue qui tourne, régulière et paisible. Le maréchal des logis-chef ne fut pas le dernier mort que le baron eut à mettre en terre. Il enterra tout d'abord son beau-père, puis, quelques années après, sa femme, morte rapidement, modestement et sans adieu, d'une violente congestion pulmonaire. Il confia son fils à un pensionnat de Vienne et décida que l'enfant ne deviendrait jamais soldat d'active. Il resta seul dans sa propriété, habitant la spacieuse maison blanche où flottait encore l'haleine de la disparue, ne parlant guère qu'avec le garde forestier, le domestique et le cocher. Ses accès de fureur devinrent de plus en plus rares. Mais le personnel sentait constamment son poing de paysan et son silence chargé de colère leur peser sur la nuque comme un joug. Un silence apeuré le précédait, tel un orage. Il recevait deux fois par mois les lettres obéissantes de son enfant, il leur répondait une fois par mois en deux phrases brèves, sur de petits billets taillés économiquement dans les marges respectueuses des lettres qu'il avait reçues. Une fois l'an, le 18 août, jour anniversaire de l'Empereur, il se rendait en uniforme à la ville de garnison la plus proche. Deux fois l'an, son fils venait en visite, à Noël et aux grandes vacances. Chaque veillée de Noël, le jeune garçon recevait trois florins d'argent dont il devait signer quittance et qu'il n'avait jamais le droit d'emporter. Les pièces de monnaie aboutissaient le soir même dans une cassette de l'armoire paternelle. Les florins voisinaient avec les bulletins scolaires qui témoignaient de l'honnête application et des dispositions moyennes, mais toujours suffisantes, du fils. Jamais l'enfant ne reçut un jouet, jamais d'argent de poche, jamais un livre, exception faite des livres de classe imposés. Rien ne paraissait lui manquer. Il possédait une intelligence propre, froide et honnête. Son imagination, peu fertile, ne lui inspirait d'autre désir que de terminer ses études le plus vite possible.

Il avait dix-huit ans quand son père lui dit, une veille de Noël :

— Tu ne toucheras plus tes trois florins cette année. Tu peux en prendre neuf dans la cassette, contre quittance. Sois prudent avec les filles. Elles sont presque toujours malades !

Et après une pause :

— J'ai décidé que tu ferais ton droit. Tu as encore deux ans devant toi. Le service militaire ne presse pas. On peut attendre que tu aies fini.

Le jeune homme accepta les neuf florins aussi docilement que le désir de son père. Il alla peu voir les filles, fit soigneusement son choix parmi elles ; quand il revint chez lui, aux grandes vacances, il possédait encore six florins. Il demanda à son père la permission d'inviter un ami.

— Soit, fit le commandant légèrement surpris.

L'ami vint avec peu de bagages, mais une volumineuse boîte de peinture qui déplut au maître du logis.

— Il peint ? demanda le vieillard.

— Très bien, répondit son fils, François.

— Qu'il ne fasse pas de taches dans la maison ! Il n'a qu'à reproduire le paysage !

L'invité peignit certes dehors, mais ce ne fut en aucune façon le paysage. Il faisait, de mémoire, le portrait du baron Trotta. Chaque jour, à table, il apprenait par cœur les traits de son hôte.

— Qu'avez-vous à me fixer comme ça ? demandait le baron.

Les deux jeunes gens rougissaient et baissaient les yeux sur la nappe. Pourtant, le portrait fut fait et, au moment de la séparation, on l'offrit, dans son cadre, au vieillard. Il l'étudia soigneusement, en souriant. Il le retourna, comme s'il cherchait par-derrière d'autres détails qui auraient pu être oubliés par-devant, le tint face à la fenêtre, puis l'écarta de ses yeux, se regarda dans la glace, se compara avec le portrait et finit par dire :

— Où faut-il l'accrocher ?

C'était son premier plaisir depuis des années.

— Tu peux prêter de l'argent à ton camarade, s'il a besoin de quelque chose, dit-il tout bas à François. Soyez bons amis !

Ce portrait était et resta le seul qu'on eût jamais fait du vieux Trotta. Accroché plus tard dans le fumoir de son fils, il occupa encore l'imagination de son petit-fils...

En attendant, pendant quelques semaines, il maintint le commandant dans un état d'exceptionnelle bonne humeur. Il l'accrochait tantôt à un mur, tantôt à l'autre, considérait avec une satisfaction flattée son nez dur et saillant, sa bouche imberbe, étroite et pâle, ses maigres pommettes qui formaient comme des collines devant ses petits yeux noirs, son front bas, aux nombreuses rides, surmonté de cheveux coupés ras, hérissés et pointant en avant comme des piquants. Il faisait maintenant la connaissance de son visage et parfois il avait de muets dialogues avec lui. Son visage éveillait en lui des pensées inconnues jusqu'alors, des souvenirs, d'insaisissables ombres de mélancolie qui mouraient rapidement. Il lui avait fallu ce portrait pour découvrir enfin son vieillissement prématuré et sa grande solitude. La toile peinte les lui renvoyait, « sa solitude et sa vieillesse ».

« En a-t-il toujours été ainsi ? » se demandait-il. Il en a toujours été ainsi. De temps en temps, il allait au cimetière sur la tombe de sa femme, sans intention ; il considérait le socle gris et la croix d'un blanc crayeux, la date de la naissance et de la mort, calculait qu'elle avait disparu trop tôt et s'avouait qu'il ne pouvait plus se la rappeler exactement. Par exemple, il avait oublié ses mains. « Vin ferrugineux de Chine » lui passait-il par l'esprit, c'était un médicament qu'elle avait pris pendant de longues années. Sa figure ? Il pouvait encore l'évoquer en fermant les yeux, mais elle disparaissait bientôt et se fondait dans un halo de pénombre rougeâtre. Il s'adoucit dans sa maison et dans sa ferme, caressa parfois un cheval, sourit à ses vaches, prit un petit verre plus souvent qu'il n'avait fait jusqu'alors, écrivit à son fils une brève lettre en dehors des délais habituels. On se mit à le saluer en souriant, il répondit d'un amical coup de tête. L'été vint, les vacances ramenèrent le fils et l'ami, le vieillard les conduisit tous deux en ville, dans sa voiture, entra au café, prit quelques gorgées de *sliwowitz* [1] et commanda un copieux repas pour les deux jeunes gens.

Le fils fit son droit, revint plus souvent chez lui, examina le domaine, fut pris un jour du désir de le gérer et de renoncer à la carrière juridique. Il l'avoua à son père. Le commandant lui dit :

— Trop tard ! Jamais de la vie tu ne deviendras paysan, ni agronome. Tu seras un bon fonctionnaire, rien de plus.

C'était une chose décidée. Le fils devint fonctionnaire politique, commissaire de district en Silésie. Si le nom des Trotta avait disparu des manuels scolaires autorisés, il ne disparut pas toutefois des

1. Eau-de-vie de prunes *(N.d.T.)*

dossiers secrets des hautes autorités de la politique et les cinq mille florins, jadis offerts par l'impériale faveur, assurèrent secrètement, en haut lieu, une durable bienveillance et de l'avancement au fonctionnaire Trotta. Cet avancement fut rapide. Deux ans avant sa nomination de préfet, le commandant mourut.

Il laissait un testament surprenant. Comme il était sûr du fait — disait-il — que son fils n'était pas un bon agriculteur et comme il espérait que les Trotta, reconnaissants à l'Empereur de sa constante protection, obtiendraient rang et dignités en servant l'État et auraient une vie plus heureuse que lui, signataire du testament, il avait résolu, en souvenir de son défunt père, de léguer au fonds des invalides militaires le bien dont son beau-père lui avait fait don autrefois, avec tout ce qu'il comprenait en mobilier vif ou mort, sans autre obligation pour les bénéficiaires que de faire au testateur un enterrement aussi modeste que possible dans le cimetière où reposait son père et, si c'était facilement réalisable, à proximité du défunt. Le testateur demandait qu'on renonçât à toute pompe. Les espèces existantes, quinze mille florins, intérêts compris, déposées à la banque Ephrussi de Vienne, ainsi que le numéraire restant dans la maison, l'argenterie et les cuivres, de même que la bague, la montre et la chaîne de feu sa mère revenaient au fils unique du testateur, le baron François von Trotta et Sipolje.

Une musique militaire de Vienne, une compagnie d'infanterie, un représentant des chevaliers de l'ordre de Marie-Thérèse, une délégation du régiment de Hongrie méridionale dont le commandant avait été le modeste héros, tous les invalides militaires capables de se déplacer, deux fonctionnaires de la chancellerie et du cabinet, un officier du cabinet militaire et un sous-officier qui portait l'ordre de Marie-Thérèse sur un coussin drapé de noir constituèrent le cortège funèbre officiel. François, le fils, le suivit, noir, mince et seul. La musique joua la marche qu'elle avait jouée à l'enterrement du père. Les salves qu'on tira cette fois furent plus nourries et leur écho vibra plus longuement.

Le fils ne pleurait pas. Personne ne pleura le mort. Tout ne fut que sécheresse et solennité. Personne ne prit la parole sur la tombe. Le commandant, baron von Trotta et Sipolje, chevalier de la vérité, reposait au voisinage du maréchal des logis-chef. Sur sa pierre tombale, simple et militaire, à côté de son nom, de son rang, de son régiment, on grava en petites lettres noires ce noble surnom : Héros de Solferino.

Du mort, il ne resta guère autre chose que cette pierre, une gloire éteinte et le portrait. Ainsi un paysan traverse-t-il son champ au printemps... et plus tard, en été, la trace de ses pas s'efface sous l'ondulation de l'abondante moisson qu'il a semée. Le baron Trotta von Sipolje, haut fonctionnaire impérial et royal, reçut, la semaine même, de Sa Majesté, une lettre de condoléances où il était question à deux reprises des « services à jamais inoubliables » rendus par le disparu.

II

Il n'y avait pas, dans toute la région militaire, de plus belle musique que celle du régiment d'infanterie n° X dans la petite préfecture de W. en Moravie. Le chef de musique était encore l'un de ces anciens kapellmeister autrichiens qui, doués d'une mémoire sûre et perpétuellement en quête de variations nouvelles sur des airs anciens, étaient capables de composer chaque mois une marche inédite. Toutes ces marches se ressemblaient comme des soldats. Pour la plupart, elles commençaient par un roulement de tambour, comportaient un air de retraite aux flambeaux, au rythme accéléré pour les besoins de la marche militaire, un sourire éclatant des gracieuses cymbales et s'achevaient sur le tonnerre grondant de la grosse caisse, ce bel orage de la musique militaire. Ce qui distinguait de ses collègues le chef de musique Nechwal, ce n'était pas tant sa terrible et peu commune opiniâtreté de compositeur que la gravité élégante et sereine qu'il apportait à l'exécution de la musique. L'habitude paresseuse de certains chefs d'orchestre, qui faisaient conduire la première marche par le sous-chef de musique et ne levaient leur bâton que pour le deuxième numéro du programme, était tenue par Nechwal pour un évident symptôme de décadence dans l'impériale et royale monarchie. Aussitôt que les exécutants avaient formé le cercle réglementaire et enterré les délicats petits pieds des minuscules pupitres dans les interstices de terre noire séparant les gros pavés de la place, le chef de musique, lui aussi, se dressait au milieu de ses musiciens, le bâton d'argent discrètement levé. Tous les concerts en plein air — ils avaient lieu sous les fenêtres de M. le préfet — commençaient par la *Marche de Radetzky*. Bien qu'elle fût si familière aux exécutants qu'ils eussent pu la jouer la nuit, en dormant, sans être dirigés, le chef de musique tenait pour indispensable de suivre chaque note sur sa partition. Et, comme s'il faisait répéter la *Marche de Radetzky* pour la première fois à ses musiciens, tous les dimanches, avec une conscience de soldat et d'artiste, il levait la tête, le bâton et le regard, et les tournait simultanément en direction d'un secteur du cercle au centre duquel il se tenait, en l'occurrence celui qui semblait avoir le plus besoin de sa baguette. Les rudes tambours battaient, les douces flûtes sifflaient, les gracieuses cymbales éclataient. Un sourire satisfait et béat passait sur les visages des auditeurs et le sang leur picotait les jambes. Toujours immobiles, ils se croyaient déjà en marche. Les jeunes filles retenaient leur respiration et entrouvraient les lèvres. Les hommes d'un certain âge baissaient la tête et se rappelaient les manœuvres. Les vieilles femmes restaient assises dans le parc voisin et leurs petites têtes grises tremblaient.

On était en été.

On était en été, oui. Devant la maison du préfet, les vieux marronniers n'agitaient que matin et soir l'abondant feuillage vert foncé de leurs cimes. Tout le reste du jour, ils restaient immobiles, exhalaient une âpre haleine et projetaient leurs grandes ombres fraîches jusqu'au milieu de la rue. Le ciel était constamment bleu. D'invisibles alouettes grisolaient sans cesse au-dessus de la ville silencieuse. Parfois, un fiacre qui transportait un étranger cahotait de l'hôtel à la gare sur le pavé inégal. Parfois, on percevait le trot des deux chevaux attelés à la voiture qui promenait M. de Winternigg à travers la grand-rue, du nord au sud, entre le château de ce grand propriétaire terrien et son pavillon de chasse.

Petit vieillard parcheminé enveloppé dans une grande couverture jaune, avec une toute petite tête momifiée, M. de Winternigg passait dans sa calèche. Il passait dans la plénitude de l'été, telle une piteuse survivance de l'hiver. Sur de hautes roues caoutchoutées, élastiques et silencieuses, dont les délicats rayons, peints en brun, reflétaient le soleil, il passait directement de son lit à sa richesse campagnarde. Les vastes forêts sombres et les gardes blonds habillés de vert l'attendaient déjà. Les habitants de la ville le saluaient. Il ne leur répondait pas. Il franchissait impassiblement un océan de saluts. Son cocher se tenait tout en haut, raide comme un I dans sa livrée noire, son haut-de-forme touchait presque les têtes des marronniers ; le fouet caressait en souplesse l'échine des chevaux bais et, à intervalles réguliers, les lèvres closes du cocher livraient passage à un claquement sec, plus sonore que le trot des chevaux, qui ressemblait à un mélodieux coup de fusil.

C'est alors que commençaient les vacances. A quinze ans, Charles-Joseph von Trotta, fils du préfet, élève à l'école de cavalerie de Mährisch-Weisskirchen, avait l'impression que sa ville natale était un lieu estival. C'était la patrie de l'été comme c'était sa propre patrie. A Noël et à Pâques, il était invité chez son oncle. Il ne venait chez lui qu'aux grandes vacances. Le jour de son arrivée était toujours un dimanche. Conformément à la volonté de son père, M. le préfet, François, baron von Trotta et Sipolje, quel que fût le jour qui marquait le début des vacances à l'école, chez lui, elles avaient toujours à commencer un dimanche. Le dimanche, M. von Trotta et Sipolje n'était pas de service. Toute sa matinée, de neuf heures à midi, était réservée à son fils. Un quart d'heure après la première messe, le jeune homme se tenait ponctuellement devant la porte de son père, en tenue dominicale. A neuf heures moins cinq, Jacques descendait l'escalier, dans sa livrée grise, et disait :

— Monsieur, voilà Monsieur votre papa qui arrive.

Charles-Joseph tirait une fois de plus sur sa tunique, rectifiait son ceinturon, prenait son képi à la main et l'appuyait réglementairement contre sa hanche. Le père arrivait, le fils joignait ses talons dont le claquement retentissait dans la vieille maison silencieuse. Le vieil homme ouvrait la porte et cédait le pas à son fils avec un petit salut de la main. Le jeune homme ne bougeait pas, il ne prenait pas note de l'invitation. Le père entrait donc. Charles-Joseph le suivait et s'arrêtait sur le seuil. Un instant après, le préfet disait :

— Mets-toi à ton aise.

Alors Charles-Joseph s'approchait du grand fauteuil de peluche rouge et s'asseyait en face de son père, raide, les genoux pliés, le képi et les gants blancs sur les genoux. Par les minces fentes des jalousies vertes, d'étroites bandes de lumière tombaient sur le tapis grenat. Une mouche bourdonnait, l'horloge se mettait à sonner.

29

Quand le tintement des neuf coups avait cessé, le préfet commençait :

— Comment va le colonel Marek ?

— Merci, papa, il va bien.

— Toujours faible en géométrie ?

— Merci, papa, un peu moins.

— Lis-tu des livres ?

— Oui, papa.

— Et où en est l'équitation ? Ce n'était pas fameux l'année
dernière.

— Cette année..., commença Charles-Joseph, mais il fut aussitôt
interrompu.

Son père avait avancé sa fine main à demi dissimulée sous une
manchette ronde qui étincelait. Un gros bouton carré lança un éclair
d'or.

— Ce n'était pas fameux, disais-je à l'instant, c'était... Le préfet
fit une pause et acheva d'une voix sans timbre : une honte !

Le père et le fils se turent. Si bas qu'il eût été prononcé, le mot
« honte » continuait de flotter dans la pièce. Charles-Joseph savait
qu'après toute sévère critique de son père, un silence était de
rigueur. Il fallait accepter le jugement avec toute sa signification,
l'assimiler, le graver en soi-même, s'en imprégner dans son cœur et
son cerveau. L'horloge tictaquait, la mouche bourdonnait. Enfin
Charles-Joseph commença d'une voix claire :

— Cette année, ça a été bien mieux. Le maréchal des logis l'a dit
souvent lui-même. Le lieutenant Koppel m'a félicité aussi.

— J'en suis ravi, déclara le préfet d'une voix sépulcrale.

Il fit rentrer sa manchette sous sa manche en s'aidant du rebord de
la table, on entendit son rude frottement.

— Continue ! dit-il, et il alluma une cigarette.

Cela signifiait qu'on pouvait commencer à prendre ses aises.
Charles-Joseph posa son képi et ses gants sur un petit pupitre, se leva
et entama le récit de tous les événements de l'année écoulée. Le père
approuvait de la tête. Soudain, il s'écria :

— Mais, te voilà grand garçon, mon fils. Ta voix mue ! Amoureux
peut-être ?

Charles-Joseph devint écarlate, son visage flamba comme un
lampion rouge, il le présenta bravement au vieil homme.

— Pas encore, alors ? dit le préfet. Ne te trouble pas, continue.

Charles-Joseph déglutit. Sa rougeur disparut, il se sentit soudain grelotter. Puis il tira de sa poche sa liste de livres et la présenta à son père.

— Lectures fort convenables, dit le préfet. Résume-moi donc *Zrinyi* [1], s'il te plaît !

Charles-Joseph raconta le drame acte par acte. Puis il se rassit, fatigué, pâle, la bouche sèche.

Il jeta un regard furtif sur l'horloge. Il n'était que dix heures et demie, l'examen allait encore durer une heure et demie. Il pouvait venir à l'esprit de son père de l'interroger en histoire ancienne ou en mythologie germanique.

Le préfet se promenait dans la pièce en fumant, la main gauche derrière le dos. La dextre jouait sous la manchette. Les rais de lumière s'intensifiaient sur le tapis, ils se rapprochaient de plus en plus de la fenêtre. Le soleil devait être déjà haut. Les cloches de l'église commençaient à tinter, leur bruit proche semblait tomber dans la pièce comme si elles sonnaient tout contre les épaisses jalousies. Aujourd'hui, M. von Trotta interrogeait uniquement en littérature. Il s'étendait en détail sur l'importance de Grillparzer, recommandait à son fils Adalbert Stifter et Ferdinand von Saar comme « lectures faciles » pour les jours de vacances. Puis il revint aux sujets militaires : service de garde, règlement deuxième partie, composition d'un corps d'armée, force des régiments sur le pied de guerre. Brusquement, il demanda :

— Qu'est-ce que la subordination ?

— La subordination est l'aveugle obéissance, déclama Charles-Joseph, que tout subordonné doit à son chef et tout inférieur...

— Halte !

Son père l'interrompit et corrigea :

— Aussi bien que tout inférieur à son supérieur...

— Quand..., continua Charles-Joseph.

— Aussitôt que..., corrigea le préfet.

— Aussitôt que celui-ci prend le commandement.

Charles-Joseph poussa un soupir de soulagement. Midi sonnait.

---

1. Drame de Theodor Körner *(N.d.T.)*.

31

C'est alors seulement que ses vacances commençaient. Un quart d'heure encore et il entendait, venant de la caserne, le premier rataplan des tambours de la musique militaire qui se mettait en marche. Tous les dimanches, aux environs de midi, elle jouait devant les bureaux du préfet qui ne représentait rien moins que Sa Majesté l'Empereur dans la petite ville. Charles-Joseph se tenait caché derrière l'épaisse vigne vierge du balcon et il recevait le concert de musique militaire comme un hommage. Il se sentait un peu parent des Habsbourg dont son père représentait et défendait le pouvoir en ce lieu et pour lesquels lui-même s'en irait un jour à la guerre et à la mort. Il savait tous les noms des membres de la suprême maison. Il les aimait tous sincèrement d'un cœur puérilement dévoué mais, plus que tous les autres, il aimait l'Empereur qui était bon et grand, supérieur et juste, infiniment lointain et tout proche, particulièrement attaché aux officiers de son armée. Mourir pour lui aux accents d'une marche militaire était la plus belle des morts, mourir au son de la *Marche de Radetzky* était la plus facile des morts. Les balles agiles sifflaient allègrement, en mesure, autour de la tête de Charles-Joseph, son sabre nu étincelait ; le cœur et le cerveau tout remplis de la grâce entraînante de cette musique, il tombait sous la griserie des roulements de tambours et son sang s'égouttait en un mince filet rouge sur l'or miroitant des trompettes, le noir profond des caisses et l'argent triomphal des cymbales.

Jacques, debout derrière lui, toussota. Le déjeuner allait donc commencer. Lorsque la musique cessait, on entendait un léger tintement d'assiettes venant de la salle à manger. Séparée du balcon par deux pièces, elle occupait juste le milieu du premier étage. Pendant le repas, la musique retentissait, lointaine mais distincte. Malheureusement, elle ne jouait pas tous les jours. Elle était bonne et utile. Douce et conciliatrice, elle enlaçait la solennelle cérémonie du repas, elle ne permettait pas que s'établît aucune de ces brèves et rudes conversations, si pénibles, que le préfet aimait tant à engager. On pouvait se taire, écouter, goûter la musique. Les assiettes avaient de minces filets bleu et or, qui pâlissaient. Charles-Joseph les aimait. Il y pensait souvent, au cours de l'année. Les assiettes, la *Marche de Radetzky,* au mur, le portrait de feu sa mère (dont l'enfant ne se souvenait plus), la lourde louche d'argent, le plat à poisson, les couteaux à fruits avec leur dos dentelé, les minuscules tasses à café et les fragiles petites cuillères, fines comme des piécettes d'argent, tout cela réuni signifiait : été, liberté, foyer.

Il remit à Jacques son ceinturon, son képi, ses gants et passa dans la salle à manger. Son père y arriva en même temps que lui et lui sourit. Peu après, Mlle Hirschwitz, la gouvernante, fit son entrée dans sa soie grise des dimanches, la tête droite, son lourd chignon sur la nuque, une impressionnante agrafe incurvée sur la poitrine, comme une sorte de cimeterre. On l'eût dite armée et cuirassée. Charles-Joseph souffla un baiser sur sa longue main dure. Jacques avança les sièges. Le préfet donna le signal de s'asseoir. Jacques disparut pour reparaître un moment après avec des gants blancs qui semblaient le transformer totalement. Ils répandaient un éclat de neige sur sa figure déjà blanche, ses favoris déjà blancs, ses cheveux déjà blancs. Mais ils surpassaient aussi en luminosité tout ce qu'on peut appeler lumineux en ce monde. Ces gants clairs tenaient un plateau sombre. La soupière fumante y reposait. Il l'eut bientôt posée au milieu de la table, avec soin, sans bruit et très vite. Suivant l'habitude ancienne, c'était Mlle Hirschwitz qui servait le potage. On venait au-devant des assiettes qu'elle vous tendait, la main accueillante, un sourire reconnaissant dans les yeux. Elle vous répondait par un nouveau sourire. Une chaude lueur dorée ondoyait dans les assiettes, c'était le potage. Un potage au vermicelle, transparent, avec de petites pâtes jaune d'or, enchevêtrées et délicates. M. von Trotta et Sipolje mangeait très vite, parfois avec colère. On eût dit qu'il anéantissait les plats, l'un après l'autre, avec une muette, noble et preste animosité. Il leur donnait le coup de grâce. Mlle Hirschwitz ne se servait que de petites portions à table mais, le repas fini, elle reprenait toute la suite des plats dans sa chambre. Charles-Joseph avalait hâtivement de brûlantes cuillerées et d'énormes bouchées. De cette façon, ils avaient tous fini en même temps. On ne disait pas un mot quand M. von Trotta et Sipolje se taisait.

Après le potage, on servait le *Tafelspitz,* bouilli de bœuf garni. C'était le plat dominical du vieux monsieur depuis d'innombrables années. La complaisante attention qu'il accordait à ce plat prenait plus de temps que la moitié du repas. Les yeux du préfet caressaient tout d'abord la tendre barde de lard qui entourait le colossal morceau de viande, puis les diverses petites assiettes où reposaient les légumes : les betteraves aux reflets violets, les graves épinards d'un vert saturé, la salade claire et gaie, l'âpre blanc du raifort, l'ovale impeccable des pommes de terre nouvelles nageant dans le beurre fondant, rappelant de gentils petits joujoux. Il entretenait de curieuses relations avec la nourriture. C'était comme s'il mangeait des yeux les principaux morceaux, son goût esthétique dévorait avant tout la quintessence des mets, leur spiritualité en quelque sorte ; quant au reste trivial qui entrait ensuite en contact avec la bouche et le palais, il était fastidieux, il convenait de l'engloutir sans plus attendre. La belle présentation des plats donnait autant de plaisir à M. von Trotta que leur simple nature. Car il tenait à une prétendue « cuisine bourgeoise », tribut qu'il payait tout autant à ses goûts qu'à son caractère, dont il disait en effet qu'il l'avait spartiate. Il unissait donc, avec une heureuse habileté, la satisfaction de son plaisir et les exigences de son devoir. Il était spartiate. Mais il était autrichien.

Il se prépara donc, comme tous les dimanches, à découper le *Spitz*. Il repoussa ses manchettes à l'intérieur de ses manches, leva les deux mains et, tout en piquant son couteau et sa fourchette dans la viande, il s'adressa à Mlle Hirschwitz :

— Vous savez, mademoiselle, qu'il ne suffit pas de demander un morceau tendre à la boucherie. Il faut veiller à la façon dont on vous le taille. Je veux dire en long ou en travers. Les bouchers d'aujourd'hui ne savent plus leur métier. La meilleure des viandes est gâtée quand elle est mal coupée. Voyez un peu, mademoiselle ! C'est à peine si je puis encore la sauver. Elle s'effiloche, se désagrège littéralement. Dans son ensemble, on peut la qualifier de tendre. Mais, pris isolément, les petits morceaux vont être résistants, comme vous allez bientôt le voir. Pour ce qui est des « garnitures », comme disent les Allemands du Reich, je souhaiterais qu'une autre fois le cran, que vous appelez « raifort », fût un peu moins trempé. Il ne doit pas perdre son arôme dans le lait. Il faut aussi le préparer au dernier moment avant de se mettre à table. C'est une erreur que de le tremper trop longtemps.

Mlle Hirschwitz qui avait vécu de nombreuses années en Allemagne, qui parlait toujours *hochdeutsch* et dont le goût pour les expressions distinguées avait provoqué les allusions de M. von Trotta aux « garnitures » et au « raifort », opinait gravement et lentement de la tête. Détacher de sa nuque l'important poids de son chignon et déterminer son chef à une inclinaison approbative lui coûtait visiblement un gros effort. Son amabilité professionnelle en prenait quelque chose de mesuré et paraissait même se tenir sur la défensive. Et le préfet se vit amené à déclarer :

— Je n'ai certainement pas tort, mademoiselle !

Il parlait l'allemand nasal des hauts fonctionnaires et de la petite noblesse d'Autriche. Cet allemand rappelait un peu de lointaines guitares dans la nuit ou encore les dernières et délicates vibrations de cloches qui meurent. C'était une langue douce, mais précise, tendre et méchante en même temps. Elle s'harmonisait avec la figure osseuse du causeur, son nez busqué où semblaient nicher les consonnes sonores et quelque peu mélancoliques. Quand le préfet parlait, son nez et sa langue étaient plutôt une manière d'instrument à vent que les parties d'un visage. Rien ne bougeait dans ce visage à part les lèvres. Les sombres favoris que M. von Trotta portait comme une pièce d'uniforme, une marque distinctive destinée à témoigner qu'il appartenait à la domesticité de François-Joseph, une preuve de son attachement à la dynastie, ces favoris aussi restaient immobiles quand M. von Trotta parlait. Il se tenait droit à table comme s'il avait des rênes dans les mains. Quand il était assis, on l'aurait cru debout et quand il se levait, on était toujours surpris de sa taille droite comme un I. Il portait constamment du bleu foncé, été comme hiver, le dimanche comme en semaine, une redingote bleu foncé et des pantalons gris à rayures, qui lui enserraient étroitement les jambes et que des sous-pieds tendaient sans un pli sur ses bottines à élastiques. Entre le deuxième et le troisième plat, il avait coutume de se lever pour se « donner du mouvement ». Mais on aurait dit plutôt qu'il voulait démontrer à ses commensaux la façon de se lever, de se tenir debout et de se promener sans renoncer à son immobilité. Jacques desservait la viande et saisissait au vol un bref coup d'œil de Mlle Hirschwitz qui lui recommandait de tenir le reste au chaud pour elle. A pas mesurés, M. von Trotta se dirigeait vers la fenêtre, soulevait un peu le rideau et revenait à table. Au même momant, les *Kirschknödel* [1] faisaient leur apparition dans une grande assiette. Le préfet n'en prenait qu'un, le coupait avec sa cuillère et disait à Mlle Hirschwitz :

1. Beignets aux cerises. *(N.d.T.)*

— Voilà, mademoiselle, un modèle de beignet aux cerises. Il a la consistance voulue quand on le coupe et pourtant il cède immédiatement sur la langue.

Et tourné vers Charles-Joseph :

— Je te conseille d'en prendre deux, aujourd'hui.

Charles-Joseph en prit deux. Il les engloutit en un clin d'œil, eut fini une seconde avant son père et envoya un verre d'eau à leur suite — on ne servait de vin que le soir — pour les entraîner de l'œsophage où ils pouvaient bien encore se trouver, dans son estomac. Il plia sa serviette au même rythme que son père.

On se leva de table. Dehors, la musique jouait l'ouverture de *Tannhäuser*. On entra dans le fumoir à ses accents retentissants, Mlle Hirschwitz en tête. Jacques y apporta le café. On attendait le chef de musique Nechwal. Il arriva tandis qu'en bas ses musiciens se mettaient en rang pour le départ, dans leur sombre tenue de parade, avec leur épée brillante et deux petites harpes étincelantes au col.

— Je suis ravi de votre concert, déclarait le préfet, cette fois encore, comme tous les dimanches. Aujourd'hui, c'était extraordinaire !

M. Nechwal s'inclina. Une heure auparavant, il avait déjà déjeuné au mess des officiers, mais il n'avait pas attendu le café, le goût des aliments lui était resté dans la bouche, il mourait d'envie de fumer un *Virginia*. Jacques lui apporta un paquet de cigares. Le chef de musique tira longuement sur le feu que Charles-Joseph eut la constance de tenir devant l'extrémité du long cigare, au risque de se brûler les doigts. On était assis sur de larges chaises de cuir. M. Nechwal parlait de la représentation à Vienne de la dernière opérette de Lehar. C'était un homme du monde que le chef de musique ! Il se rendait à Vienne deux fois par mois et Charles-Joseph pressentait que, dans le fond de son âme, le musicien gardait de nombreux secrets du demi-monde des grands noctambules. Il avait trois enfants et une femme « d'un milieu très simple », mais, détaché des siens, il menait lui-même la plus brillante des vies mondaines. Il goûtait les histoires juives et les racontait avec un malin plaisir. Le préfet ne les comprenait pas, elles ne le faisaient pas rire non plus, mais il disait : « Très bon, très bon ! » « Comment va Madame votre épouse ? » demandait-il régulièrement.

Il posait cette question depuis des années. Il n'avait jamais vu

Mme Nechwal et ne désirait nullement rencontrer un jour cette femme « d'un milieu très simple ». Au moment des adieux, il ne manquait pas de dire à M. Nechwal :

— Mes hommages à Madame votre épouse que je n'ai pas l'honneur de connaître.

Et M. Nechwal promettait de transmettre ces salutations en assurant que sa femme en serait charmée.

— Et comment se portent vos enfants ? demandait M. von Trotta qui oubliait toujours si c'étaient des garçons ou des filles.

— L'aîné est bon élève ! répondait le chef d'orchestre.

— Il deviendra sans doute musicien, lui aussi ? demandait le préfet d'un ton légèrement condescendant.

— Non, il entre dans un an à l'école des cadets.

— Ah ! Officier ! Vous avez raison. Infanterie ?

M. Nachwal souriait :

— Naturellement. Il a des capacités. Peut-être arrivera-t-il un jour à l'état-major.

— Certes, certes, disait le préfet, ce sont de ces choses qu'on a déjà vues.

La semaine d'après, il avait tout oublié. On ne prend pas note des enfants d'un chef de musique.

M. Nechwal but deux tasses de café, ni plus ni moins. Il écrasa à regret le dernier tiers de son Virginia. Il fallait qu'il s'en aille, on ne prend pas congé avec un cigare allumé.

— Aujourd'hui, c'était exceptionnel, grandiose ! Mes hommages à Madame votre épouse ! Malheureusement, je n'ai pas encore eu le plaisir... dit M. von Trotta et Sipolje.

Charles-Joseph rapprocha les talons. Il accompagna le chef d'orchestre jusqu'au premier palier. Puis il retourna dans le fumoir, se mit devant son père et dit :

— Je vais me promener, papa.

— Bon, bon, amuse-toi bien ! lui répondit M. von Trotta en lui faisant signe de la main.

Charles-Joseph partit. Il avait l'intention de se promener lentement, il voulait flâner, prouver à ses pieds qu'ils étaient en vacances. Le premier soldat qu'il rencontra lui fit rectifier la position, comme on dit dans le militaire. Il prit le pas cadencé. Il atteignit la limite de la ville, marquée par la grande bâtisse ocre de la trésorerie générale qui rôtissait tranquillement au soleil. La douce odeur des champs vint à sa rencontre avec l'éclatante chanson des alouettes. L'horizon bleu était borné à l'ouest par des collines bleu-gris, les premières maisons des villages se montrèrent avec leurs toits couverts de bardeaux ou de chaume, des cris de volailles sonnèrent comme des fanfares dans le silence estival. La campagne dormait, enveloppée de jour et de clarté.

Derrière le remblai du chemin de fer se trouvait la gendarmerie commandée par un maréchal des logis-chef. Charles-Joseph le connaissait bien, le maréchal des logis-chef Slama. Il décida de frapper à sa porte. Il entra sous la véranda, frappa, tira le cordon de sonnette, personne ne se montra. Une fenêtre s'ouvrit, Mme Slama se pencha par-dessus les géraniums et cria :

— Qui est là ?

Elle aperçut le petit Trotta :

— Tout de suite, dit-elle.

Elle ouvrit la porte du vestibule. On y sentait la fraîcheur et un peu le parfum. Mme Slama en avait mis une goutte sur sa robe. Charles-Joseph pensa aux boîtes de nuit de Vienne. Il demanda :

— Le maréchal des logis-chef n'est pas là ?

— Il est de service, monsieur von Trotta, répondit la jeune femme, mais entrez donc !

Et Charles-Joseph se trouva assis dans le salon des Slama. C'était une pièce basse, rougeâtre, très fraîche. On y était comme dans une glacière. Les dossiers des grands fauteuils rembourrés étaient en bois sculpté, passé au brou de noix, avec des entrelacs de feuillage qui vous blessaient le dos. Mme Slama alla chercher de la limonade fraîche, elle en but élégamment, à petites gorgées, le petit doigt écarté et les jambes croisées. Assise auprès de Charles-Joseph et tournée vers lui, elle balançait un pied prisonnier d'une pantoufle de velours rouge, nu, sans bas. Charles-Joseph regardait le pied, puis la limonade. Il ne regardait pas Mme Slama au visage. Son képi reposait sur ses genoux, il tenait les genoux raides et restait assis tout droit devant la limonade, comme si la boire était une obligation de service.

— Voilà bien longtemps qu'on ne vous a vu, monsieur von Trotta ! dit la femme du maréchal des logis-chef.

— Oui, madame, depuis longtemps.

Il pensait quitter cette maison le plus vite possible. On viderait la limonade d'un trait, s'inclinerait gentiment, ferait transmettre ses salutations au mari, puis on s'en irait. Il considérait sa limonade avec perplexité, pas moyen de la finir, Mme Slama en rajoutait toujours. Elle apporta des cigarettes. Fumer était défendu. Elle en alluma une elle-même, aspira négligemment la fumée, les narines gonflées, en balançant le pied. Brusquement, sans mot dire, elle prit le képi des genoux de Charles-Joseph et le posa sur la table. Puis elle lui mit sa propre cigarette dans la bouche. Ses doigts sentaient la fumée et l'eau de Cologne, la manche claire de sa robe à fleurs fit passer une lueur sous les yeux de Charles-Joseph. Il continua poliment de fumer la cigarette dont le bout de carton conservait encore l'humidité des lèvres de Mme Slama et regarda la limonade. Elle reprit la cigarette entre ses dents et se mit derrière lui. Il avait peur de se retourner. Tout à coup, les deux manches étincelantes furent contre son cou et la figure de la femme pesa sur ses cheveux. Il ne bougea pas, mais son cœur battait bruyamment, une grande tempête se déchaînait en lui, convulsivement contenue par le raidissement de son corps et les solides boutons de son uniforme.

— Viens ! murmurait Mme Slama.

Elle s'assit sur ses genoux, l'embrassa incontinent, en faisant des yeux fripons. Une mèche de cheveux blonds lui tomba fortuitement sur le front, elle loucha, le nez en l'air et tenta de souffler dessus en avançant les lèvres. Charles-Joseph commençait à la sentir peser sur ses genoux, en même temps qu'il éprouvait une force nouvelle qui tendait les muscles de ses cuisses et de ses bras. Il enlaça la femme et perçut la molle fraîcheur de sa poitrine à travers le rude drap de l'uniforme. De la gorge de Mme Slama s'échappa un rire léger qui était un peu comme un sanglot, un peu comme un trille. Elle avait des larmes dans les yeux. Puis elle se renversa en arrière et, avec une tendre précision, elle se mit à défaire un par un les boutons de l'uniforme. Elle lui posa sur la poitrine une main fraîche et douce, lui baisa longuement la bouche avec un plaisir méthodique, puis se leva soudainement comme effrayée par quelque bruit. Charles-Joseph sauta aussitôt sur ses pieds, elle lui sourit et, à reculons, elle l'attira doucement, les deux mains tendues, la tête rejetée en arrière, une lueur dans les yeux, vers la porte qu'elle ouvrit derrière elle d'un coup de pied. Ils glissèrent dans la chambre à coucher.

Tel un captif réduit à l'impuissance, entre ses paupières mi-closes, il la vit le déshabiller lentement, complètement, maternellement. Non sans quelque épouvante, il vit s'affaisser comme un chiffon, sur le plancher, chaque pièce de sa tenue du dimanche, il entendit le bruit sourd de ses chaussures et sentit immédiatement son pied dans la main de Mme Slama. D'en bas, un nouvel afflux de chaud et de froid monta jusqu'à sa poitrine. Il se laissa tomber. Il reçut Mme Slama comme une grande vague de délices, de feu et d'eau. Il se réveilla. Mme Slama debout devant lui. Elle lui passait ses vêtements un par un. Il commença à s'habiller vivement. Elle courut au salon, lui rapporta ses gants et son képi. Elle tira sur sa tunique, il sentait ses regards constamment attachés à son visage, mais il évitait de la regarder. Il rapprocha ses talons qui claquèrent, serra la main de la femme en regardant avec obstination son épaule droite et partit.

Une horloge sonnait sept heures. Le soleil se rapprochait des collines qui étaient maintenant du même bleu que le ciel, on les distinguait à peine des nuages. Un doux parfum s'exhalait des arbres de la route. Le vent du soir peignait les petites herbes des prés, sur les pentes, de chaque côté du chemin ; on les voyait onduler en frémissant sous sa grande main invisible et silencieuse. Au loin, dans les marais, les grenouilles commençaient à coasser. Dans le faubourg, à la fenêtre ouverte d'une maison jaune vif, une jeune femme regardait la rue déserte. Bien qu'il ne l'eût jamais vue, Charles-Joseph lui fit avec raideur un salut plein de respect. Elle lui répondit par un signe de tête légèrement étonné, mais reconnaissant. Il lui sembla qu'il venait seulement de prendre congé de Mme Slama. Cette femme inconnue et pourtant familière se tenait à sa fenêtre, comme un factionnaire, à la frontière de l'amour et de la vie. Quand il l'eut saluée, il se sentit rendu au monde. Il allongea le pas. A sept heures trois quarts exactement, Charles-Joseph, pâle, bref, et résolu comme il convient à un homme, annonçait son retour à son père.

Tous les deux jours, M. Slama, maréchal des logis-chef était de patrouille. Tous les jours, il venait à la préfecture avec un paquet de dossiers. Il ne rencontra jamais le fils du préfet. Tous les deux jours, à quatre heures de l'après-midi, Charles-Joseph se mettait en marche pour aller à la gendarmerie. Il la quittait à sept heures du soir. Le parfum qu'il rapportait de chez Mme Slama se mélangeait aux effluves des sèches soirées d'été et adhérait jour et nuit aux mains du jeune homme. A table, il veillait à ne pas s'approcher de son père plus qu'il n'était nécessaire.

— Cela sent l'automne ici, dit un soir M. von Trotta.

Il généralisait, Mme Slama usait systématiquement de réséda.

III

Le portrait était accroché dans le fumoir du préfet, face aux fenêtres, si haut sur le mur que le front et les cheveux s'embrumaient dans le reflet brun sombre du plafond de bois. La curiosité du petit-fils tournait constamment autour de la personne disparue et de la gloire muette de son grand-père. Parfois, en de silencieux après-midi — les fenêtres étaient ouvertes, la paix saturée de l'été vigoureux entrait dans la pièce avec l'ombre vert foncé des marronniers du parc municipal, le préfet présidait l'une de ses nombreuses commissions en dehors de la ville ; au loin, dans un escalier, glissait le pas spectral du vieux Jacques, qui parcourait la maison en chaussons de feutre et recueillait, pour les nettoyer, chaussures, vêtements, cendriers, candélabres et lampadaires —, Charles-Joseph montait sur une chaise et considérait de près le portrait de son aïeul. Alors le portrait se désintégrait en de multiples taches, faites d'ombre profonde et de claire lumière, en traits de pinceau et en mouchetures, trame complexe de toile peinte, austère jeu de couleurs sur l'huile desséchée. Charles-Joseph descendait de sa chaise. L'ombre des arbres se jouait sur la redingote brune du modèle, les traits de pinceau, les mouchetures se rejoignaient pour former la physionomie familière, mais insondable, les yeux reprenaient leur regard habituel, lointain, qui s'embrumait au voisinage du plafond obscur. Tous les ans, aux grandes vacances se déroulaient les muets entretiens du petit-fils avec son grand-père. Le mort ne trahissait rien. Le jeune garçon n'apprenait rien. D'année en année, le portrait semblait devenir plus pâle, s'enfoncer davantage dans l'au-delà, comme si le héros de Solferino glissait encore une fois dans la mort, comme si, de l'autre monde, il tirait lentement

41

son souvenir à lui et comme s'il devait fatalement venir un temps où une toile vide, plus muette encore que le portrait, fixerait le descendant du fond de son cadre noir.

En bas, dans la cour, à l'ombre du balcon de bois, le vieux Jacques était assis sur un tabouret devant une rangée de bottines cirées, alignées militairement. Toutes les fois que Charles-Joseph revenait de chez Mme Slama, il allait retrouver Jacques dans la cour et s'asseyait sur le rebord.

— Parlez-moi de mon grand-père, Jacques.

Alors Jacques déposait la brosse, la crème et le *Sidol* [1], se frottait les mains l'une contre l'autre comme pour les laver du travail et de la crasse, avant de commencer à parler du vieillard. Et, comme toujours, comme une bonne vingtaine de fois déjà, il commençait :

— Je me suis toujours bien arrangé avec lui. Je n'étais plus très jeune quand je suis arrivé chez lui. Je ne me suis pas marié, le vieux n'aurait pas aimé ça, il n'a jamais aimé voir de femmes chez lui, sauf la sienne, mais elle est bientôt morte de la poitrine. Tout le monde savait qu'il avait sauvé la vie à l'Empereur à la bataille de Solferino, mais il n'en a rien dit, il n'en a jamais soufflé mot. C'est pour ça aussi qu'ils ont écrit « Héros de Solferino » sur sa tombe. Il est mort pas vieux du tout, comme ça, le soir vers neuf heures. En novembre que c'est probablement arrivé. La neige devait tomber l'après-midi, il devait être dans la cour : « Jacques, où as-tu mis mes bottes fourrées ? » qu'il me dit. Je ne savais pas, mais je lui dis : Je vais les chercher tout de suite, Monsieur le baron. « Ça peut attendre à demain » qu'il dit, et le lendemain il n'en avait plus besoin. Je ne me suis jamais marié.

C'était tout.

Un jour (c'étaient les dernières vacances de Charles-Joseph, qui devait passer son examen de sortie à la fin de l'année), le préfet lui dit au moment de la séparation :

— J'espère que tout va bien se passer. Tu es le petit-fils du héros de Solferino. Penses-y et il ne pourra rien t'arriver.

Le colonel, tous les professeurs, tous les sous-officiers y pensèrent aussi ; en effet, il ne pouvait rien arriver à Charles-Joseph. Bien qu'il ne fût pas un cavalier émérite, qu'il fût faible en topographie et qu'il

1. Marque de cirage répandue en Autriche (*N.d.T.*).

eût complètement manqué sa trigonométrie, il passa « dans un bon rang », fut reçu sous-lieutenant et affecté au 10e Uhlans.

Les yeux ivres de son nouvel éclat et de la dernière messe solennelle, les oreilles remplies d'un énorme tonnerre, des discours d'adieu du colonel, dans son dolman azur à boutons d'or, sa petite cartouchière en argent au dos de laquelle resplendissait l'aigle à deux têtes, la tschapska à jugulaire et queue de crin dans la main gauche, en culotte de cheval rouge vif, bottes miroitantes, éperons chantants, le sabre à large coquille au côté, c'est ainsi que Charles-Joseph se présenta à son père par une brûlante journée d'été. Cette fois, ce n'était pas un dimanche. Un sous-lieutenant avait bien le droit d'arriver le mercredi. Le préfet était dans son cabinet de travail :

— Mets-toi à ton aise ! dit-il.

Il retira son pince-nez, rapprocha les paupières, se leva, inspecta son fils et trouva tout en règle. Il prit Charles-Joseph dans ses bras, ils se baisèrent légèrement sur les joues.

— Prends place, dit le préfet et il fit asseoir le sous-lieutenant dans un fauteuil.

Pour lui, il se promena de long en large dans la pièce. Il méditait une entrée en matière qui fût de circonstance. Un blâme aurait été pour cette fois déplacé, et l'on ne pouvait guère commencer en exprimant de la satisfaction.

— Tu devrais t'occuper de l'histoire de ton régiment, dit-il enfin, et aussi de l'histoire du régiment où ton grand-père a combattu. Je dois passer deux jours à Vienne pour affaire de service, tu vas m'accompagner.

Puis il agita une sonnette. Jacques arriva.

— Que Mlle Hirschwitz veuille bien aujourd'hui faire monter du vin, ordonna le préfet, et, si c'est possible, préparer un rôti de bœuf et des beignets aux cerises. Nous mangerons vingt minutes plus tard que d'habitude.

— Bien, Monsieur le baron.

Et Jacques murmura :

— Je vous félicite de tout mon cœur !

Le préfet se dirigea vers la fenêtre, la scène menaçait d'être émouvante. Il se rendait compte que, derrière son dos, son fils tendait la main au domestique, tandis que Jacques grattait du pied, tout en chuchotant quelque chose d'incompréhensible sur feu son maître. Il ne se retourna que lorsque Jacques eut quitté la pièce.

— Il fait chaud, n'est-ce pas ? dit le père.

— Oui, papa.

— Je pense que nous allons aller prendre l'air.

— Oui, papa.

Le préfet prit sa canne d'ébène à poignée d'argent, au lieu du jonc clair qu'il aimait porter d'habitude par les belles matinées. Il ne garda pas non plus ses gants dans sa main gauche, mais les enfila. Il mit son demi-haut-de-forme et quitta la pièce, suivi du jeune homme. Lentement et sans échanger une parole, ils se promenèrent tous les deux dans le silence estival du jardin public. Le sergent de ville leur fit le salut militaire, des hommes se levèrent des bancs pour leur dire bonjour. À côté de la sombre gravité du préfet, la tenue clinquante et chamarrée du jeune officier paraissait plus lumineuse et plus bruyante encore. Le vieil homme s'arrêta dans l'allée où une jeune fille très blonde servait du soda et du sirop de framboise sous un parasol rouge et dit :

— Une boisson fraîche ne peut pas faire de mal.

Il commanda deux sodas nature et, sans rien perdre de sa dignité, il considéra à la dérobée la blonde demoiselle qui, involontairement, paraissait s'abîmer avec volupté dans la splendeur bigarrée de Charles-Joseph.

Ils burent, puis continuèrent leur promenade. De temps en temps, le préfet brandissait un peu sa canne. C'était la manifestation d'une exubérance qui sait s'imposer des limites. Bien qu'il se tût et fût grave comme d'ordinaire, aujourd'hui, il paraissait presque gai à son fils. À l'occasion, sa joie intérieure se donnait libre cours par un toussotement, une sorte de rire. Quelqu'un le saluait, il soulevait un peu son chapeau. À certains moments, il allait même jusqu'à se risquer à de hardis paradoxes, comme par exemple :

— La politesse aussi peut vous devenir importune.

Il aimait mieux dire une parole osée que de laisser voir le plaisir que lui causaient les regards surpris des passants. Comme ils approchaient de leur porte, il s'arrêta encore une fois, se tourna vers son fils et lui dit :

— Moi aussi, quand j'étais jeune, j'aurais aimé être soldat. Ton grand-père me l'a formellement défendu. Maintenant, je suis content que tu ne sois pas fonctionnaire civil.

— Oui, papa, répondit Charles-Joseph.

Il y eut du vin. On avait pu aussi préparer le rôti de bœuf et les beignets aux cerises. Mlle Hirschwitz arriva dans sa soie grise des dimanches et, à la vue de Charles-Joseph, elle laissa choir, sans beaucoup de façon, la plus grande partie de sa gravité :

— Je suis bien heureuse, dit-elle, et je vous félicite de tout mon cœur.

— Le mot propre est congratuler, remarqua le préfet.

Et le repas commença.

— Inutile de te presser, dit M. von Trotta, si j'ai fini avant toi, je t'attendrai un peu.

Charles-Joseph releva les yeux. Il comprit que son père savait depuis des années combien il était difficile de suivre son allure. Et il eut l'impression de jeter, pour la première fois, un regard dans le cœur vivant de son père et sur la trame de ses pensées secrètes, à travers la cuirasse du vieil homme. Bien que déjà sous-lieutenant, Charles-Joseph rougit :

— Merci, papa, dit-il.

Le préfet continua d'absorber hâtivement ses cuillerées de potage. Il n'eut pas l'air d'entendre.

Quelques jours après, ils prirent le train pour Vienne. Le fils lisait un journal, le père compulsait des dossiers. Soudain, le préfet leva les yeux et dit :

— A Vienne, nous te commanderons un pantalon de fantaisie, tu n'en as que deux.

— Merci, papa.

Ils continuèrent leur lecture.

Ils étaient juste à un quart d'heure de Vienne, quand le père ferma ses dossiers. Le fils rangea immédiatement son journal. Le préfet considéra la glace de la portière, puis son fils pendant quelques secondes. Tout à coup, il dit :

— Tu connais bien, n'est-ce pas, le maréchal des logis-chef Slama ?

Ce nom vint frapper la mémoire de Charles-Joseph, ainsi que l'appel d'une époque révolue. Il revit immédiatement le chemin de la gendarmerie, la pièce basse, la robe à fleurs, le large lit douillet, en même temps qu'il sentait le réséda de Mme Slama. Il devint attentif.

— Il est malheureusement veuf depuis cet hiver, poursuivit M. von Trotta. Navrant. Sa femme est morte en couches. Tu devrais lui faire une visite.

Il régna tout à coup, dans le compartiment, une chaleur insupportable. Charles-Joseph essaya de desserrer son col. Tandis qu'il cherchait en vain quelques mots de circonstance, une folle envie de pleurer, ardente, enfantine, lui étreignait la gorge. Son palais se desséchait, comme s'il n'avait pas bu de plusieurs jours. Il perçut le regard de son père, s'efforça de contempler le paysage, ressentit, comme une aggravation de son tourment, l'approche du but vers lequel ils roulaient irrémédiablement, souhaita être tout au moins dans le couloir et se rendit compte en même temps qu'il ne pouvait échapper ni au regard de son père ni à la nouvelle qu'on lui avait communiquée. Il rassembla provisoirement quelques forces et dit :

— J'irai le voir.

— On dirait que tu ne supportes pas le chemin de fer, dit M. von Trotta.

— Oui, papa.

Muet, raide, étreint d'un tourment auquel il n'aurait pu donner de nom, qu'il n'avait jamais éprouvé et qui était comme une maladie énigmatique venue d'une zone inconnue, Charles-Joseph se rendit à l'hôtel. Il parvint encore à dire : « Pardon, papa », puis il verrouilla sa porte, défit sa valise et en sortit le portefeuille contenant quelques lettres de Mme Slama, dans les enveloppes où il les avait reçues, avec leur adresse chiffrée : Poste restante, Mährisch Weisskirchen. Les feuillets bleus avaient la couleur du ciel, un léger parfum de réséda et les fins caractères noirs rappelaient un vol d'hirondelles. Lettres de Mme Slama, lettres d'une morte. Charles-Joseph y vit comme l'annonce précoce de la brusque fin de la jeune femme et leur trouva cette surnaturelle distinction qui émane uniquement d'êtres voués à la mort ; comme des saluts anticipés de l'au-delà. Il avait laissé la dernière sans réponse. L'examen de sortie, les discours, les adieux, la messe, sa nomination, son nouveau rang et ses nouveaux uniformes perdirent leur importance face à l'envol impondérable des sombres caractères sur leur fond bleu. Il avait encore, sur la peau, les traces des mains caressantes de la morte, dans ses propres mains brûlantes se cachait encore le souvenir de la fraîche poitrine et, les yeux fermés, il voyait encore la bienheureuse lassitude du visage rassasié d'amour, la bouche rouge, entrouverte sur la blancheur des dents, la courbe paresseuse du bras et, dans toutes les lignes du corps, le reflet des rêves comblés d'un sommeil heureux. Maintenant les vers lui rampaient sur la poitrine et les cuisses et la putréfaction lui dévorait le visage verdâtre. Plus les atroces visions de destruction s'accusaient sous les yeux du jeune homme, plus elles attisaient sa passion. Elle semblait croître jusqu'à envahir l'infini inconcevable de ces sphères où la morte avait disparu : « Je n'aurais probablement plus jamais été la voir, se disait le sous-lieutenant. Je l'aurais oubliée. Ses paroles étaient tendres, c'était une mère, elle m'a aimé. Elle est morte ! »

Il était évident qu'il avait contribué à sa mort. Elle gisait, cadavre bien-aimé, sur le seuil de sa vie.

Ce fut la première rencontre de Charles-Joseph avec la mort. Il ne se souvenait plus de sa mère. D'elle, il ne connaissait rien de plus qu'une tombe ornée d'un massif de fleurs et deux photographies. Maintenant, la mort fulgurait à ses yeux comme un éclair noir, frappait son inoffensif plaisir, réduisait sa jeunesse en cendres et le précipitait au bord des profondeurs mystérieuses qui séparent les vivants des morts. Une vie pleine d'affliction s'ouvrait donc à lui. Il se prépara à la supporter, résolu et blême, comme il convient à un homme. Il remit les lettres dans sa valise qu'il ferma. Il alla dans le corridor, frappa à la porte de son père, entra et entendit la voix du vieil homme comme à travers une épaisse cloison de verre.

— Tu as le cœur sensible, dirait-on !

Le préfet arrangeait sa cravate devant le miroir, il avait encore affaire au gouvernement, à la direction de la police, à la cour d'appel.

— Tu vas m'accompagner, fit-il.

Ils prirent une voiture à deux chevaux et roues caoutchoutées. Plus que jamais, Charles-Joseph eut l'impression que les rues étaient en fête. L'or éclatant de l'après-midi d'été ruisselait sur les maisons et les arbres, les tramways, les passants, les policiers, les bancs, les monuments et les jardins. On entendait les sabots des chevaux marteler les pavés de leur claquement sec. Des jeunes femmes passaient comme un glissement de tendre et claire lumière. Des soldats faisaient le salut militaire. Des vitrines étincelaient. Le souffle doux de l'été passait à travers la grande ville.

Mais toutes les beautés de l'été glissaient, sans les atteindre, sous les yeux indifférents de Charles-Joseph. Les paroles de son père venaient frapper ses oreilles. M. von Trotta constatait cent changements : débits de tabac déplacés, nouveaux kiosques, lignes d'omnibus prolongées, haltes changées. Bien des choses étaient différentes de son temps. Mais son fidèle souvenir s'attachait à tout ce qui avait disparu, comme à tout ce qui était conservé, avec une douce et inhabituelle tendresse, ses paroles mettaient au jour de menus trésors cachés sous les décombres d'une époque disparue, sa main hâve désignait, en les saluant, les endroits où sa jeunesse avait jadis fleuri. Charles-Joseph se taisait. Il venait de perdre sa jeunesse, lui aussi, son amour était mort, mais son cœur s'était ouvert à la mélancolie paternelle et il commençait à pressentir que, derrière la dureté osseuse du préfet, un autre être se cachait, mystérieux et pourtant familier, un Trotta descendant d'un invalide slovène et d'un héros singulier, celui de Solferino. Et, plus les remarques et les exclamations du vieil homme se faisaient bruyantes, plus l'acquiescement de son fils, habituellement docile, se faisait rare et discret, le conventionnel « oui, papa », auquel sa langue s'était exercée depuis sa jeunesse, prenait maintenant une intonation nouvelle, fraternelle, intime. Le père paraissait rajeunir et le fils vieillir. Ils s'arrêtèrent devant plusieurs bâtiments officiels où le préfet cherchait des camarades d'autrefois, témoins de sa jeunesse. Brandl était un haut fonctionnaire de la police, Smekal chef de division, Monteschitzky colonel et Hasselbrunner, secrétaire de légation. Ils s'arrêtèrent devant des magasins ; chez Reitmeyer, sous les Tuchlauben, ils commandèrent deux paires de bottines en chevreau mat pour les réceptions, le bal de la cour et les audiences ; chez Ettlinger, tailleur militaire et fournisseur de la cour, dont la maison se trouvait Auf der Wieden, un pantalon de fantaisie et il arriva cette chose inouïe que le préfet fit choix chez Schafransky, bijoutier de la cour, d'un étui à cigarettes en argent, solide, à dos côtelé, objet de luxe sur lequel il fit graver ces mots consolateurs : « *In periculo securitas*. Ton père ».

Ils arrivèrent au Volksgarten, où ils prirent le café. Les tables

48

rondes de la terrasse étincelaient, blanches dans l'ombre verte, les syphons s'azuraient sur les nappes. Lorsque la musique cessait, on entendait les chants d'allégresse des oiseaux. Le préfet leva la tête, comme si ses souvenirs lui venaient de là-haut et commença :

— J'ai fait ici, un jour, la connaissance d'une petite jeune fille. Combien de temps peut-il y avoir de cela ?

Il se perdit en de secrets calculs. De longues, longues années semblaient s'être écoulées depuis lors, il semblait à Charles-Joseph que ce n'était pas son père, mais son bisaïeul qui était assis à côté de lui.

— Elle s'appelait Mizzi Schinagl, dit le vieil homme.

Il se mit en quête de l'image disparue dans les cimes touffues des marronniers, comme si c'était un petit oiseau.

— Est-ce qu'elle vit encore ? demanda Charles-Joseph, par politesse et aussi afin de trouver un point de repère pour mesurer les années révolues.

— Je l'espère ! De mon temps, on n'était pas sentimental, tu sais. On disait adieu aux jeunes filles et à ses amis aussi...

Il s'interrompit brusquement. Un inconnu se dressait près de leur table, cravate au vent, portant un chapeau mou et un cutaway gris d'un autre âge, basques flottantes, longs cheveux épais sur la nuque, large face grisâtre mal rasée, un peintre à première vue, très exactement l'image traditionnelle du « genre artiste », l'air irréel, comme sur de vieilles illustrations. L'homme posa son carton sur la table et se prépara à offrir ses œuvres avec la hautaine indifférence que pouvaient lui inspirer, à parts égales, sa pauvreté et sa mission.

— Mais c'est Moser ! dit M. von Trotta.

Le peintre releva lentement les lourdes paupières de ses grands yeux clairs, considéra quelques secondes le préfet et lui tendit la main en disant :

— Trotta !

L'instant d'après, il s'était défait de son étonnement comme de sa douceur, il jeta son carton sur la table en faisant trembler les verres et cria : « Tonnerre ! » trois fois de suite et si fort qu'il paraissait réellement donner naissance à la foudre, jeta triomphalement un regard circulaire sur les tables avoisinantes et parut en attendre des applaudissements, s'assit, retira son chapeau mou et le lança sur le

49

gravier près de sa chaise, poussa son carton du coude en le traitant calmement de « saleté », inclina la tête devant le sous-lieutenant, fronça les sourcils, se renversa en arrière et dit :

— Ton fils, hein, monsieur le gouverneur ?

— Je te présente l'ami de ma jeunesse, M. le professeur Moser ! déclara le préfet.

— Nom d'un tonnerre, monsieur le gouverneur ! répéta Moser.

En même temps, il attrapa un garçon par son frac, lui confia sa commande à voix basse, comme un secret, s'assit et se tut, les yeux dans la direction par où le garçon devait revenir avec la consommation. Enfin, il eut devant lui un verre à soda à moitié rempli de clair sliwowitz, il le promena à plusieurs reprises sous ses narines dilatées, le porta à sa bouche avec un puissant mouvement de bras, comme s'il s'agissait de vider d'un trait une lourde chope, finit par l'effleurer du bout des lèvres et se lécha les babines du bout de la langue.

— Tu es ici depuis deux semaines et tu ne viens pas me voir ! commença-t-il de l'air inquisiteur et sévère d'un supérieur.

— Cher Moser, dit M. von Trotta, je suis arrivé hier et m'en retourne demain.

Le peintre dévisagea longuement le préfet. Puis il reprit son verre et le vida sans s'arrêter, comme de l'eau. Quand il voulut le remettre sur la table, il manqua la soucoupe et laissa Charles-Joseph le lui prendre de la main.

— Merci, fit le peintre, puis, l'index braqué sur le sous-lieutenant :

— Extraordinaire, cette ressemblance avec le héros de Solferino ! En moins énergique seulement. Nez un peu frêle. Bouche un peu tendre. Pourra se modifier avec le temps.

— C'est le professeur Moser qui a fait le portrait de ton grand-père, fit remarquer le vieux Trotta.

Charles-Joseph regarda son père et le peintre. Le portrait de son grand-père, qui s'embrumait sous le plafond du fumoir, surgit dans son souvenir. Les rapports de son aïeul avec ce professeur lui parurent incompréhensibles, la familiarité de son père avec Moser lui fit peur. Il vit la grosse main sale de l'inconnu s'abattre, en signe d'amitié, sur le pantalon rayé du préfet et la cuisse de celui-ci opérer doucement un mouvement de retraite. Et le vieil homme restait là, l'air digne comme à l'accoutumée, le corps rejeté en arrière comme pour éviter les relents d'alcool dirigés vers lui, vers son visage, il souriait et acceptait tout.

— Tu devrais te rajeunir, dit le peintre. Tu es devenu bien miteux ! Ah, ton père avait une autre allure !

Le préfet se caressa les favoris et sourit.

— Ce vieux Trotta ! recommença le peintre.

— L'addition, demanda tout à coup le préfet d'une voix contenue. Tu nous excuseras, Moser, nous avons un rendez-vous.

Le peintre resta assis. Le père et le fils quittèrent le jardin.

Le préfet passa le bras sous celui de son fils. C'était la première fois que Charles-Joseph sentait le bras décharné de son père contre sa poitrine. La main paternelle, dans son gant de peau gris foncé, s'incurvait, légère et confiante, sur la manche bleue de l'uniforme. C'était cette même main qui, sèche et courroucée, dans le froissement de la manchette empesée, pouvait exhorter et avertir, feuilleter silencieusement des papiers de ses doigts maigres, fermer rageusement les tiroirs, retirer les clefs des serrures avec tant de décision qu'on pouvait croire celles-ci fermées pour l'éternité ! C'était la main qui tambourinait sur le bord de table, impatiente, prête à intervenir quand les choses n'allaient pas au gré de son maître, ou contre la vitre, lorsqu'un silence gêné régnait dans la pièce. Cette main se levait, index tendu, si quelqu'un avait commis quelque négligence dans la maison, elle se serrait en un poing muet qui ne frappait jamais, s'appliquait tendrement sur le front, retirait délicatement le pince-nez, enveloppait légèrement le verre de vin, portait câlinement à la bouche le noir Virginia. C'était la main gauche du père, depuis longtemps familière au fils. Toutefois, il semblait que le fils découvrît aujourd'hui seulement que c'était la main de son père, une main paternelle. Charles-Joseph avait envie de serrer cette main contre sa poitrine.

— Ce Moser, vois-tu, commença le préfet.

Il se tut un instant, chercha le mot juste, bien pesé, dit enfin :

— Il aurait pu devenir quelqu'un.

— Oui, papa.

— Il avait seize ans quand il a fait le portrait de ton grand-père. Nous avions seize ans tous les deux ! En classe, il fut mon seul ami. Puis il a été aux Beaux-Arts. L'eau-de-vie l'a pris. Malgré tout...

Le préfet se tut. Il ne reprit qu'après quelques minutes :

— Parmi tous ceux que j'ai revus aujourd'hui, c'est lui mon ami, malgré tout.

— Oui, père.

C'était la première fois que Charles-Joseph prononçait le mot « père ».

— Oui, papa, dit-il bien vite, se reprenant.

L'obscurité venait. Le soir tombait soudainement dans la rue.

— Tu as froid, papa ?

— Pas du tout.

Mais le préfet allongea le pas. Ils arrivèrent bientôt à proximité de leur hôtel.

— Monsieur le gouverneur ! s'écria quelqu'un derrière eux.

Le peintre Moser les avait manifestement suivis. Ils se retournèrent.

Il était là. Son chapeau à la main, tête baissée, humble, comme s'il voulait faire oublier l'ironie de son appel.

— Que ces messieurs m'excusent, dit-il, je me suis aperçu trop tard que je n'ai plus rien dans mon étui.

Il montrait une boîte de fer-blanc, béante et vide. Le préfet tira son porte-cigares.

— Je ne fume pas de cigares, déclara le peintre.

Charles-Joseph lui tendit un paquet de cigarettes. Avec beaucoup de façons, Moser posa son carton à ses pieds, sur le pavé, emplit son étui, demanda du feu, entoura la petite flamme bleue de ses deux mains. Elles étaient rouges, poisseuses, trop grandes pour leurs articulations. Un léger tremblement les agitait, elles faisaient penser à d'absurdes outils. Ses ongles étaient comme de petites bêches, plates et noires, avec lesquelles il aurait remué la terre, la fange, les mélanges de couleurs et la nicotine liquide.

— Nous ne nous reverrons donc plus, dit-il.

Il se pencha vers son carton. Il se redressa. De grosses larmes lui coulaient sur les joues.

— Plus jamais ! sanglota-t-il.

— Il faut que j'aille une minute dans ma chambre, dit Charles-Joseph.

Et il entra dans l'hôtel.

Il monta l'escalier en courant, se pencha par la fenêtre, observa anxieusement son père ; il vit le vieil homme tirer son portefeuille, le peintre poser deux secondes après son horrible patte sur l'épaule du préfet et entendit Moser s'écrier :

— Alors, François, le trois, comme d'habitude !

Charles-Joseph redescendit à toute vitesse, il lui semblait qu'il devait prendre son père sous sa protection. Le professeur salua et s'éloigna avec un dernier signe de la main ; la tête dressée, il traversa la chaussée en droite ligne, avec une assurance de somnambule. Arrivé sur le trottoir opposé, il fit de nouveau un signe de la main avant de disparaître dans une voie adjacente. Mais il reparut l'instant d'après, cria : « Un moment ! » d'une voix si forte que la rue silencieuse en retentit. Il la traversa à grandes enjambées d'une invraisemblable sûreté, se retrouva devant l'hôtel, si insouciant, si « nouvel arrivé », pour ainsi dire, qu'on ne se serait jamais douté qu'il avait pris congé la minute d'avant. Et comme s'il voyait l'ami de sa jeunesse et le fils de celui-ci pour la première fois, il commença d'un ton plaintif :

— Qu'il est donc triste de se retrouver comme ça ! Te rappelles-tu le troisième banc où nous étions assis l'un auprès de l'autre ? Tu étais faible en grec, et je te laissais copier sur moi ! Honnêtement, dis-le toi-même, devant ton rejeton ! Ne t'ai-je pas toujours laissé copier ?

Puis à Charles-Joseph :

— C'était un brave type, votre père, mais un timoré. C'est bien tard qu'il est allé chez les filles. J'ai dû lui donner du courage, sans cela il n'aurait jamais trouvé le chemin. Sois juste, Trotta, dis-le que c'est moi qui t'ai conduit !

Le préfet souriait avec complaisance et se taisait. Moser se prépara à prononcer un long discours. Il posa son carton par terre, avança un pied et commença :

— La première fois que j'ai rencontré le vieux, c'était pendant les vacances. Tu t'en souviens, hein ?

Il s'interrompit brusquement et tâta ses poches de ses mains fébriles. De grosses gouttes de sueur perlèrent sur son front :

— Je l'ai perdu, s'écria-t-il, tremblant, titubant, j'ai perdu l'argent !

Au même moment, le portier de l'hôtel sortit. Il salua le préfet et le sous-lieutenant en soulevant d'un geste vif sa casquette galonnée d'or. Il affichait un visage mécontent. On aurait dit que, d'un moment à l'autre, il allait interdire au peintre Moser de stationner devant l'hôtel, de faire du vacarme et d'offenser les clients. Le vieux Trotta porta la main à sa poche et le peintre se tut.

— Peux-tu me tirer d'embarras ? demanda le père.

Le sous-lieutenant dit :

— Je vais accompagner un peu M. le professeur. Au revoir, papa !

Le préfet leva son demi-haut-de-forme et rentra à l'hôtel. Le sous-lieutenant donna un billet au professeur, puis suivit son père. Le peintre Moser ramassa son carton et s'éloigna avec dignité.

Une profonde obscurité régnait déjà dans le rues. Il faisait aussi sombre dans le hall de l'hôtel. Assis dans un fauteuil de cuir, la clef de sa chambre à la main, son demi-haut-de-forme et sa canne à côté de lui, le préfet était lui-même partie intégrante de la pénombre. Le fils s'arrêta à distance respectueuse, comme s'il voulait présenter un rapport sur la liquidation de l'affaire Moser. Les lampes n'étaient pas encore allumées. La voix de M. von Trotta jaillit de la pénombre silencieuse :

— Nous repartons demain après-midi, à deux heures quinze.

— Oui, papa.

— Il m'est venu à l'idée, pendant le concert, que tu devrais aller voir le chef de musique Nechwal. Après ta visite au maréchal des logis-chef Slama, naturellement. As-tu encore quelque chose à faire à Vienne ?

— Me faire envoyer mes pantalons et l'étui à cigarettes.

— Et quoi encore ?

— Rien, papa.

— Demain matin, tu iras aussi présenter tes respects à ton oncle. Tu l'as manifestement oublié. Combien de fois as-tu été reçu chez lui ?

— Deux fois par an, papa.

— Eh bien ! Rappelle-moi à son bon souvenir. Dis-lui que je le prie de m'excuser. Au reste, comment va-t-il, ce brave Stransky ?

— Mais très bien, la dernière fois que je l'ai vu.

Le préfet prit sa canne et appuya sa main sur la poignée d'argent comme s'il se tenait debout, comme s'il eût été nécessaire d'avoir un point d'appui supplémentaire, même assis, aussitôt qu'il était question de ce Stransky.

— La dernière fois que je l'ai vu, c'était il y a dix-neuf ans. Il était encore lieutenant. Déjà épris de cette Koppelmann. Incurablement ! Ce fut une bien fâcheuse histoire. Enfin, il s'était épris de cette Koppelmann. (Il prononçait ce nom plus haut que le reste et avec une césure bien nette entre les deux parties.) Il n'ont pu naturellement fournir la caution. Ta mère m'aurait presque convaincu à en donner la moitié.

— Il a quitté le service ?

— Il l'a fait, oui. Et il est entré aux chemins de fer du Nord. Où en est-il aujourd'hui ? Inspecteur, je crois, hein ?

— Oui, papa.

— Bon ! Et n'a-t-il pas fait un pharmacien de son fils ?

— Non, papa. Alexandre est encore au lycée.

— Ah ! Il boite un peu, à ce que j'ai entendu dire.

— Il a une jambe plus courte que l'autre.

— C'est bien cela, dit enfin M. von Trotta, satisfait comme s'il avait déjà prédit dix-neuf ans plus tôt qu'Alexandre boiterait.

Il se leva. Les lampes du vestibule s'allumèrent, éclairant sa pâleur.

— Je vais chercher de l'argent, dit-il ; il se dirigea vers l'escalier.

— J'y vais, papa ! déclara Charles-Joseph.

— Merci ! fit le préfet.

— Je te recommande le Bacchus [1], dit-il ensuite, pendant qu'ils mangeaient leur entremets. Peut-être y rencontreras-tu Smekal.

— Merci, papa. Bonne nuit.

Entre onze heures et midi, Charles-Joseph alla faire sa visite à l'oncle Stransky. Ce dernier était encore à son bureau, sa femme, née Koppelmann, le chargea de transmettre ses cordiales salutations au préfet. Charles-Joseph s'en revint lentement par le Ringkorso. Il prit les Tuchlauben, se fit envoyer les pantalons à son hôtel, alla chercher le porte-cigarettes. L'étui était froid, on sentait sa fraîcheur contre la peau à travers la poche du mince dolman. Il pensa à sa visite de condoléances au maréchal des logis-chef et décida de n'entrer dans la pièce sous aucun prétexte.

— Mes bien vives condoléances, monsieur Slama, dirait-il dès la véranda.

1. Café de Vienne, célèbre à l'époque *(N.d.T.)*.

55

Les alouettes grisolent, invisibles sous la voûte azurée. On entend la stridulation tranchante des grillons, on sent l'odeur du foin, le parfum tardif des acacias, les bourgeons qui s'ouvrent dans les jardins de la gendarmerie. Mme Slama est morte. Catherine-Louise, d'après son extrait de baptême. Elle est morte.

Ils étaient dans le train. Le préfet se débarassa de ses dossiers, appuya sa tête sur les coussins de velours rouge, dans le coin de la portière, ferma les yeux.

Charles-Joseph voyait pour la première fois la tête du préfet reposant à l'horizontale, les narines dilatées du nez mince et osseux, la jolie fossette poudrée du menton rasé de près et les favoris paisiblement étalés en deux larges ailes noires. Ils s'argentaient déjà un peu à l'extrême pointe, où l'âge les avait déjà effleurés ainsi qu'aux tempes.

— Il va mourir un jour, se dit Charles-Joseph. Il va mourir, on l'enterrera. Moi, je resterai.

Ils étaient seuls dans leur compartiment. Le visage paternel, endormi, était doucement bercé dans la rougeâtre pénombre du capitonnage. Sous la moustache noire, les lèvres étroites et pâles formaient comme un trait unique ; sur le cou fluet, entre les coins brillants du faux col, la pomme d'Adam s'arrondissait ; la peau bleuâtre, infiniment plissée, des paupières closes frémissait constamment ; la large cravate lie-de-vin se soulevait et s'abaissait régulièrement et, à l'extrémité des bras croisés sur la poitrine, les mains dormaient aussi, au creux des aisselles. Un grand calme émanait du père au repos. Sa sévérité assoupie et apaisée somnolait, elle aussi, nichée dans la calme ride verticale entre le nez et le front, telle une tempête qui dort dans une brèche abrupte entre des montagnes. Cette ride était connue de Charles-Joseph, elle lui était même très familière. Elle ornait le visage du grand-père sur le portrait du fumoir, cette même ride, parure courroucée des Trotta, héritage du héros de Solferino.

Le père ouvrit les yeux.

— Combien encore ?

— Deux heures, papa.

Il commençait à pleuvoir. On était un mercredi. La visite de condoléances chez Slama arrivait à échéance le jeudi après-midi. Il plut aussi le jeudi matin. Un quart d'heure après le déjeuner, comme ils prenaient encore leur café au fumoir, Charles-Joseph déclara :

— Je vais chez les Slama.

— Il est seul, hélas ! répondit le préfet. Tu le trouveras plutôt à quatre heures.

Au même moment, on entendit deux coups sonner au clocher de l'église ; le préfet leva son index et le pointa, par la fenêtre, dans la direction des cloches. Charles-Joseph rougit. Il semblait que son père, la pluie, les horloges, le temps et la nature elle-même avaient résolu de lui rendre sa démarche plus pénible. En ces après-midi où il lui était encore permis d'aller retrouver Mme Slama vivante, il avait épié la sonnerie des cloches, impatient comme aujourd'hui, mais songeant précisément aux moyens d'éviter le maréchal des logis-chef. Ces après-midi-là paraissaient ensevelis sous des dizaines et des dizaines d'années. La mort les ombrageait et les dissimulait, la mort se dressait entre naguère et aujourd'hui et glissait ses ténèbres intemporelles entre passé et présent. Et pourtant, le son des cloches n'avait pas changé et c'est exactement comme naguère que l'on prenait aujourd'hui le café au fumoir.

— Il pleut, dit le père comme s'il ne faisait que s'en apercevoir. Tu vas peut-être prendre une voiture ?

— J'aime marcher sous la pluie, papa.

Il voulait dire : « Long, long doit être le chemin que je vais parcourir. C'est autrefois peut-être, quand elle vivait encore, que j'aurais dû prendre une voiture ! »

Le calme régnait, la pluie tambourinait contre les fenêtres. Le préfet se leva.

— Je m'en vais de l'autre côté.

Il voulait dire : « Dans les bureaux. »

— Nous nous reverrons après !

Il ferma la porte plus doucement qu'il n'en avait l'habitude. Charles-Joseph eut l'impression que son père restait encore un moment dehors, l'oreille au guet.

La cloche sonnait maintenant le quart, puis la demie. Il était deux heures et demie. Encore une heure et demie ! Il sortit dans le corridor, prit sa capote, passa beaucoup de temps à disposer les plis réglementaires dans son dos, tira sur la coquille de son sabre pour la faire passer à travers la fente de sa poche, mit machinalement son képi devant la glace et quitta la maison.

57

IV

Il suivit son chemin habituel, franchit la barrière ouverte du passage à niveau, longea la trésorerie qui somnolait. On apercevait déjà la gendarmerie. Il la dépassa. A dix minutes de là se trouvait le petit cimetière avec sa grille de bois. Le voile de pluie semblait s'épaissir en tombant sur les morts. Le sous-lieutenant toucha le loquet de fer mouillé, il entra. Un oiseau inconnu, invisible, flûtait quelque part. Où pouvait-il bien se cacher ? Son chant sortait-il d'une tombe ? Il rentra chez le gardien, une vieille femme épluchait des pommes de terre, ses lunettes sur le nez. Elle laissa tomber pelures et tubercules dans le seau et se leva.

— La tombe de Mme Slama, s'il vous plaît ?

— Avant-dernier rang, le 14, tombe 7, répondit promptement la femme, comme s'il y avait longtemps qu'elle attendait la question.

La tombe était encore fraîche, un tertre minuscule, une petite croix provisoire en bois et une couronne toute mouillée de violettes en verre, qui faisait penser à la boutique du pâtissier, à des bonbons : Catherine-Louise Slama, née le ..., décédée le ... Elle gisait là. Des vers annelés, gras et rebondis se repaissaient avec délectation de ses seins ronds et blancs. Le sous-lieutenant ferma les yeux et retira son képi. De son humidité câline, la pluie caressa ses cheveux séparés par une raie. Il ne prêta pas attention à cette tombe. Le corps qui se décomposait sous ce tertre n'avait rien de commun avec Mme Slama. Elle était morte. Morte, cela voulait dire inaccessible, même quand on était sur sa tombe. Le corps enseveli dans son souvenir lui était plus proche que le cadavre gisant sous ce monticule. Charles-Joseph remit son képi et tira sa montre. Encore une demi-heure. Il quitta le cimetière.

Il arriva à la gendarmerie, appuya sur la sonnette. Personne ne se montra. Le maréchal des logis-chef n'était pas encore chez lui. La pluie ruisselait sur l'épaisse vigne vierge qui enveloppait la véranda. Charles-Joseph se mit à faire les cent pas, alluma une cigarette, la jeta, constata qu'il avait l'air d'un factionnaire, détournant la tête chaque fois que son regard rencontrait la fenêtre de droite, par laquelle Catherine regardait toujours, tira sa montre, appuya encore une fois sur le bouton blanc de la sonnette et attendit.

Quatre coups assourdis arrivèrent lentement du clocher de la ville. Le maréchal des logis-chef apparut alors. Il salua machinalement, avant même de voir qui était devant lui. Comme s'il s'agissait de répondre, non à un salut mais à une menace du gendarme, Charles-Joseph cria plus fort qu'il n'en avait l'intention :

— Bonjour, monsieur Slama !

Il tendit la main, se précipita en quelque sorte dans sa salutation comme sur une redoute, attendit impatiemment, comme on attend une attaque, que le maréchal des logis-chef eût terminé ses maladroits préparatifs, retiré à grand-peine son gant de fil mouillé en s'absorbant dans sa tâche avec application, les yeux baissés. Enfin la grosse main humide se posa dans celle du sous-lieutenant sans la serrer.

— Merci de votre visite, monsieur le baron, dit le maréchal des logis-chef comme si le sous-lieutenant ne venait pas d'arriver, mais était sur le point de repartir.

Le maréchal des logis-chef prit la clef. Il ouvrit la porte. Un coup de vent fouetta la pluie qui crépita contre la véranda. Ce fut comme si le vent poussait le sous-lieutenant dans la maison. Le vestibule était dans la pénombre. Une étroite bande lumineuse n'apparut-elle pas soudain, mince, argentée, trace terrestre de la morte ?... Le maréchal des logis-chef ouvrit la porte de la cuisine ; la trace se noya dans une inondation de lumière.

— Veuillez vous débarrasser ! dit Slama.

Lui-même a encore son manteau et son ceinturon.

« Mes bien vives condoléances ! pense Charles-Joseph. Je vais le lui dire bien vite, puis je m'en vais. »

Mais Slama avance déjà les bras pour enlever la capote de Charles-Joseph. Charles-Joseph s'abandonne à la politesse. La main de Slama effleure un instant la nuque du sous-lieutenant, à la naissance des cheveux, au-dessus de son col, juste à l'endroit où les mains de Mme Slama avaient l'habitude de se croiser, délicats verrous d'une chaîne aimée. Quand exactement, à quel moment, pourra-t-on enfin prononcer la formule de condoléances ? Est-ce quand nous entrerons dans le salon ou seulement quand nous serons assis ? Faudra-t-il se relever ? Ne croirait-on pas impossible de proférer le moindre son avant que ne soit dite cette sotte parole, que l'on a emportée avec soi et que l'on a gardée continuellement dans la bouche. Elle est là sur la langue, encombrante et inutile, avec son goût fade.

Le maréchal des logis-chef appuie sur le loquet, la porte du salon est fermée à clef.

— Pardon, fait-il, bien qu'il n'y ait pas de faute de sa part.

Il porte de nouveau la main à la poche du manteau qu'il vient de quitter — il y a longtemps, semble-t-il — et fait tinter un trousseau de clefs. Jamais cette porte n'était fermée du vivant de Mme Slama.

— Elle n'est donc pas là ? se dit le sous-lieutenant tout à coup, comme s'il n'était pas venu précisément parce qu'elle n'est plus là, et il s'aperçoit que, constamment, il a nourri, en secret, la vague idée qu'elle pouvait être là, assise dans une pièce, attendant. Elle n'y est plus, c'est absolument certain. Elle gît réellement là-bas, dans la tombe qu'il vient de voir.

Il règne dans le salon une odeur d'humidité. Des deux fenêtres, l'une a ses rideaux tirés, l'autre laisse filtrer la lumière grise de la sombre journée.

— Veuillez entrer ! répète le maréchal des logis-chef.

Le sous-lieutenant le sent sur ses talons.

— Merci ! dit Charles-Joseph.

Et il entre, se dirige vers la table ronde. Il connaît exactement le tapis côtelé qui la recouvre, la petite incrustation au milieu, le vernis brun et les fioritures des pieds cannelés. Voici la crédence aux portes vitrées, montrant des coupes en métal argenté, de petites poupées de porcelaine et un cochon de terre jaune avec une fente sur le dos pour les pièces de monnaie :

— Faites-moi l'honneur de vous asseoir, murmure le maréchal des logis-chef.

Il est debout derrière un fauteuil dont il étreint à deux mains le dossier, qu'il tient devant lui comme un bouclier. Il y a plus de quatre ans que Charles-Joseph ne l'a vu. La dernière fois, c'était pendant le service. Il portait un panache de plumes chatoyantes à son chapeau noir, des buffleteries se croisaient sur sa poitrine, il avait le fusil au pied et attendait devant les bureaux du préfet. C'était le maréchal des logis-chef Slama, son nom était inséparable de son grade, son plumet faisait partie de sa physionomie au même titre que sa moustache blonde. Maintenant, le maréchal des logis-chef est tête nue, sans sabre, buffleteries ni ceinturon. L'éclat graisseux de l'uniforme se remarque sur la légère courbure du ventre, au-dessus du dossier et ce n'est plus le maréchal des logis-chef d'autrefois, mais M. Slama, maréchal des logis-chef, naguère mari de Mme Slama, maintenant veuf et maître de cette maison. Les petits cheveux blonds coupés ras, avec leur raie au milieu, ont l'air d'une petite brosse, au-dessus du front sans rides où la pression constante du képi a laissé un trait horizontal. Sans képi ni casque, cette tête est orpheline. Sans l'ombre de la visière, c'est un ovale régulier que remplissent les joues, le nez, la moustache et de petits yeux bleus, à la fois endurcis et candides. Il attend que Charles-Joseph se soit installé, puis il avance son fauteuil, s'assied aussi et tire son porte-cigarettes au couvercle d'émail polychrome. Le maréchal des logis-chef le pose au milieu de la table, entre lui et le sous-lieutenant et dit :

— Vous fumerez peut-être une cigarette ?

— Voilà le moment de parler, pense Charles-Joseph, il se lève et dit :

— Mes bien vives condoléances, monsieur Slama.

Le maréchal des logis-chef est assis, les deux mains devant lui, sur le bord de la table ; il ne paraît pas comprendre immédiatement de quoi il s'agit ; il essaie de sourire, se lève trop tard au moment où Charles-Joseph va se rasseoir, retire ses mains de la table, les porte à son pantalon, baisse la tête, la relève comme s'il allait demander ce qu'il convient de faire. Ils se rassoient. C'est fait. Ils se taisent.

— C'était une brave femme que cette pauvre Mme Slama, dit Charles-Joseph.

Le maréchal des logis-chef porte la main à sa moustache, en roule une pointe entre les doigts et déclare :

— Elle était belle. D'ailleurs, monsieur le baron l'a bien connue.

— J'ai connu madame votre épouse... Sa mort a-t-elle été facile ?

— Elle a résisté deux jours. Nous avons appelé le médecin trop tard, sans quoi elle serait encore en vie. J'étais de service de nuit.

Quand je suis rentré, elle était morte. La femme du trésorier était auprès d'elle.

Puis, sans transition :

— Un peu de framboise peut-être ?

— Oui, s'il vous plaît, dit Charles-Joseph d'une voix plus claire, comme si la framboise pouvait créer une situation toute différente.

Il voit le maréchal des logis-chef se lever, se diriger vers un meuble. Et le sous-lieutenant sait fort bien que la framboise n'y est pas. Elle est dans la cuisine, dans le buffet blanc, derrière la vitre, c'est toujours là que Mme Slama allait la chercher. Il observe attentivement tous les gestes de M. Slama. Ses gros bras courts dans leurs manches étroites, qui se tendent pour prendre la bouteille au plus haut de l'étagère et puis se baissent, impuissants, tandis que les pieds dressés retombent sur leurs semelles et que Slama, en quelque sorte revenu d'une région inconnue où il vient de faire, sans succès hélas, un voyage d'exploration inutile, se retourne et, un touchant désespoir dans ses yeux bleu sombre, annonce tout simplement :

— Je vous demande pardon, je ne la trouve malheureusement pas.

— Ça ne fait rien, monsieur Slama ! dit le sous-lieutenant pour le consoler.

Mais comme s'il n'avait pas entendu cette parole consolatrice, ou comme s'il devait obéir à un ordre qui, expressément donné en haut lieu, ne saurait plus être adouci par l'intervention d'inférieurs, le maréchal des logis-chef sort du salon. On l'entend s'agiter dans la cuisine. Il revient, la bouteille à la main, prend dans la crédence deux verres décorés aux teintes mates, pose une carafe d'eau sur la table, incline le flacon vert foncé et verse l'épais breuvage couleur rubis en répétant une fois de plus :

— Faites-moi l'honneur, monsieur le baron.

Le sous-lieutenant rajoute de l'eau dans son verre. On se tait. L'eau jaillit du col recourbé de la carafe avec un léger clapotis qui semble répondre timidement au vacarme incessant de la pluie qui tombe au dehors, infatigable. Elle enveloppe entièrement la maison et semble accroître encore la solitude des deux hommes. Ils sont seuls. Charles-Joseph lève son verre, le maréchal des logis-chef fait de même. Le sous-lieutenant trempe ses lèvres dans le liquide doux et poisseux. Slama vide son verre d'un seul trait. Il a soif, une soif étrange, inexplicable en cette fraîche journée.

— Vous allez donc entrer au 10e Uhlans ? demande-t-il.

— Oui. Je ne connais pas encore le régiment.

— Moi, j'y connais un maréchal des logis, le sous-officier comptable Zober. Nous avons servi ensemble dans les chasseurs et il a demandé sa mutation. Il est d'une bonne famille, très cultivé, et passera certainement l'examen d'officier. Nous autres, on reste comme on est. Il n'y a plus d'avenir dans la gendarmerie.

La pluie redouble, les coups de vent sont plus violents, les trombes d'eau crépitent sur les fenêtres. Charles-Joseph dit :

— Oui, c'est toujours difficile dans notre métier, chez les militaires, veux-je dire.

Le maréchal des logis-chef part d'un rire incompréhensible. L'idée que le métier qu'ils exercent, lui et le sous-lieutenant, est difficile, a l'air de l'amuser prodigieusement. Il rit un peu plus fort qu'il ne voudrait. Cela se voit à sa bouche plus largement ouverte que ne le demande son rire, et qui reste encore béante quand il a fini. Et, l'espace d'un instant, c'est comme si, uniquement pour raisons corporelles, le maréchal des logis-chef pouvait difficilement se résoudre à reprendre son sérieux de tous les jours. Se réjouit-il vraiment que Charles-Joseph et lui aient une vie si difficile ?

— Il plaît à monsieur le baron, commence-t-il enfin, de parler de « notre vie », qu'il ne m'en veuille pas de lui dire que ce n'est pas tout à fait la même chose pour nous autres.

Charles-Joseph ne sait que répondre. Il sent vaguement chez le sous-officier une hostilité contre lui ou, peut-être, d'une façon générale, contre les vicissitudes de l'armée et de la gendarmerie. A l'école des cadets, on ne lui a jamais rien appris sur la façon dont un officier doit se comporter en pareil cas. Pour parer à toute éventualité, Charles-Joseph sourit d'un sourire qui, comme un crochet, lui tire et pince les lèvres, on dirait qu'il lésine dans l'expression de la gaieté que le maréchal des logis-chef gaspille si inconsidérément. La framboise, tout à l'heure encore bien sucrée sur sa langue, lui renvoie du gosier un goût amer, écœurant, on voudrait boire un cognac par-dessus. Le salon rouge paraît aujourd'hui plus bas de plafond et plus petit, comprimé par la pluie peut-être. Sur la table se trouve l'album bien connu avec son fermoir rigide de cuivre jaune étincelant. Tous les portraits en sont familiers à Charles-Joseph.

— Vous permettez ! dit le maréchal des logis-chef, et il ouvre l'album, le présente au sous-lieutenant.

Le voilà photographié en civil, en jeune marié, à côté de sa femme.

— Je n'étais encore que chef de section, dit-il avec quelque amertume, comme s'il voulait donner à entendre qu'à cette époque-là il aurait déjà eu droit à une plus haute charge.

Mme Slama est assise auprès de lui, prise dans une robe d'été aux couleurs claires, à la taille de guêpe, comme dans une vaporeuse cuirasse, un large chapeau plat incliné sur les cheveux. Que se passe-t-il ? Charles-Joseph n'a-t-il jamais vu ce portrait ? Pourquoi lui paraît-il si neuf aujourd'hui ? Et si vieux ? Et si risible ? Il va jusqu'à sourire, comme s'il considérait une photographie ridicule datant d'une époque depuis longtemps révolue, comme si Mme Slama ne lui avait jamais été proche et chère, comme si elle n'était pas morte depuis quelques mois seulement, mais depuis des années.

— Elle était très jolie. Cela se voit ! dit-il, non plus par embarras comme avant, mais par honnête hypocrisie.

On dit quelque chose de gentil au mari d'une défunte, quand on lui fait une visite de condoléances.

Il se sent immédiatement libéré, séparé de la morte, comme si tout, absolument tout, était effacé, n'avait été qu'imagination. Il finit sa framboise, se lève et dit :

— Il va falloir que je m'en aille, monsieur Slama.

Il fait demi-tour sans attendre davantage, c'est à peine si le maréchal des logis-chef a eu le temps de se lever, ils sont déjà dans l'entrée, Charles-Joseph a déjà remis sa capote, il passe son gant gauche avec une impression de bien-être, il se sent soudain moins pressé et tout en disant :

— Allons, au revoir monsieur Slama, il constate lui-même avec satisfaction une nouvelle nuance hautaine dans sa voix.

Slama garde les yeux baissés, ses mains désemparées ont l'air de s'être vidées tout d'un coup, comme si elles avaient tenu jusque-là quelque chose qui serait tombé et de perdu à tout jamais. Ils se tendent la main. Slama a-t-il encore une parole à dire ? Bah !

— A une autre fois, peut-être, mon lieutenant ! déclare-t-il.

Toutefois, il ne doit pas y croire sérieusement. Charles-Joseph a déjà oublié la figure de Slama. Il ne voit que les liserés du col et les trois chevrons dorés sur la manche noire du gendarme.

— Adieu, maréchal des logis-chef !

La pluie ruisselle toujours, douce, inlassable, avec de temps en temps de légers coups de fœhn. Il semble que le soir devrait être déjà tombé depuis longtemps et qu'il ne peut se décider à tomber. Ce gris mouillé, hachuré, est éternel. Pour la première fois depuis qu'il porte l'uniforme, voire depuis qu'il est capable de penser, Charles-Joseph a l'impression qu'il faudrait remonter le col de son pardessus. Il lève même les mains l'espace d'un instant, puis il les laisse retomber. C'est comme s'il avait oublié une seconde sa profession. Il marche lentement, faisant crisser le gravier du jardin, il se réjouit de sa lenteur. Il n'a pas besoin de se presser, rien ne s'est passé, tout n'a été qu'un rêve. Quelle heure peut-il bien être ? Sa montre est trop profondément enfouie sous son dolman, dans la pochette de son pantalon. Dommage de déboutonner sa capote. D'ailleurs, le clocher va bientôt sonner.

Il ouvre la grille, sort du jardin.

— Monsieur le baron ! dit soudain le maréchal des logis-chef, derrière lui.

Comment Charles-Joseph a-t-il pu être suivi sans rien entendre ? C'est énigmatique. Il a peur, s'arrête, mais ne peut se décider tout de suite à se retourner. Peut-être le canon d'un pistolet est-il appuyé dans son dos, entre les deux plis réglementaires de sa capote. Idée horrible et puérile ! Tout va-t-il recommencer ?

— Oui ! dit-il avec la même indolence hautaine qui est comme le pénible prolongement de ses adieux et lui coûte un grand effort, puis il fait volte-face.

Le maréchal des logis-chef est sous la pluie, sans manteau, tête nue, sa petite brosse à deux ailes toute mouillée, de grosses perles d'eau sur son front blond et lisse. Il tient un petit paquet noué en croix d'un fil argenté.

— Voilà pour vous, monsieur le baron ! dit-il, les yeux baissés, je vous demande pardon, c'est M. le préfet qui en a décidé ainsi. Je le lui ai porté tout de suite, quand c'est arrivé. M. le préfet l'a parcouru et m'a dit de vous le remettre personnellement !

Le silence règne un instant. Seule la pluie crépite sur le pauvre petit paquet bleu ciel dont la couleur s'assombrit. Il ne peut pas attendre davantage, le petit paquet. Charles-Joseph le prend, l'enfouit dans la poche de sa capote, rougit, pense un moment à retirer son gant droit, change d'avis, tend sa main gantée au maréchal des logis-chef, dit :

— Merci beaucoup, et s'en va rapidement.

Il sent bien le petit paquet dans sa poche. Partant de là, montant le long de sa main, de son bras, une chaleur inconnue se répand en lui et il rougit davantage. Il lui semble maintenant qu'il y aurait lieu d'ouvrir son col, comme il lui semblait tout à l'heure qu'il y aurait eu lieu de le remonter. L'arrière-goût amer de la framboise lui revient de nouveau dans la bouche. Oui, aucun doute, ce sont ses lettres.

Le soir devrait bien finir par tomber maintenant et la pluie par cesser. Beaucoup de choses devraient se changer de par le monde, le soleil couchant devrait peut-être lancer un dernier rayon. A travers la pluie, les prairies exhalent leur odeur familière, l'appel solitaire d'un oiseau inconnu retentit, on ne l'a jamais entendu par ici, on se croirait en pays étranger. On entend sonner cinq heures, il y a donc exactement une heure... pas plus d'une heure... Faut-il aller vite ou lentement ? La marche du temps est énigmatique, une heure est comme une année. Le quart de cinq heures sonne. C'est à peine si l'on a fait quelques pas. Charles-Joseph se met à marcher plus vite. Il traverse les voies. C'est ici que commencent les premières maisons de la petite ville. On passe près du café, c'est le seul établissement du lieu qui ait une porte moderne à tambour. Peut-être est-il bon de s'y arrêter, de prendre un cognac, debout, puis de repartir. Charles-Joseph entre.

— Un cognac, vite ! dit-il au comptoir.

Il garde son képi et sa capote, quelques clients se lèvent. On entend tinter des boules de billard, des pièces de jeux d'échecs. Des officiers de la garnison sont assis dans l'ombre des boxes, Charles-Joseph ne les voit pas, ne les salue pas. Rien n'est plus urgent pour lui que le cognac. Il est pâle. La caissière aux cheveux blond cendré lui sourit maternellement de son siège surélevé et, d'une main bienveillante, elle pose un petit morceau de sucre auprès de son verre. Charles-Joseph le vide d'un seul trait. Il commande immédiatement le suivant. Du visage de la caissière, il ne voit qu'un reflet blond et deux plombages d'or aux coins de la bouche. Il lui semble qu'il fait une chose défendue et il ignore pourquoi il serait défendu de boire deux cognacs. Il n'est plus élève à l'école des cadets, après tout ! Pourquoi la caissière le dévisage-t-elle avec un sourire si singulier ? Son regard bleu marine le gêne comme le noir charbonné des sourcils. Il se tourne vers la salle. Auprès de la vitre, dans l'angle, est assis son père.

Oui, c'est le préfet... et qu'y a-t-il d'étonnant à cela ? Il est là tous les jours, entre cinq et sept, qui lit le *Fremdenblatt,* le journal officiel, et fume son Virginia. Toute la ville le sait depuis trente ans. Le préfet regarde son fils et semble sourire. Charles-Joseph retire son képi et se dirige vers son père. Le vieux M. von Trotta lui jette un bref coup d'œil par-dessus son journal, sans le poser, et dit :

— Tu viens de chez Slama ?

— Oui, papa.

— Il t'a donné tes lettres.

— Oui, papa.

— Assieds-toi, veux-tu ?

— Oui, papa.

Le préfet se débarrasse enfin de son journal, appuie les coudes sur la table, se tourne vers son fils et dit :

— Elle t'a servi un cognac bon marché. Je ne bois que de l'Hennessy.

— Je m'en souviendrai, papa.

— Je bois rarement, du reste.

— Oui, papa.

— Tu es encore un peu pâle. Débarrasse-toi. Le commandant Kreidl est en face, il regarde de notre côté.

Charles-Joseph se lève et salue le commandant d'une courbette.

— A-t-il été bien désagréable, ce Slama ?

— Non, tout à fait gentil.

— Alors, tout va bien.

Charles-Joseph défait son manteau.

— Où as-tu les lettres ? demande le préfet.

Le fils va prendre le paquet dans la poche de sa capote. Le vieux M. von Trotta s'en saisit, le soupèse dans sa main droite, le remet sur la table et dit :

— Ça fait pas mal de lettres.

— Oui, papa.

Le silence n'est interrompu que par le choc des boules sur le billard, des pièces sur les jeux d'échecs. Dehors, il pleut toujours.

— Tu rejoins ton régiment après-demain, dit le préfet en regardant du côté de la fenêtre.

Tout à coup, Charles-Joseph sent la rude main de son père sur la sienne. La main du préfet est contre celle du sous-lieutenant, froide, osseuse, comme une coque dure. Charles-Joseph abaisse les yeux sur le plateau de la table. Il rougit :

— Oui, papa, dit-il.

— L'addition ! crie le préfet et il retire sa main.

— Dites à la demoiselle du comptoir que nous ne buvons que de l'Hennessy, déclare-t-il au garçon.

Ils se dirigent vers la porte en traversant le café, tout droit, en diagonale. Le père en tête, son fils derrière lui.

Seuls les arbres s'égouttent encore, chantant doucement, tandis qu'ils rentrent chez eux en traversant le jardin mouillé. De la grand-porte de la préfecture sort le maréchal des logis-chef Slama, casqué, la baïonnette au canon de son fusil, son registre sous le bras :

— Bonsoir, mon cher Slama ! dit le vieux M. von Trotta. Rien de nouveau, n'est-ce pas ?

— Rien de nouveau ! répète le maréchal des logis-chef.

V

La caserne se trouvait au nord de la ville. Elle fermait la large route bien entretenue qui renaissait derrière le bâtiment de brique rouge et s'enfonçait dans la campagne. La caserne semblait plantée dans la province slave, comme un signe du pouvoir impérial et royal de l'armée des Habsbourg. Elle barrait même le passage à l'antique voie que les migrations séculaires des peuples slaves avaient rendue si large et si spacieuse. La route était forcée de lui céder la place. Elle traçait un arc de cercle autour de la caserne. Quand on était à l'extrémité septentrionale de la ville, au bout de la rue, à l'endroit où les maisons rapetissaient de plus en plus et finissaient par se transformer en huttes villageoises, on pouvait apercevoir, au loin, par temps clair, la large porte voûtée, jaune et noire, de la caserne, présentée à la ville comme un gigantesque écu habsbourgeois, une menace, une protection ou les deux à la fois. Le régiment était stationné en Moravie, toutefois ses effectifs ne se composaient pas de Tchèques, comme on aurait pu le croire, mais d'Ukrainiens et de Roumains.

Deux fois par semaine, les soldats allaient à l'exercice sur le terrain de manœuvres situé au midi. Deux fois par semaine, le régiment défilait, à cheval, dans les rues de la petite ville. D'éclatantes sonneries de trompettes interrompaient à intervalles fixes le claquement régulier des sabots des chevaux, et les hommes sur leurs rutilantes montures baies coloraient les rues de leurs magnifiques culottes rouge sang. Les habitants s'arrêtaient en bordure de la chaussée. Les marchands quittaient leurs boutiques, les consommateurs désœuvrés les tables des cafés, les sergents de ville leur poste habituel et les paysans, venus au marché avec leurs légumes frais, abandonnaient leurs chevaux et leurs voitures. Seuls, les quelques cochers de fiacre en station auprès du jardin public restaient immobiles sur leur siège, d'où ils voyaient le spectacle mieux encore que les gens plantés au bord de la rue. Et leurs vieilles haridelles semblaient saluer avec une morne indifférence l'allure splendide de leurs frères plus jeunes et mieux portants. Les coursiers de la cavalerie étaient les parents éloignés des bêtes moroses qui, depuis quinze ans, ne faisaient que conduire les voitures à la gare et les en ramener.

Charles-Joseph, baron von Trotta, ne s'intéressait pas aux chevaux. Il croyait sentir parfois en lui le sang de ses ancêtres et ses ancêtres n'avaient pas été cavaliers. La herse dans leurs mains calleuses, ils avaient cheminé pas à pas sur la glèbe. Ils avaient enfoncé le soc de la charrue dans les mottes gonflées de suc nourrissier et, les genoux ployés, ils avaient suivi la pesante paire de bœufs de leur attelage. C'est de leur baguette de saule et non de la cravache et des éperons qu'ils excitaient leurs bêtes. Le bras haut levé, ils lançaient comme un éclair leur faux aiguisée et coupaient le blé béni qu'ils avaient eux-mêmes semé. Le père de son grand-père était encore un paysan... Sipolje, ainsi s'appelait leur village d'origine. Sipolje, le mot avait une vieille signification. Les Slovènes d'aujourd'hui eux-mêmes ne la connaissaient plus guère. Mais Charles-Joseph croyait le connaître, ce village. Quand il pensait à son grand-père, dont le portrait s'embrumait sous le plafond du fumoir, il le voyait blotti entre des montagnes inconnues, sous l'or éclatant d'un soleil inconnu, avec ses maisons de pisé et de chaume. Un beau village, un bon village ! On aurait donné en échange sa carrière d'officier.

Hélas ! on n'était pas paysan. On était baron et sous-lieutenant de uhlans. On n'avait pas de chambre en ville comme les camarades. Charles-Joseph demeurait à la caserne. La fenêtre de sa chambre donnait sur la cour. Les chambrées des hommes étaient en face. Chaque fois qu'il rentrait, l'après-midi, et que la porte à deux battants se refermait sur lui, il avait l'impression qu'il était prisonnier et que la porte ne se rouvrirait jamais devant lui. Ses éperons faisaient un cliquetis glacial sur l'escalier de pierre nue et ses bottes retentissaient sur le plancher goudronné du corridor. Les murs blanchis à la chaux retenaient encore un peu captive la lueur du jour déclinant, puis la renvoyaient comme si, dans leur misérable esprit d'économie, ils veillaient à ce que les lampes à huile de l'administration, placées dans leurs angles, ne fussent pas allumées avant la chute complète du soir, comme s'ils avaient amassé la lumière de la journée pour la dépenser quand l'obscurité le rendait nécessaire. Charles-Joseph n'alluma pas. Le front appuyé contre la fenêtre qui le séparait apparemment de l'ombre, mais qui était, en réalité, comme la paroi extérieure, fraîche et familière, de l'ombre elle-même, il plongeait ses regards dans l'intimité des chambrées éclairées d'une lueur jaune. Il aurait volontiers fait échange avec l'un de ces hommes. Ils étaient assis là-bas, à moitié déshabillés, dans les grossières chemises fournies par le régiment, ils laissaient baller leurs pieds nus sur le bord de leurs couchettes, chantaient, causaient et jouaient de l'harmonica. A ce moment de la journée — l'automne était déjà avancé —, une heure après l'appel, une heure et demie avant l'extinction des feux, la caserne tout entière ressemblait à un gigantesque navire. Et il semblait aussi à Charles-Joseph qu'elle se balançait doucement et que les misérables lampes à pétrole, jaunes sous leurs grands abat-jour blancs, oscillaient au rythme régulier des vagues de quelque océan inconnu. Les hommes chantaient des chansons en une langue ignorée, une langue slave. Les vieux paysans de Sipolje l'auraient comprise ! Le grand-père de Charles-Joseph l'aurait peut-être comprise encore ! Son énigmatique portrait s'embrumait sous le plafond du fumoir. Les souvenirs de Charles-Joseph se cramponnaient à ce portrait comme à l'unique et dernier signe que lui avait légué la longue lignée de ses ancêtres inconnus. Lui, il était leur descendant. Depuis qu'il avait rejoint le régiment, il se sentait le petit-fils de son grand-père et non le fils de son père ! Ce qu'il était même, c'était le « fils » de son étrange grand-père ! En face, ils soufflaient sans arrêt dans leurs harmonicas. Charles-Joseph distinguait nettement les mouvements des grosses mains hâlées qui faisaient glisser l'instrument sur leurs lèvres rouges et il apercevait, de temps en temps, un rapide éclair métallique. La grande mélancolie de cette musique filtrait à travers les fenêtres fermées, et l'image radieuse du pays natal, de la maison, de la femme et des enfants remplissait les ténèbres. Au pays, ils habitaient de petites chaumières. La nuit, ils fécondaient leurs femmes et le jour leurs champs. L'hiver, la neige blanche s'amoncelait autour de leurs huttes. L'été, le blé mûr déferlait autour de leurs hanches. Ils étaient des paysans, des paysans ! Et la race des Trotta n'avait pas vécu autrement ! Pas autrement !

L'automne était déjà bien avancé. Le matin, quand on montait à cheval, le soleil émergeait comme une orange veinée de sang à la lisière orientale du ciel. Et quand les exercices d'assouplissement commençaient dans l'herbe mouillée de la vaste et verdoyante prairie entourée de sapins presque noirs, les brumes argentées s'élevaient lourdement, déchirées par les mouvements vigoureux et réguliers des uniformes bleu foncé. Puis le soleil montait, pâle et mélancolique. Son argent mat pénétrait la sombre ramure de sa lueur étrange et froide. Un frisson glacé striait comme une étrille le pelage rouillé des chevaux ; leur hennissement retentissait dans la clairière comme un douloureux appel à la terre natale et à l'écurie. On « s'exerçait à la carabine ». Charles-Joseph attendait avec impatience le retour à la caserne. Il redoutait le quart d'heure de « repos » qui revenait ponctuellement sur les dix heures et la conversation avec ses camarades, qui se réunissaient parfois au café d'à côté pour prendre de la bière et attendre le colonel Kovacs. La soirée au mess lui était encore plus pénible. Elle allait bientôt commencer. C'était un devoir que d'y aller. Déjà l'heure du couvre-feu approchait. Déjà on entendait cliqueter les armes des soldats qui rentraient, ombres bleues traversant d'un pas hâtif la cour qu'envahissait le crépuscule. Déjà, en face, le maréchal des logis Rezniéek sortait, tenant à la main sa lanterne où clignotait une lueur jaune et la clique se rassemblait dans l'obscurité. Les cuivres se détachaient sur le bleu foncé des uniformes. Des écuries parvenait le hennissement des chevaux qui déjà somnolaient. Dans le ciel scintillaient les étoiles d'or.

On frappa à la porte. Charles-Joseph ne bougea pas. C'était son ordonnance, il entrerait bien tout seul. Il va entrer tout de suite. Il s'appelle Onufrij. Combien de temps a-t-il fallu pour retenir ce nom ? Onufrij ! Ce nom aurait encore été familier à son grand-père.

Onufrij entra. Charles-Joseph appuya le front contre la vitre. Il entendit son ordonnance claquer les talons derrière lui. C'était aujourd'hui mercredi. Onufrij était « de sortie ». Il fallait allumer et signer un papier.

— Allumez ! commanda Charles-Joseph sans se retourner. En face, les hommes continuaient à jouer de l'harmonica.

Onufrij alluma. Charles-Joseph entendit le commutateur heurter le chambranle de la porte. La pièce s'illumina dans son dos. Mais, devant sa fenêtre, la cour rectangulaire restait figée dans son obscurité, au-delà de laquelle une lumière jaune clignotait dans l'intimité des chambrées. (L'éclairage électrique était un privilège des officiers.)

— Où vas-tu aujourd'hui ? demanda Charles-Joseph, tout en continuant de regarder du côté des hommes de troupe.

— Chez bonne amie, dit Onufrij.

C'était la première fois que son lieutenant le tutoyait.

— Quelle bonne amie ? demanda Charles-Joseph.

— Catherine ! répondit Onufrij.

On l'entendit se mettre au garde-à-vous.

— Repos ! commanda Charles-Joseph.

On entendit Onufrij avancer le pied droit.

Charles-Joseph se retourna. Onufrij était debout devant lui. Ses grandes dents de cheval luisaient entre ses grosses lèvres rouges. Il ne pouvait se mettre au repos sans sourire.

— Comment est-elle, ta Catherine ? demanda Charles-Joseph.

— Sauf votre respect, mon lieutenant, grande poitrine blanche.

« Grande poitrine blanche ! » Les mains du sous-lieutenant s'arrondirent, il y sentit le frais souvenir des seins de Cathy. Morte, elle était morte !

— Ton billet ! commanda Charles-Joseph.

Onufrij le lui présenta.

— Où est-elle, ta Catherine ?

— Bonne chez patrons ! Et l'air radieux, il ajouta : grande poitrine blanche.

— Donne !

Charles-Joseph prit le billet, le défroissa et signa.

— Va chez ta Catherine ! dit-il.

Onufrij rectifia encore la position.

— Rompez ! commanda le sous-lieutenant.

Il éteignit l'électricité, chercha son manteau à tâtons dans l'obscurité. Il sortit dans le couloir. Au moment où il fermait la porte d'en bas, les trompettes embouchaient leurs instruments pour la dernière sonnerie du couvre-feu. Les étoiles scintillaient au ciel. Devant la porte, le factionnaire salua. La grand-porte se referma derrière Charles-Joseph. La rue s'argentait au clair de lune. Les lumières de la ville le saluaient de loin comme des étoiles tombées sur terre. En cette nuit d'automne, les pas sonnaient ferme sur le sol gelé.

Il perçut dans son dos le bruit des bottes d'Onufrij. Le sous-lieutenant pressa le pas pour éviter d'être dépassé par son ordonnance. Mais Onufrij pressa le pas aussi. Ils coururent ainsi, l'un suivant l'autre, dans la rue déserte qui renvoyait l'écho de leurs pas. Il était évident qu'Onufrij aurait plaisir a rattraper son sous-lieutenant. Charles-Joseph s'arrêta et attendit. Onufrij se dessinait nettement dans le clair de lune, il avait l'air de grandir, il levait la tête vers les étoiles, comme s'il y puisait une force nouvelle pour la rencontre avec son maître. Ses bras avaient des mouvements saccadés qui suivaient le rythme de ses jambes, on aurait dit qu'il foulait aussi l'air de ses mains. A trois pas de Charles-Joseph, il s'immobilisa, bombant une fois de plus le torse, avec un terrible claquement de talons, sa main salua, les cinq doigts réunis. Charles-Joseph souriait avec perplexité.

« D'autres sauraient lui dire quelque chose de gentil ! », pensa-t-il.

La façon dont Onufrij le suivait était touchante. A proprement parler, Charles-Joseph ne l'avait jamais bien regardé. Tant qu'il n'avait pu retenir son nom, il lui avait été également impossible de considérer son visage. Les choses s'étaient passées comme s'il avait changé chaque jour d'ordonnance. Les autres officiers parlaient des leurs avec un sérieux de connaisseurs, comme ils parlaient de filles, de costumes, de mets favoris et de chevaux. Quand il était question de serviteurs, Charles-Joseph, lui, pensait au vieux Jacques qui avait encore servi son grand-père. En dehors du vieux Jacques, il n'y avait point de serviteur au monde ! Et voilà qu'Onufrij était devant lui, sur la route éclairée par la lune, avec ses boutons étincelants, ses bottes cirées comme des miroirs, gonflant la poitrine, faisant des efforts désespérés pour dissimuler la joie qu'il éprouvait d'avoir rejoint son supérieur.

— Repos ! fit Charles-Joseph.

Il aurait aimé trouver quelque chose de plus aimable. Son grand-père l'aurait fait pour Jacques. Onufrij avança bruyamment le pied droit. Son buste restait droit. L'ordre n'avait point eu d'effet.

— Mettez-vous donc au repos ! dit Charles-Joseph avec un peu de tristesse et d'impatience.

— Je me mets au repos, pour vous obéir ! répondit Onufrij.

— Est-ce qu'elle habite loin d'ici, ta bonne amie ?

— Pas loin, à une heure de marche, pour vous obéir, mon lieutenant.

Décidément, ça n'allait pas ! Charles-Joseph ne trouvait pas une parole à dire. Il était aux prises avec quelque tendresse inconnue, il ne savait pas s'y prendre avec les ordonnances ! Mais avec qui donc savait-il s'y prendre ? Son embarras était énorme, c'est à peine s'il trouvait une parole, même pour ses camarades. Pourquoi se mettaient-ils tous à chuchoter quand il les quittait ou quand il les rejoignait ? Pourquoi montait-il si mal à cheval ? Ah ! il se connaissait. Il voyait sa silhouette comme dans un miroir, on ne pouvait pas lui en faire accroire ! Les mystérieux propos de ses camarades allaient bon train, tout bas derrière son dos. Il ne comprenait leurs réponses que lorsqu'on les lui avait expliquées, et même alors, elles ne le faisaient pas rire, encore moins qu'avant peut-être. Le colonel Kovacs l'aimait malgré tout, il avait certainement d'excellents états de service. On vivait dans l'ombre du héros de Solferino. C'était cela ! On était le petit-fils du héros de Solferino, son unique petit-fils. On sentait constamment peser sur son dos le sombre et énigmatique regard du grand-père ! On était le petit-fils du héros de Solferino.

Pendant quelques minutes, Charles-Joseph et son ordonnance restèrent face à face, muets, dans la lueur laiteuse de la grand-route. La lune et le silence rendaient les minutes encore plus longues. Onufrij ne bougeait pas. Il se dressait comme une statue inondée par l'éclat argenté de la lune. Soudain, Charles-Joseph fit demi-tour et reprit sa marche. Onufrij le suivit à trois pas de distance exactement. Charles-Joseph entendait le choc régulier des lourdes bottes et le bruit métallique des éperons. C'était la fidélité elle-même qui le suivait. Chaque pas de son ordonnance était comme une nouvelle promesse de fidélité, brève, bien frappée. Charles-Joseph craignait de se retourner. Il souhaitait que la route toute droite lui offrît soudain une bifurcation inattendue, inconnue, une voie latérale, un moyen de fuir l'empressement obstiné d'Onufrij. Le serviteur le suivait au même rythme que lui. Le sous-lieutenant s'efforçait d'aller au même pas que les bottes de son suiveur. Il avait peur de décevoir Onufrij en se trompant de pas par inadvertance. Elle était tout entière dans le loyal martèlement de ses bottes, la fidélité d'Onufrij. Et chaque pas nouveau émouvait Charles-Joseph. Et c'était comme si, derrière son dos, un pauvre gars maladroit essayait de frapper de ses pesantes semelles à la porte du cœur de son maître. Gauche tendresse d'un ours éperonné et botté !

Ils atteignirent enfin l'entrée de la ville. Une bonne parole, propre aux adieux, était venue à l'esprit de Charles-Joseph. Il se retourna et dit :

— Amuse-toi bien, Onufrij !

Et il s'engagea bien vite dans une rue adjacente. Le remerciement d'Onufrij lui parvint comme un écho lointain.

Il dut faire un détour. Il arriva au mess dix minutes plus tard. Le mess se trouvait au premier étage de l'une des plus belles maisons du vieux boulevard. Comme chaque soir, ses fenêtres déversaient un flot de lumière sur la place, lieu de rendez-vous de la population. Il était tard, il fallait se faufiler adroitement entre les groupes compacts des bourgeois qui aimaient à déambuler avec leurs épouses. Jour après jour, c'était, pour le sous-lieutenant, un véritable supplice que de devoir faire irruption, dans son uniforme chamarré, parmi les civils en costumes sombres, d'être la cible de leurs regards pleins de curiosité, d'animosité, d'envie et de plonger finalement comme un dieu par la porte illuminée du mess. Il se glissait donc prestement parmi les promeneurs. La traversée de cette grande place durait deux minutes, deux minutes qui lui donnaient la nausée. Il montait les marches de l'escalier, deux par deux. Ne rencontrer personne ! Les rencontres dans l'escalier étaient de mauvais augure, il fallait les éviter. Dès le palier, de la chaleur, de la lumière, des voix vinrent à sa rencontre. Il entra, échangea des saluts. Il chercha le colonel Kovacs dans son coin habituel. Il y jouait chaque soir aux dominos avec passion, par peur immodérée des cartes peut-être.

— Je n'ai jamais touché une carte de ma vie ! disait-il couramment.

Il ne prononçait pas le mot carte sans hostilité et, en même temps, il désignait ses mains du regard, comme si c'étaient en elles que résidait son caractère irréprochable.

— Messieurs, poursuivait-il parfois, je vous recommande des dominos. C'est un jeu propre et qui vous apprend la modération.

Et, à l'occasion il brandissait l'une des pièces noires et blanches aux multiples yeux, comme un instrument magique propre à exorciser le démon des vieux joueurs de cartes.

Ce jour-là, c'était le capitaine de cavalerie Taittinger qui était de service de dominos. Le visage du colonel jetait une ombre violâtre sur la face jaune et sèche du capitaine. Charles-Joseph s'arrêta devant son colonel.

— Salut, mon jeune ami, dit le colonel sans lever les yeux.

C'était un homme facile à vivre que le colonel Kovacs ! Il s'était entraîné depuis des années à ces façons paternelles. Il n'était pris qu'une fois par mois d'un accès de colère feinte, qui l'effrayait plus encore lui-même que le régiment. Alors tout prétexte lui était bon et il criait si fort que les murs de la caserne et les arbres de la prairie en tremblaient. Sa face violacée devenait blanche jusqu'aux lèvres et sa cravache frappait infatigablement les tiges de ses bottes. Il ne vociférait que des choses confuses, parmi lesquelles les mots :

« Dans mon régiment ! », qui revenaient sans cesse et sans raison apparente, avaient une sonorité plus douce que tous les autres. Il cessait enfin, sans raison, exactement comme il avait commencé, et quittait les bureaux, le mess, le terrain d'exercice ou tout autre lieu choisi par lui comme théâtre pour son orage. Oui, on le connaissait, le colonel Kovacs, la brave bête ! On pouvait se fier à la régularité de ses accès de colère comme à la périodicité des phases de la lune. Le capitaine Taittinger qui avait déjà obtenu deux fois sa mutation et qui possédait une connaissance très précise des chefs, certifiait sans relâche à qui voulait l'entendre qu'il n'y avait pas, dans toute l'armée, un commandant de régiment plus inoffensif.

Le colonel Kovacs finit par quitter des yeux ses dominos et tendit la main à Trotta.

— Déjà dîné ? demanda-t-il. Dommage ! poursuivit-il et son regard se perdit en un mystérieux lointain.

— Aujourd'hui, l'escalope était épatante... Épatante !... répéta-t-il un moment après.

Il était peiné que Trotta eût manqué l'escalope. Il aurait bien voulu la mastiquer, une fois encore, en présence du sous-lieutenant ou, tout au moins, voir une autre personne en consommer une avec appétit.

— Allons, amusez-vous bien ! déclara-t-il en manière de conclusion et il reporta son attention sur les dominos.

Une grande confusion régnait à cette heure où il était impossible de trouver une place agréable. Le capitaine Taittinger, qui administrait des mess depuis des temps immémoriaux et dont l'unique passion était d'absorber des gâteaux sucrés, avait petit à petit transformé celui-ci à l'image de la pâtisserie où il passait tous ses après-midi. On pouvait l'y voir, assis derrière la porte vitrée, dans la sombre immobilité d'un mannequin réclame curieusement revêtu d'un uniforme. C'était le plus fidèle habitué de la pâtisserie, vraisemblablement aussi le plus affamé. Sans que son visage chagrin en reçût la moindre animation, il engloutissait assiette sur assiette de sucreries, trempait de temps à autre les lèvres dans son verre d'eau, lorgnait impassiblement la rue à travers la porte vitrée, répondait d'une inclinaison de tête mesurée, quand un soldat lui faisait le salut militaire et, selon toute apparence, il ne se passait rien sous son grand crâne maigre aux cheveux clairsemés. Il était doux et très paresseux. Les occupations que lui donnaient les affaires du mess, de la cuisine, des cuisiniers, des ordonnances, de la cave, étaient les seules obligations de son service qui fussent agréables. Et sa correspondance énorme avec les marchands de vin et les fabricants de liqueurs n'absorbait pas moins de deux commis aux écritures. Au cours des ans, il réussit à rapprocher l'organisation du mess de celle de sa chère pâtisserie, à disposer dans les angles de mignonnes petites tables dont il revêtit les lampes d'abat-jour dans les tons rouges.

Charles-Joseph regarda autour de lui. Il cherchait une place acceptable. C'est entre le lieutenant de réserve et porte-étendard Bärenstein, chevalier von Zaloga, riche avocat récemment anobli, et le lieutenant Kindermann, d'ascendance allemande, qu'on était relativement le plus en sécurité. Le porte-étendard, dont l'âge avancé et le ventre légèrement rebondi étaient si peu en rapport avec sa charge juvénile qu'il avait l'air d'un bourgeois déguisé en militaire, et dont le visage, avec sa petite moustache noire comme du charbon, étonnait parce qu'il était dépourvu du pince-nez qui aurait dû en être le nécessaire et naturel complément, répandait dans ce mess une dignité qui inspirait confiance. Il rappelait à Charles-Joseph une sorte de médecin de famille, un oncle. Lui seul, dans ces deux grandes salles, donnait l'impression d'être vraiment assis, tandis que les autres paraissaient sautiller sur leurs sièges. L'unique concession que maître Bärenstein faisait à la vie militaire, en plus de l'uniforme, était le port du monocle pendant son service, car il portait effectivement un lorgnon dans la vie civile.

Plus rassurant que les autres était aussi, sans aucun doute, le lieutenant Kindermann. Il était fait d'une substance blonde, rose et transparente, on aurait presque pu lui passer la main au travers, comme à travers une vapeur vespérale, ensoleillée et aérienne. Tous ses propos étaient aériens et transparents, exhalés par son être sans qu'il en fût amoindri. Et le sérieux même qu'il mettait à suivre les conversations sérieuses avait quelque chose de souriant et d'ensoleillé. Il se tenait à sa petite table avec la sérénité du néant.

— Salut, camarade, siffla-t-il de sa voix aiguë dont le colonel Kovacs disait que c'était un fifre de l'armée prussienne.

Le lieutenant Bärenstein se leva réglementairement mais avec lourdeur :

— Mes respects, lieutenant.

Charles-Joseph fut sur le point de répondre avec déférence :

— Bonsoir, maître, mais il se contenta de demander :

— Je ne vous dérange pas ? et il s'assit.

— Le docteur Demant revient aujourd'hui, commença Bärenstein, je l'ai rencontré cet après-midi, par hasard !

— Un être charmant, fit Kindermann.

La voix de Bärenstein était celle d'un baryton familier des prétoires. En comparaison, celle de Kindermann avait la sonorité d'une harpe effleurée par une douce brise. Kindermann, toujours préoccupé de compenser l'intérêt extrêmement faible que lui inspiraient les femmes par l'attention toute particulière qu'il prétendait leur vouer, poursuivit en déclarant :

— Et sa femme, la connaissez-vous ? Délicieuse créature, femme charmante !

Et, au mot « charmante », il leva sa main dont les doigts déliés frétillaient en l'air.

— Je l'ai connue jeune fille, dit le porte-étendard.

— Passionnant ! déclara Kindermann, qui, manifestement feignait l'intérêt.

— Son père était autrefois un riche fabricant de chapeaux, continua le porte-étendard.

On aurait dit qu'il lisait des extraits de dossiers. Il parut effrayé par ses propres paroles et s'arrêta. Le mot « fabricant de chapeaux » lui parut trop peu militaire. Après tout, il n'était pas là en compagnie d'avocats. Il se jura *in petto* de préparer désormais avec soin chacun de ses propos. Il devait bien ça à la cavalerie. Il essaya de regarder Trotta. Mais ce dernier était justement assis à sa gauche, alors qu'il portait son monocle à l'œil droit. Il ne pouvait donc voir nettement que le lieutenant Kindermann qui restait indifférent. Pour découvrir si le terme « fabricant de chapeaux » n'avait pas fait une désastreuse impression sur le sous-lieutenant Trotta, Bärenstein sortit son étui à cigarettes, le présenta à sa gauche, se souvint au même moment que Kindermann était plus ancien, dit :

— Pardon, et se tourna vers la droite.

Ils fumaient maintenant tous trois en silence. Les regards de

Charles-Joseph se dirigeaient vers le portrait de l'Empereur, sur le mur d'en face. François-Joseph portait un uniforme de général d'un blanc éblouissant, une large écharpe rouge sang en travers de la poitrine, le cordon de la Toison d'Or au cou, la grande coiffe noire de maréchal, avec son riche panache en plumes de héron, était posée à côté de l'Empereur sur une petite table d'aspect branlant. Le portrait paraissait très lointain, il avait l'air plus grand que le mur. Charles-Joseph se souvenait qu'il avait, les premiers jours qui avaient suivi son arrivée au régiment, trouvé dans la vue de ce portrait une sorte de consolation mêlée d'orgueil. Il lui avait semblé alors que l'Empereur pouvait à tout instant sortir de son cadre noir. Mais peu à peu, le chef suprême prenait ce même visage habituel, indifférent et banalisé, qui passait inaperçu sur ses timbres et ses monnaies. Son portrait était accroché au mur comme la curieuse offrande qu'un Dieu s'offre à lui-même... Ses yeux — ils faisaient penser autrefois à un ciel estival — n'étaient plus maintenant que de la porcelaine bleue et dure. Et pourtant, c'était toujours l'Empereur ! Chez Charles-Joseph, le portrait était accroché aussi, dans le cabinet du préfet. Il était accroché également dans le grand amphithéâtre de l'école des cadets. Il était accroché dans le bureau du colonel, à la caserne. Et, répandu par centaines de milliers d'exemplaires dans tout son vaste empire, l'Empereur François-Joseph était présent parmi ses sujets comme Dieu dans le monde. C'est à lui que le héros de Solferino avait sauvé la vie. Le héros de Solferino avait vieilli et il était mort. Maintenant, les vers le dévoraient. Et son fils, le préfet, père de Charles-Joseph, devenait déjà un vieil homme, lui aussi. L'Empereur seul, l'Empereur semblait avoir été pris par la vieillesse un jour déterminé, en l'espace d'une heure, et rester depuis cette heure enfermé dans sa sénilité glacée, éternelle et effrayante, comme dans une cuirasse de cristal qui imposait le respect. Les années n'osaient plus l'approcher. Son œil devenait de plus en plus bleu, de plus en plus dur. Sa faveur même, qui reposait sur la famille Trotta, était un fardeau de glace tranchante. Et Charles-Joseph se sentait gelé sous le regard bleu de son Empereur.

Chez lui, il s'en souvenait, quand il revenait en vacances et que, le dimanche, avant le déjeuner, le chef de musique Nechwal disposait ses exécutants en un cercle réglementaire, on était prêt à mourir pour l'Empereur d'une chaude, douce et délicieuse mort. Elle était vivante, alors, l'obligation, léguée par le grand-père, d'avoir à sauver la vie de l'Empereur. Et quand on était un Trotta, on sauvait sans interruption la vie de l'Empereur.

Voilà quatre mois à peine que l'on était au régiment. Et tout à coup, c'était comme si l'Empereur, inaccessible sous l'abri de sa cuirasse de cristal, n'avait plus besoin d'aucun Trotta. La paix durait depuis trop longtemps. Pour un jeune sous-lieutenant de cavalerie, la mort était loin, pareille au dernier échelon de l'avancement réglementaire. Un jour, il deviendrait colonel, puis il mourrait. En attendant, on veillait tous les soirs au mess, on regardait le portrait de l'Empereur. Plus le sous-lieutenant Trotta le regardait, plus l'Empereur s'éloignait de lui.

— Là, voyez un peu ! fit la voix du lieutenant Kindermann, Trotta s'est noyé dans la contemplation du vieux !

Charles-Joseph sourit à Kindermann. Bärenstein, le porte-étendard, avait commencé depuis longtemps déjà une partie de dominos et il était sur le point de perdre. Il considérait comme un devoir de perdre quand il jouait avec des officiers d'active. Dans le civil, il gagnait toujours. C'était un joueur redouté dans le monde des avocats. Mais quand il rejoignait son corps pour sa période annuelle, il se dépouillait de sa supériorité et s'efforçait de faire des sottises.

— Il perd sans discontinuer, dit Kindermann à Charles-Joseph.

Le lieutenant Kindermann était persuadé que les « pékins » étaient des êtres inférieurs. Ils ne pouvaient même pas gagner aux dominos !

Le colonel était toujours assis dans son coin avec le capitaine Taittinger. Quelques-uns de ces messieurs promenaient leur ennui entre les tables. Ils n'osaient pas quitter le mess tant que le colonel jouait. Tous les quarts d'heure, la douce pendule pleurait très nettement, lentement, sa mélancolique mélodie, interrompant le tintement des dominos et des échecs. Parfois l'une des ordonnances claquait les talons, courait à la cuisine et en revenait avec un tout petit verre de cognac sur un plateau ridiculement grand. Un rire fusait parfois et, quand on regardait dans la direction d'où venaient les éclats de rire, on apercevait quatre têtes rapprochées et l'on comprenait qu'il s'agissait d'un bon mot ! Ah ! ces bons mots ! Ces anecdotes où tout le monde reconnaissait immédiatement si l'on riait par complaisance ou si l'on avait compris ! Elles séparaient les indigènes des étrangers. Celui qui ne les comprenait pas ne faisait pas partie des autochtones. Non, Charles-Joseph, lui, n'en faisait pas partie !

Il allait proposer une nouvelle partie à trois, quand la porte s'ouvrit. L'ordonnance salua avec un claquement de talons particulièrement marqué. Le silence se fit instantanément. Le colonel Kovacs se leva brusquement et regarda vers la porte. L'arrivant n'était autre que le docteur Demant, médecin du régiment. Il fut lui-même effrayé de l'émotion qu'il avait soulevée. Il demeura debout près de la porte, souriant. L'ordonnance, restée au garde-à-vous à côté de lui, le gênait visiblement. Il lui fit un signe de la main, mais le gars ne s'en aperçut pas. Les gros verres de lunettes du major étaient légèrement embués par le brouillard de cette soirée d'automne. Il avait l'habitude de retirer ses lunettes pour les essuyer, toutes les fois qu'il passait de l'air froid à la chaleur. Mais il n'osait pas le faire ici. Il lui fallut un moment avant de quitter le seuil.

— Tiens ! Mais c'est notre docteur ! s'écria le colonel.

Il criait de toutes ses forces, comme s'il s'agissait de dominer le tumulte d'une fête populaire. Il croyait, le brave homme, que les myopes étaient également sourds et que leurs lunettes devenaient plus claires quand leurs oreilles entendaient mieux. La voix du colonel fraya un passage. Les officiers s'écartèrent, ceux — en petit nombre — qui étaient encore assis se levèrent. Le médecin-major avança prudemment, un pied après l'autre, comme s'il marchait sur la glace. Ses verres de lunettes parurent s'éclaircir petit à petit. Des saluts lui parvenaient de tous les côtés. Il reconnaissait, non sans difficulté, ces messieurs les officiers. Il inclinait le buste pour lire sur les visages comme on étudie dans les livres. Il s'immobilisa enfin devant le colonel Kovacs, la poitrine bombée. Ses efforts pour rejeter en arrière sa tête éternellement inclinée à l'extrémité de son cou grêle, pour remonter d'une secousse ses épaules obliques, avaient quelque chose d'exagérément forcé. On l'avait presque oublié pendant son long congé de maladie, lui et son caractère si peu militaire. On le considérait à présent non sans surprise. Le colonel se hâta de mettre fin au rite des salutations réglementaires. Il s'écria à en faire trembler les verres :

— Mais c'est qu'il a bonne mine, notre docteur !

Il mit sa main sur l'épaule de Demant, comme pour le ramener à une position naturelle. Certes, son cœur était acquis au médecin du régiment. Mais qu'il était donc peu militaire, l'animal ! Sacrebleu ! Tonnerre de sort ! S'il était un peu plus militaire, on n'aurait pas besoin de se donner tant de mal pour être gentil avec lui ! On aurait tout de même pu envoyer un autre docteur, dans son régiment à lui, nom de nom ! Et les perpétuels combats que la sensibilité du colonel devait soutenir contre ses goûts militaires, à cause de ce satané gentil garçon, étaient bien de nature à surmener un vieux soldat.

« Ce docteur finira par être cause de ma perte ! » pensait le colonel, quand il voyait le major à cheval.

Et, un beau jour, il l'avait prié de renoncer à se montrer dans la ville en posture de cavalier.

« Il faut lui dire quelque chose de gentil », pensa-t-il, agité. Et tout ce qui lui vint à l'esprit dans sa hâte fut :

— Aujourd'hui l'escalope était épatante !

Il le dit. Le docteur sourit.

« Il sourit comme un pékin, l'animal ! » pensa le colonel. Et il se rappela soudain qu'il y avait là quelqu'un qui ne connaissait pas encore le docteur. Mais Trotta, voyons ! Il était arrivé au corps quand le docteur était parti en congé. Le colonel hurla :

— Trotta, notre benjamin !... Vous ne vous connaissez pas encore !

Et Charles-Joseph s'avança vers le major.

— Le petit-fils du héros de Solferino ? demanda le docteur Demant.

On n'aurait pas attendu de lui une connaissance aussi érudite de l'histoire militaire.

— Il sait tout, ce docteur ! s'écriait le colonel. C'est un rat de bibliothèque !

Et, pour la première fois de sa vie, l'expression suspecte de « rat de bibliothèque » lui plut tellement qu'il la répéta encore du même ton caressant dont d'habitude, il usait uniquement pour dire : « Un uhlan ! »

On se rassit et la soirée reprit son cours ordinaire.

— Votre grand-père, dit le major, fut l'un des hommes les plus remarquables de notre armée. Est-ce que vous l'avez connu ?

— Je ne l'ai pas connu, répondit Charles-Joseph, mais nous avons son portrait chez nous, dans le fumoir. Quand j'étais petit, je l'ai souvent regardé. Et Jacques, son domestique, est encore avec nous.

— Quel genre de portrait est-ce ? demanda le docteur.

— Il a été peint par un ami de jeunesse, dit Charles-Joseph. C'est un curieux portrait. Il est accroché assez haut. Quand j'étais petit, j'étais obligé de monter sur une chaise. C'est comme cela que je le regardais.

Ils se turent un moment. Puis le major dit :

— Mon grand-père était cabaretier, cabaretier juif en Galicie. La Galicie, est-ce que vous connaissez ?

Ce docteur était donc juif. Il était question d'un major juif dans toutes les anecdotes militaires. Il y avait aussi deux juifs à l'école des cadets. Ils étaient ensuite entrés dans l'infanterie.

— Chez Rési ! Chez tante Rési ! cria subitement quelqu'un.

Et tous de répéter :

— Chez Rési. On va chez Rési !

— Chez tante Rési !

Rien n'aurait pu effrayer Charles-Joseph autant que cet appel. Il l'attendait avec angoisse depuis des semaines. Il avait encore un souvenir précis de tout ce qui s'était passé lors de la dernière visite chez Mme Horwath : le champagne fabriqué avec du camphre et de la limonade, la pâte molle et charnue des filles, le rouge criard et le jaune insensé des tapisseries, le corridor qui sentait le chat, la souris et le muguet, ses aigreurs d'estomac douze heures après. Il était arrivé depuis huit jours à peine, et ç'avait été sa première visite au bordel.

— Manœuvres d'amour ! dit Taittinger.

C'était lui le meneur. Cela faisait partie des obligations de l'officier qui administrait le mess, depuis des temps immémoriaux. Pâle, maigre, la coquille de son sabre sous le bras, il circulait de table en table dans le salon de Mme Horwath, de son pas allongé, délié, discrètement sonore, tentateur furtif, proposant d'aigres plaisirs. Kindermann était sur le point de s'évanouir, quand il sentait l'odeur des femmes nues, le sexe féminin lui donnait des nausées. Réfugié dans les toilettes, le commandant Prohaska s'efforçait consciencieusement d'amener son gros pouce court contre son palais. Les jupons de soie de Mme Horwath froufroutaient simultanément dans tous les coins de la maison. Les grands ballons noirs de ses yeux roulaient sans but, ni direction, dans sa large face enfarinée, le grand clavier blanc de son dentier brillait dans sa large bouche. De son coin, Trautmannsdorf suivait tous ses mouvements avec de brefs regards de ses yeux verts. Il finit par se lever et par aller fourrer sa main dans la poitrine de Mme Horwath. Elle s'y perdit comme une souris blanche dans des montagnes blanches. Esclave de la musique, Pollak, le pianiste, assis, le dos courbé, devant son piano à queue aux reflets noirs, martelait les touches, tandis que ses manchettes empesées battaient sur ses poignets, accompagnaient les sons métalliques de l'instrument comme des cymbales enrouées.

Chez tante Rési ! On allait chez tante Rési ! Arrivé en bas, le colonel fit demi-tour et dit :

— Bien du plaisir, messieurs ! et, dans la rue silencieuse, vingt voix crièrent en même temps :

— Mes respects, mon colonel ! tandis que quarante éperons entrechoquaient leur cliquètement.

Le docteur Max Demant, médecin du régiment, fit une timide tentative pour s'esquiver lui aussi :

— Êtes-vous obligé d'y aller ? demanda-t-il tout bas au lieutenant Trotta.

— Il va bien falloir ! chuchota Charles-Joseph.

Alors il l'accompagna sans mot dire. Ils étaient les derniers de la bande désordonnée des officiers qui parcouraient les rues tranquilles et lunaires de la petite ville, à grand bruit de ferraille. Ils ne se parlaient pas. Ils se sentaient liés tous deux par la question discrète et la réponse murmurée. C'était chose faite. Ils étaient tous deux séparés du reste du régiment. Et ils se connaissaient à peine depuis une demi-heure.

Soudain, sans savoir pourquoi, Charles-Joseph déclara :

— J'ai aimé une femme. Elle s'appelait Cathy. Elle est morte.

Le major s'arrêta et se tourna vers le lieutenant.

— Vous aimerez encore d'autres femmes, fit-il.

Et ils reprirent leur marche.

Des sifflements de trains attardés leur parvinrent de la gare lointaine et le major dit :

— Je voudrais m'en aller loin, bien loin !

Ils étaient arrivés devant la lanterne bleue de tante Rési. Le capitaine Taittinger frappa à la porte close. Quelqu'un ouvrit. A l'intérieur, le piano attaqua immédiatement la *Marche de Radetzky.*

— Ordre dispersé ! commanda Taittinger.

Les filles nues voletèrent à leur rencontre, telle une troupe affairée de poules blanches.

— Dieu soit avec vous ! dit Prohaska.

Cette fois Trautmannsdorf plongea immédiatement la main dans la poitrine de Mme Horwath avant même de s'être assis. Et, provisoirement, il ne la lâcha plus. La patronne avait sa cuisine et sa cave à surveiller. Les caresses du lieutenant lui étaient visiblement importunes, mais le devoir d'hospitalité lui imposait des sacrifices. Elle se laissa séduire ! Le lieutenant Kindermann blêmit. Il était plus blanc que la poudre sur les épaules des filles. Le commandant Prohaska commanda des sodas. Celui qui le connaissait bien pouvait prédire qu'il allait se saoûler copieusement aujourd'hui. L'eau ne lui servait qu'à préparer le chemin à l'alcool, comme on nettoie les rues avant une réception.

— Le docteur nous a accompagnés ? demanda-t-il tout haut.

— Il faut qu'il étudie les maladies à leur source, répondit avec une gravité scientifique Taittinger, pâle et maigre comme toujours.

Le monocle du porte-étendard Bärenstein était maintenant fiché dans l'œil d'une fille aux cheveux blonds. Il était assis auprès d'elle, clignant de ses petits yeux noirs, ses mains brunes et velues rampaient sur la demoiselle comme d'étranges animaux. Petit à petit, ils s'étaient tous casés. Entre le docteur Demant et Charles-Joseph, sur le divan rouge, deux femmes se tenaient raides, les genoux rapprochés, intimidées par les regards désespérés des deux hommes. Quand le champagne fit son apparition, servi en grande cérémonie par la sévère intendante de la maison, vêtue de taffetas noir, Mme Horwath, l'air décidé, ôta de sa poitrine la main du lieutenant, la posa sur le pantalon noir, par amour de l'ordre, comme on rend un objet prêté, et se releva, puissante et impérieuse. Elle éteignit le lustre. Les petites lampes continuèrent seules de brûler dans les boxes. Dans la lueur rougeâtre, les corps blancs et poudrés brillaient, les étoiles dorées étincelaient sur les uniformes, les sabres argentés luisaient. Les couples se levaient et disparaissaient l'un après l'autre. Prohaska, qui en était au cognac depuis longtemps déjà, s'approcha du major et dit :

— Puisque vous n'en faites rien, je les emmène !

Il prit les femmes et se dirigea vers l'escalier en titubant.

Charles-Joseph et le docteur se trouvèrent donc seuls tout à coup. A l'autre bout du salon, Pollak, le pianiste, ne faisait plus qu'effleurer les touches. Une valse très douce se répandait dans la pièce, timide et légère. A part cela, c'était le silence, presque l'intimité, la pendule tictaquait sur la cheminée.

— Je crois que nous n'avons rien à faire ici, nous deux, hein ? demanda le docteur.

Il se leva. Charles-Joseph regarda la pendule et se leva également. Il ne pouvait pas voir l'heure dans l'ombre, il se rapprocha de la cheminée, puis recula d'un pas. Dans un cadre de bronze, maculé de taches de mouches, on voyait se présenter en réduction le généralissime, c'était le portrait bien connu, omniprésent, de Sa Majesté, dans son costume d'un blanc éblouissant, avec l'écharpe rouge sang et la Toison d'Or.

« Il faut absolument faire quelque chose », pensa le sous-lieutenant, très vite, puérilement.

Il sentit qu'il était devenu très pâle et que son cœur battait. Il prit le cadre, fendit le dos de papier noir et en sortit le portrait. Il le plia en deux, le replia encore une fois et le fourra dans sa poche. Il se retourna. Le médecin du régiment était derrière lui. Il désignait du doigt la poche où Charles-Joseph avait caché l'impériale effigie. Son grand-père aussi l'a sauvé, pensait le docteur Demant. Charles-Joseph rougit.

— Cochonnerie ! dit-il. Qu'en pensez-vous ?

— Moi, rien, répondit le docteur, je ne songeais qu'à votre grand-père.

— Je suis son petit-fils, dit Charles-Joseph, je n'ai pas l'occasion de lui sauver la vie. Malheureusement !

Ils mirent quatre pièces d'argent sur la table et quittèrent la maison de tante Rési.

VI

Il y avait trois ans que le major Max Demant était au régiment. Il habitait au sud de la ville, à l'endroit où la grand-route menait aux deux cimetières : « l'ancien » et « le nouveau ». Les deux gardiens connaissaient bien le docteur. Il venait, plusieurs fois par semaine, visiter les morts : ceux qui étaient oubliés depuis longtemps, aussi bien que ceux qui ne l'étaient pas encore. Souvent il demeurait longuement parmi leurs sépultures et, de temps à autre, on entendait son sabre heurter une pierre tombale. C'était, sans aucun doute, un étrange personnage. Bon médecin, disait-on, donc une exception parmi les médecins militaires. Il évitait toute fréquentation. Seules les nécessités de son service lui imposaient de se montrer quelquefois (malgré tout plus souvent qu'il ne l'aurait désiré) parmi ses camarades. D'après son âge et ses états de service, il aurait dû avoir un grade plus élevé. Personne ne savait pourquoi il ne l'avait pas encore. Peut-être ne le savait-il pas lui-même. « Il y a des carrières à anicroches », comme disait le capitaine Taittinger qui pourvoyait le régiment en maximes bien frappées. « Carrière à anicroches », pensait bien souvent le docteur Demant. « Existence à anicroches », disait-il au sous-lieutenant Trotta. « J'ai une existence à anicroches ! Si le sort m'avait été propice, j'aurais pu devenir assistant du grand chirurgien de Vienne et probablement professeur d'université. » Le nom de ce grand chirurgien de Vienne avait illuminé le sombre dénuement de son enfance. Tout jeune encore, Max Demant était déjà décidé à devenir médecin. Il était originaire d'un village situé à la frontière orientale de la monarchie. Son grand-père avait été un pieux cabaretier juif. Et son père, après avoir servi douze ans dans la Landwehr, était devenu fonctionnaire des postes dans la ville frontière la plus proche. Le docteur se rappelait encore nettement son grand-père. Il était assis, à toute heure du jour, devant la grande porte de son débit. Son énorme barbe d'argent lainé recouvrait sa poitrine et lui descendait jusqu'aux genoux. Une odeur de fumier et de lait, de chevaux et de foin, planait autour de lui. Il se tenait devant son auberge, comme un vieux roi parmi les cabaretiers. Quand les paysans, rentrant chaque semaine du marché aux cochons, s'arrêtaient devant le cabaret, le vieillard se levait, imposant comme une montagne à forme humaine. Comme il était déjà dur d'oreille, les petits paysans étaient obligés de lui crier ce qu'ils désiraient, les mains en cornet devant leur bouche. Il se contentait de leur répondre d'un signe de tête. Il avait compris. Il exauçait les désirs de sa clientèle comme s'il octroyait des grâces, comme si on ne les lui payait pas en bel argent sonnant. Il dételait lui-même les chevaux, de ses grosses mains, et les conduisait aux écuries. Et, tandis que, dans la salle basse de plafond, ses filles servaient aux clients de l'eau-de-vie et des pois secs salés, il restait dehors et donnait leur pitance aux chevaux, avec de bonnes paroles. Il passait son samedi penché sur de grands livres pieux. Sa barbe argentée recouvrait la moitié inférieure des pages imprimées en noir. S'il avait su que son petit-fils se promènerait un jour de par le monde, en uniforme d'officier, avec des armes meurtrières, il aurait maudit sa vieillesse et le fruit de ses entrailles. Déjà, son fils lui-même, le fonctionnaire des postes n'était plus pour le vieillard qu'une abomination tolérée par tendresse. Le cabaret légué par ses ancêtres devait passer à ses filles et à ses gendres, alors que ses descendants mâles, jusque dans l'avenir le plus lointain, étaient destinés à rester des fonctionnaires, des intellectuels, des employés, des imbéciles ! Jusque dans l'avenir le plus lointain, ce n'était pas évidemment le mot qui convenait... le major n'avait point d'enfants. Il n'en désirait pas non plus... Sa femme, en effet...

Arrivé à ce point de ses réflexions, le docteur interrompait d'ordinaire l'évocation de ses souvenirs. Il pensait à sa mère. Elle menait une vie perpétuellement fébrile, toujours en quête de quelque revenu supplémentaire. Après ses heures de service, son père passe son temps au petit café. Il joue au tarot, perd et ne paie pas ses consommations. Il désire que son fils fasse quatre années de collège, puis devienne fonctionnaire, comme lui, dans les postes naturellement.

— Tu vises toujours trop haut, dit-il à sa femme.

Pour désordonné qu'il soit dans la vie civile, il n'entretient pas moins tout son ancien fourniment militaire avec un soin exagéré. Son uniforme, l'uniforme d'un « sous-officier rengagé », avec ses chevrons dorés sur les manches, son pantalon noir et son shako de fantassin, pend dans une armoire, comme un personnage découpé en trois tronçons, mais toujours vivant, avec ses boutons étincelants, astiqués de frais toutes les semaines. Et son sabre noir cintré, dont la poignée est hebdomadairement fourbie, elle aussi, repose sur deux clous en travers du mur, au-dessus du bureau qui ne sert jamais, avec son gland d'or qui se balance indolemment et fait songer à quelque fleur de tournesol, encore fermée, légèrement poussiéreuse.

— Si tu n'étais pas venue, dit le père à la mère, j'aurais passé l'examen, et aujourd'hui je serais capitaine.

Pour l'anniversaire de l'Empereur, le postier Demant revêt son uniforme de fonctionnaire avec le bicorne et l'épée. Ce jour-là, il ne joue pas au tarot. Tous les ans, pour l'anniversaire de l'Empereur, il prend la résolution de commencer une vie nouvelle, sans dettes. Il se saoule donc. Rentré tard dans la nuit, il dégaine son épée dans la cuisine et commande un régiment entier. Les casseroles sont des sections, les tasses à thé des équipes, les assiettes des compagnies. Simon Demant est colonel, colonel au service de François-Joseph Ier. En bonnet de dentelle, cotillon plissé et camisole qui voltige, la mère descend du lit pour calmer son mari.

Un jour, le lendemain de l'anniversaire de l'Empereur, une attaque terrassa le père dans son lit. Il avait eu une agréable mort, on lui fit un brillant enterrement. Tous les facteurs suivirent son cercueil. Et, dans la fidèle mémoire de sa femme, le disparu laissa le souvenir d'un époux modèle, mort au service de l'Empereur et des postes impériales et royales. Les deux uniformes, celui du sous-officier, celui de l'employé des postes, furent suspendus dans l'armoire et tenus par la veuve dans un éclat constant, au moyen du camphre, de la brosse et du Sidol. Ils avaient l'air de momies et, chaque fois qu'on ouvrait l'armoire, le fils croyait voir côte à côte deux cadavres de son défunt père.

On voulait à tout prix devenir médecin. On donnait des leçons à six misérables couronnes par mois. On portait des bottines percées. Les jours de pluie, on laissait de grandes traces humides sur les parquets cirés des gens aisés. On avait de plus grands pieds quand les bottines étaient percées. Et l'on passait enfin son baccalauréat. Et l'on devenait médecin. La pauvreté se dressait toujours devant votre avenir, telle une muraille noire contre laquelle on se brisait. On se jetait littéralement dans les bras de l'armée. Pendant sept ans, on avait de quoi manger ; pendant sept ans, on avait de quoi boire ; pendant sept ans, on avait un toit sur la tête. Pendant sept ans ! Sept longues années. On devenait médecin militaire. Et on le restait.

La vie semblait se dérouler plus vite que les pensées. Et avant d'avoir pris une décision, on était un vieil homme.

Et l'on avait épousé Ève Knopfmacher.

Le docteur Demant, médecin militaire, arrêta encore une fois le défilé de ses souvenirs. Il rentra chez lui.

La soirée était déjà commencée. Toutes les pièces étaient illuminées de façon inhabituelle, comme pour une fête.

— Le vieux monsieur est arrivé, annonça l'ordonnance.

Le vieux monsieur, c'était son beau-père, M. Knopfmacher.

Il sortait au même moment de la salle de bains, dans son long peignoir duveteux à ramages, un rasoir à la main, ses joues parfumées, agréablement rougies, largement écartées. Son visage semblait divisé en deux moitiés uniquement rattachées par la barbe en pointe grisonnante.

— Mon cher Max, fit M. Knopfmacher en posant précautionneusement son rasoir sur une petite table et en écartant les bras, ce qui fit bâiller sa sortie de bain. Ils s'étreignirent donc, se mirent deux rapides baisers sur les joues et allèrent ensemble au fumoir.

— Je prendrais bien un petit verre ! dit M. Knopfmacher.

Le docteur Demant ouvrit l'armoire, considéra un moment plusieurs flacons et se retourna :

— Je ne m'y connais pas, dit-il, je ne sais pas ce que tu aimes.

Il s'était fait établir un choix d'alcools, à peu près comme un ignorant commande une bibliothèque.

— Tu ne bois toujours pas ? dit M. Knopfmacher. As-tu du sliwowitz, de l'arak, du rhum, du cognac, de la gentiane, de la vodka ? demanda-t-il avec une précipitation peu compatible avec sa dignité.

Il se leva, se dirigea vers l'armoire (les pans de son peignoir voltigeaient) et, sans hésitation, il sortit une bouteille de la rangée.

— J'ai voulu faire une surprise à Ève, commença M. Knopfmacher et, mon cher Max, il faut que je te le dise tout de suite, tu as été absent tout l'après-midi. A ta place — il fit une pause et répéta — à ta place, j'ai rencontré ici un sous-lieutenant. Un imbécile !

— C'est le seul ami que j'aie trouvé dans l'armée, depuis le début de ma carrière, répliqua Max Demant. C'est le sous-lieutenant Trotta. Un chic type !

— Un chic type ! répéta le beau-père. Mais moi aussi, par exemple, je suis un chic type ! Eh bien, je ne te conseillerais pas de me laisser une heure seul avec une jolie femme, si tu tenais seulement à elle si peu que ça !

Knopfmacher joignit son index et son pouce et répéta une seconde après :

— Si peu que ça !

Le médecin militaire pâlit. Il retira ses lunettes et entreprit de les frotter longuement. C'était une manière de jeter sur le monde ambiant un bienfaisant brouillard, où son beau-père en peignoir de bain n'était plus qu'une tache indécise bien que de taille considérable. Après avoir nettoyé ses lunettes, il ne les remit pas tout de suite, mais les conserva à la main et parla dans le brouillard.

— Je n'ai aucune raison, mon cher papa, de me méfier de ma femme ou de mon ami.

Il disait cela avec hésitation, le médecin du régiment. La phrase avait pour lui-même une étrange résonance, comme s'il l'avait extraite de quelque lecture ancienne, entendue à une représentation oubliée.

Il remit ses lunettes et aussitôt le vieux Knopfmacher se rapprocha du docteur en reprenant un volume et des contours bien délimités. Et maintenant, la tournure de phrase dont il venait d'user lui parut appartenir également à un passé très reculé. Elle n'était certainement plus vraie. Le major le savait tout aussi bien que son beau-père.

— Aucune raison ! répétait M. Knopfmacher, je n'ai aucune raison ! Je connais ma fille. Tu ne connais pas ta femme ! Je connais aussi messieurs les lieutenants. Et les hommes, d'une façon générale ! Je ne veux rien dire contre l'armée. Restons dans notre sujet. Quand ma femme, ta belle-mère, était encore jeune, j'ai eu l'occasion de connaître les jeunes hommes — en civil et en uniforme — Ah ouiche, vous êtes de drôles de pistolets vous autres ! Vous... vous autres...

Il cherchait une dénomination générale qui pût s'appliquer à quelque confrérie — il ne savait pas très bien lui-même laquelle — dont son gendre faisait partie avec un certain nombre d'autres imbéciles. Il aurait volontiers dit : « Vous autres, qui êtes passés par les facultés. » Car lui, il était devenu intelligent, riche et considéré, sans avoir fait d'études supérieures. On était même sur le point de lui « procurer », un de ces prochains jours, le titre de conseiller commercial. Il bâtissait un doux rêve d'avenir, un rêve de largesses, de grandes largesses. Leur résultat immédiat serait la particule. Si l'on prenait, par exemple, la nationalité hongroise, l'anoblissement irait encore plus vite. A Budapest, on ne vous compliquait pas la vie. Au reste, ceux qui vous compliquaient la vie, c'étaient toujours d'anciens étudiants, des gratte-papier, des idiots ! Son propre gendre la lui compliquait. S'il éclatait maintenant un petit scandale, du fait de ses enfants, il pourrait l'attendre encore longtemps, son titre de conseiller commercial ! Il faut avoir l'œil partout, soi-même, en personne. Il faut veiller jusque sur la vertu des femmes d'autrui !

— Je voudrais donc, mon cher Max, te dire la vérité toute crue, avant qu'il ne soit trop tard !

C'était un mot que le major n'aimait pas, il n'aimait pas connaître à tout prix la vérité. Hélas ! il connaissait sa femme aussi bien que M. Knopfmacher sa fille ! Mais il l'aimait ! Rien à y faire, il l'aimait ! A Olmütz, il y avait eu Herdall, le sous-préfet ; à Gratz, Lederer, le juge. Pourvu que ses camarades fussent hors de cause, le médecin-major remerciait Dieu ainsi que sa femme. Si l'on pouvait seulement quitter l'armée ! On y était sans cesse en danger de mort. Combien de fois déjà n'avait-il pas pris son élan pour parler à son beau-père... Il le reprit une fois de plus.

— Je sais, dit-il, qu'Ève est en danger. Toujours. Depuis des années. Elle est légère, malheureusement. Mais elle ne pousse jamais les choses à l'extrême.

Il s'arrêta, puis répéta en appuyant sur les mots :

— Jamais à l'extrême.

Il se servait de ces mots-là pour assassiner ses propres doutes qui, depuis des années, ne le laissaient pas en repos. Ils extirpaient son incertitude, ces mots lui donnaient la conviction que sa femme ne le trompait pas.

— En aucune façon, dit-il une fois encore, à haute voix. Ève est une personne honnête, malgré tout.

— Évidemment ! renchérit son beau-père.

— Mais ni l'un ni l'autre, poursuivit le major, nous ne pourrons résister longtemps à cette vie-là. Moi, mon métier ne me satisfait pas du tout, tu le sais bien. A quoi ne serais-je pas arrivé aujourd'hui, sans mon service. J'aurais une haute situation dans le monde et cela contenterait l'ambition d'Ève, car elle est ambitieuse, hélas !

— Elle tient cela de moi ! dit M. Knopfmacher, non sans plaisir.

— Elle est insatisfaite, continua le major, tandis que son beau-père remplissait de nouveau son petit verre. Elle est insatisfaite et cherche à se distraire. Je ne puis lui en vouloir...

— Tu n'as qu'à la distraire toi-même ! dit le beau-père, lui coupant la parole.

— Je suis... le docteur Demant ne trouvait plus ses mots.

Il se tut et considéra l'eau-de-vie.

— Allons bois, à la fin ! dit M. Knopfmacher d'un ton engageant.

Et il se leva, alla chercher un petit verre, le remplit. Son peignoir s'ouvrit. On aperçut sa poitrine velue et son ventre guilleret, aussi rose que ses joues. Il approcha le verre plein des lèvres de son gendre. Max Demant finit par s'exécuter.

— En vérité, il y a une autre chose qui m'oblige à quitter le service. Quand j'ai pris mon poste, mes yeux allaient encore tout à fait bien. Maintenant, ça empire de jour en jour. Maintenant j'ai... maintenant je ne puis... il m'est impossible maintenant de voir quoi que ce soit nettement sans lunettes. Et, à vrai dire, je devrais le faire savoir et demander mon congé.

— Oui ? demanda M. Knopfmacher.

— Mais alors de quoi...

— De quoi vivrez-vous ?

Le beau-père croisa les jambes, il se sentit frissonner tout à coup. Il s'enveloppa dans son peignoir de bain, dont il maintint le col fermé autour de son cou.

— Oui, fit-il, crois-tu donc que je pourrais vous fournir les fonds ? Depuis que vous êtes mariés, mes subsides (il se trouve que j'en sais le compte par cœur) se montent à trois cents couronnes par mois. Oui, je sais bien, je sais bien ! Ève a de grands besoins. Et si vous commencez une nouvelle existence, elle en aura tout autant. Et toi aussi, mon fils ! — il devenait tendre — Oui, mon cher Max, ça ne marche plus aussi bien qu'avant !

Max se tut. M. Knopfmacher eut l'impression d'avoir repoussé l'attaque et il laissa se rouvrir son peignoir de bain. Il but encore un coup. Sa tête resterait lucide. Il se connaissait bien. Ces idiots ! Bah ! Mieux valait encore un gendre de cet acabit que l'autre, Hermann, le mari d'Élisabeth ! Ses deux filles lui coûtaient six cents couronnes par mois. Il le savait par cœur, à un sou près. Si le médecin militaire devenait aveugle un jour... il considéra les lunettes étincelantes... Qu'il fasse attention à sa femme ! Les myopes aussi doivent bien y arriver.

— Quelle heure est-il ? demanda-t-il d'un ton très aimable et fort inoffensif.

— Bientôt sept heures.

— Je vais aller m'habiller ! décida le beau-père.

Il se leva, fit un signe de tête et franchit la porte avec hauteur et dignité.

Le major resta. Après la solitude familière du cimetière, la solitude de sa propre maison lui paraissait infinie, étrangère, presque hostile. Pour la première fois de sa vie, il se versa lui-même de l'alcool. Au reste, c'était comme s'il buvait pour la première fois de sa vie.

« Mettre de l'ordre, se disait-il, il faut mettre de l'ordre. »

Il résolut de parler à sa femme. Il passa dans le couloir.

— Où est ma femme ?

— Dans la chambre à coucher, répondit l'ordonnance.

Frapper à la porte ? se demanda le docteur. Non ! ordonna son cœur d'airain.

Il tourna la poignée. Sa femme était devant l'armoire à glace, en petite culotte bleue, une grande houppette rose à la main.

— Ah ! cria-t-elle en mettant la main devant sa poitrine.

Le major ne dépassa pas la porte.

— C'est toi ? fit la femme.

C'était une question, mais on eût dit un bâillement.

— C'est moi ! répondit d'une voix ferme le médecin du régiment.

Il lui semblait que c'était la voix d'un autre. Il avait ses lunettes, mais n'en parlait pas moins dans le brouillard.

— Ton père m'a dit, commença-t-il, que Trotta était venu.
Elle fit volte-face. Tournée vers son mari, dans sa petite culotte bleue, sa houppette à la main comme une arme, elle gazouillait :
— Ton ami Trotta est venu ! Papa est arrivé ! L'as-tu déjà vu ?
— C'est précisément pour cela... dit le major qui se rendit compte tout de suite que la partie était perdue.
Le silence régna un moment.
— Pourquoi ne frappes-tu pas ? demanda-t-elle.
— Je voulais te faire plaisir.
— Tu m'as fait peur !
— Je... commença le docteur.
Il voulait déclarer : « Je suis ton mari », mais il dit :
— Je t'aime !
Et il l'aimait effectivement. Elle était là, en culotte bleue, sa houppette rose à la main. Et il l'aimait.
« Mais c'est que je suis jaloux ! » pensa-t-il.
Il déclara :
— Je n'aime pas qu'on vienne te voir sans que j'en sache rien.
— C'est un charmant garçon, répondit Mme Demant.
Et elle se mit à se poudrer lentement et abondamment devant la glace.
Le major s'approcha de sa femme et la prit par les épaules. Il regardait dans le miroir. Il voyait ses mains brunes et velues sur les blanches épaules. Elle souriait. Il apercevait, dans le miroir, l'écho vitrifié de son sourire.
— Sois franche ! supplia-t-il.
On eût dit que ses mains étaient agenouillées sur les épaules de sa femme. Il sut d'emblée qu'elle ne serait pas sincère et répéta :
— Sois franche, je t'en prie !
Il la vit, de ses mains vives et pâles, faire bouffer ses cheveux blonds sur ses tempes. Geste superflu qui l'irrita. La glace lui renvoyait le regard de la jeune femme, un regard gris, froid, sec et rapide comme un projectile d'acier. « Je l'aime, se disait le médecin, elle me fait du mal et je l'aime. » Il lui demanda :
— M'en veux-tu d'avoir été absent tout l'après-midi ?
Elle se retourna à moitié. Elle était maintenant assise, le buste tordu sur les hanches, tel un modèle inerte, une figure de cire et de linge soyeux. Sous le rideau de ses longs cils noirs, ses yeux clairs

lançaient de faux éclairs, des éclairs imités, glacés. Ses mains menues, sur sa petite culotte, ressemblaient à des oiseaux blancs brodés sur fond de soie bleue. Et, d'un timbre grave qu'il crut ne lui avoir jamais entendu et qui semblait produit par un mécanisme caché dans sa poitrine, elle articula lentement :

— Tu ne me manques jamais !

Il se mit à marcher de long en large, sans regarder sa femme. Il envoya promener deux chaises qui encombraient son chemin. Il lui semblait qu'il devrait débarrasser son chemin de beaucoup d'autres choses encore, envoyer promener les murs peut-être, crever le plafond de la tête, enfoncer, de ses pieds, le plancher sous terre. Le cliquetis de ses éperons paraissait léger à ses oreilles, comme s'il venait de fort loin, comme si les éperons étaient portés par un autre. Une seule parole vivait dans sa tête, bourdonnait, allait et venait, lui traversait le cerveau de son vol incessant. « Fini, fini, fini ! » Un petit mot. Rapide, léger comme une plume et qui pesait des quintaux en même temps ; il voltigeait dans son cerveau. Il marchait de plus en plus vite, ses pas suivaient la cadence du mot qui faisait la navette dans sa tête.

Brusquement il s'arrêta :

— Tu ne m'aimes donc pas ? demanda-t-il.

Il était sûr qu'elle ne répondrait pas. « Elle va se taire », pensa-t-il. Elle répondit :

— Non !

Elle releva le noir rideau de ses cils, le toisa des pieds à la tête de ses yeux nus, affreusement nus, et ajouta :

— Mais tu es ivre !

Il se rendit compte qu'il avait trop bu. Il se dit avec satisfaction : « Je suis saoul et je veux l'être. » Puis d'une voix étrangère, comme s'il avait le devoir d'être ivre et de n'être pas lui-même, il déclara : « Ah ! bien, bien ! » D'après les vagues notions qu'il en avait, c'étaient ces paroles-là et cet air-là que devait chanter un homme saoul dans un moment comme celui-là. Il les chanta donc, et il fit quelque chose de plus :

— Je vais te tuer, articula-t-il très lentement.

— Tue-moi ! gazouilla-t-elle de sa voix habituelle.

Elle se leva, agile et souple, la houppette à la main droite. Ses jambes de soie, sveltes et pleines, lui rappelèrent fugitivement les jambes exposées aux devantures des magasins de nouveautés. Toute sa femme était faite de pièces et de morceaux. Il ne l'aimait plus, il ne l'aimait plus. Il était rempli d'une haine qu'il haïssait lui-même, d'une colère venue à lui de lointaines régions, comme un ennemi inconnu qui maintenant habitait son cœur. Il dit tout haut ce qu'il avait pensé une heure auparavant :

— Mettre de l'ordre ! Je vais mettre de l'ordre !

Elle rit d'une voix retentissante qu'il ne connaissait pas. « Une voix de théâtre », se dit-il. Un besoin irrésistible — prouver à sa femme qu'il allait mettre de l'ordre — tendit ses muscles, donna une acuité inaccoutumée à ses faibles yeux. Il dit :

— Je te laisse seule avec ton père, je vais trouver Trotta !

— Va donc ! Va ! dit la femme.

Il partit. Avant de quitter la maison, il entra encore une fois dans le fumoir pour prendre de l'eau-de-vie. Pour la première fois de sa vie, il revenait à l'alcool comme à un ami intime. Il se versa un petit verre, encore un, un troisième. Il sortit de la maison en faisant sonner ses éperons. Il se rendit au mess. Il demanda à l'ordonnance :

— Où est le sous-lieutenant Trotta ?

Le sous-lieutenant Trotta n'était pas au mess.

Le major prit la route toute droite qui menait à la caserne. La lune était déjà dans son décours. Sa lueur argentée était encore intense, comme si elle avait été dans son plein. Pas un souffle ne passait sur la route silencieuse. Les ombres chétives des marronniers dénudés, qui la bordaient de part et d'autre, dessinaient un réseau compliqué sur la chaussée légèrement bombée. Le pas du docteur Demant sonnait dur et glacial. Il allait chez le sous-lieutenant Trotta. Il aperçut de loin, dans un blanc bleuté, la puissante muraille de la caserne et marcha directement dessus, sur la forteresse ennemie. Les accents froids et métalliques de l'extinction des feux venaient à sa rencontre, le docteur Demant se dirigea droit dessus, il les écrasa sous ses pas. Bientôt, d'une minute à l'autre, le sous-lieutenant Trotta allait apparaître. Il se détacherait comme un trait noir sur le mur blanc de la caserne et s'approcherait du docteur. Encore trois minutes. Ils étaient face à face. Le sous-lieutenant salue. Le docteur Demant s'entend parler lui-même à une distance infinie :

— Vous êtes venu voir ma femme, cet après-midi, lieutenant ?

La voûte céleste de cristal bleu renvoie la question en écho. Il y avait longtemps, des semaines déjà, qu'ils se tutoyaient. Ils se tutoyaient. Et maintenant, ils se tenaient face à face comme des ennemis.

— J'ai été voir votre femme, cet après-midi, monsieur le major.

Le docteur Demant s'approcha tout près de Charles-Joseph :

— Lieutenant, qu'y a-t-il entre vous et ma femme ?

Les forts verres de lunettes du major jetaient des étincelles. Il n'avait plus d'yeux, mais seulement des lunettes.

Charles-Joseph se tut. C'était comme s'il n'y avait pas, dans tout le vaste univers, de réponse à la question du docteur Demant. On aurait pu y chercher une réponse pendant des dizaines et des dizaines d'années, la langue des hommes était comme épuisée, tarie pour des éternités. Le cœur de Charles-Joseph lui battait contre les côtes à coups précipités, secs, rudes. Sa langue lui collait au palais, rèche et dure. Un grand vide cruel lui bourdonnait dans la tête. C'était comme si l'on était exposé à un danger sans nom et qu'en même temps, ce danger vous eût déjà englouti. On était au bord d'un immense abîme noir et, dans le même moment, il vous recouvrait déjà de ses voûtes ténébreuses. Les mots du docteur Demant venaient d'un lointain glacé et vitrifié. C'étaient des mots morts, des cadavres de mots :

— Répondez, lieutenant !

Rien. Silence. Les étoiles scintillent et la lune luit.

— Répondez, lieutenant !

C'est à Charles-Joseph que cela s'adresse. Il faut qu'il réponde. Il rassemble les misérables restes de ses forces. Une mince phrase, sans valeur, s'échappe du vide bourdonnant de sa tête. Le sous-lieutenant rapproche les talons (par instinct militaire et aussi pour entendre un bruit quelconque) et le cliquetis de ses éperons le rassure. Il dit tout bas :

— Monsieur le major, il n'y a rien entre votre femme et moi !

Rien. Silence. Les étoiles scintillent et la lune luit. Le docteur Demant ne dit rien. Il regarde Charles-Joseph à travers ses lunettes mortes. Le sous-lieutenant répète à voix basse :

— Rien du tout, monsieur le major.

« Il est devenu fou », se dit Charles-Joseph. Puis :

— Brisé.

Quelque chose s'est brisé. Il lui semble avoir perçu un bruit sec d'objet fracassé. « Fidélité brisée », pense-t-il. Il a lu cette expression quelque part, un jour. « Amitié brisée. » Oui, c'est bien une amitié brisée.

Il se rend brusquement compte que le major est son ami depuis des semaines. Un ami ! Ils se sont vus tous les jours. Un jour, il s'est promené avec le docteur dans le cimetière, parmi les tombes.

— Il y a tant de morts ! lui disait le major, ne sens-tu pas à quel point nous vivons des morts !

— Je vis de mon grand-père, a répondu Trotta.

Il voyait le portrait de son grand-père s'embrumant sous le plafond de la maison paternelle. Oui, il y avait quelque chose de fraternel dans l'accent du major, quelque chose de fraternel jaillissait de son cœur, comme une petite flamme.

— Mon grand-père, avait dit le docteur, était un grand vieux Juif à barbe d'argent !

Charles-Joseph avait vu le grand vieux Juif à barbe d'argent. Ils étaient des petits-fils. Ils étaient des petits-fils, tous les deux. Quand le major monte à cheval, il a l'air un peu ridicule, plus petit, plus minuscule qu'à pied, le cheval le porte sur son échine comme un léger sac d'avoine. Charles-Joseph est un aussi piètre cavalier. Il se connaît bien. Il se voit comme dans un miroir. Il y a, dans le régiment, deux officiers derrière le dos desquels les autres ont matière à chuchoter : le docteur Demant et le petit-fils du héros de Solferino ! Ils sont deux dans tout le régiment. Deux amis.

— Votre parole d'honneur, lieutenant ? demande le docteur.

Trotta lui tend la main sans répondre.

— Merci, fait le major, et il prend la main.

Ils s'en retournent, tous les deux, le long de la grand-route. Ils font dix pas, vingt pas, ne disent pas un seul mot.

Tout à coup, le major parle :

— Il ne faut pas m'en vouloir. J'ai bu. Mon beau-père est venu aujourd'hui. Il t'a vu. Elle ne m'aime pas. Elle ne m'aime pas. Est-ce que tu peux comprendre ?... Tu es jeune ! reprend-il un moment après, comme s'il voulait dire qu'il avait parlé en vain. Tu es jeune !

— Je comprends ! dit Charles-Joseph.

Ils vont du même pas. On entend résonner leurs éperons, le cliquetis de leurs sabres. Les lumières familières de la ville leur font signe. Ils souhaitent tous deux que la route n'ait point de fin. Ils désireraient aller ainsi, côte à côte, longtemps, longtemps. Chacun aurait bien quelque mot à dire et se tait. Un mot, un mot est bientôt dit. Ils ne le disent pas. « C'est la dernière fois, pense le sous-lieutenant, c'est la dernière fois que nous allons ainsi, côte à côte ! »

Ils atteignent maintenant la limite de la ville. Il faut que le major dise encore quelque chose avant d'y entrer.

— Ce n'est pas à cause de ma femme, déclare-t-il. Cette chose-là n'a plus aucune importance. C'est une chose finie pour moi ! C'est à cause de toi !

Il attend une réponse et il sait bien qu'elle ne viendra pas.

— C'est bien. Je te remercie, dit-il rapidement. Je vais encore au mess. Y viens-tu avec moi ?

Non. Le sous-lieutenant n'ira pas au mess ce soir. Il fait demi-tour.

— Bonne nuit, dit-il.

Il fait demi-tour. Il rentre à la caserne.

VII

L'hiver vint. Le matin, quand le régiment sortait de la caserne, le monde était encore plongé dans l'obscurité. Dans les rues, la mince couche de glace se brisait sous les sabots des chevaux. Une buée grise s'échappait des naseaux des bêtes et des bouches des cavaliers. Le voile mat du gel perlait sur le fourreau des sabres et le canon des carabines. La petite ville rapetissait encore. Les appels assourdis, gelés, des trompettes n'attiraient plus aucun des spectateurs habituels au bord de la chaussée. Seuls, les cochers, en station à leur place ordinaire, redressaient chaque matin leurs têtes barbues. Ils conduisaient des traîneaux quand la neige tombait abondamment. Aux colliers de leurs chevaux, les grelots tintaient doucement, sans cesse agités par l'inquiétude des animaux frissonnants. Tous les jours se ressemblaient comme des flocons de neige. Les officiers du régiment de uhlans attendaient on ne sait quel événement extraordinaire qui viendrait rompre la monotonie de leurs journées. A vrai dire, personne ne savait de quelle nature serait cet événement. Mais cet hiver-là paraissait receler en son sein quelque terrible surprise. Or, un jour, elle en surgit comme un éclair rouge de la neige blanche.

Ce jour-là, le capitaine Taittinger n'était pas assis, solitaire, comme d'habitude, derrière la grande vitrine de la pâtisserie. Depuis le début de l'après-midi, il se tenait dans la petite salle du fond, entouré de quelques jeunes camarades. Aux officiers, il paraissait encore plus pâle et plus maigre que de coutume. Du reste, ils étaient tous pâles. Ils buvaient beaucoup de liqueurs et leur teint ne se colorait pas. Ils ne mangeaient pas. Devant le capitaine, devant lui seul, une montagne de sucreries se dressait aujourd'hui comme toujours. Peut-être même en absorbait-il encore plus que les autres jours. Car la douleur le minait intérieurement, elle le creusait, et pourtant, il était obligé de se conserver en vie. Tout en introduisant, de ses doigts maigres, gâteau sur gâteau dans sa bouche largement ouverte, pour la cinquième fois déjà, il répétait son histoire devant des auditeurs perpétuellement avides de l'entendre.

— Donc, messieurs, l'essentiel est une discrétion absolue vis-à-vis de la population civile ! Quand j'étais encore au 9e Dragons, il y avait là-bas un bavard, officier de réserve naturellement, grosse fortune, soit dit en passant, il a fallu que l'affaire se produise juste comme il arrivait. Alors, évidemment, quand nous avons enterré ce pauvre baron Seidl, toute la ville savait déjà de quoi il était mort si subitement. Cette fois, messieurs, j'espère que nous aurons un plus discret... il allait dire enterrement, mais il s'interrompit, réfléchit longuement, ne trouva pas le mot, leva les yeux au plafond, un silence terrible pesa sur lui comme sur ses auditeurs.

Enfin le capitaine conclut :

— J'espère que nous aurons une affaire plus discrète.

Il soupira, avala un petit gâteau et vida son verre d'eau d'un trait.

Tous sentaient qu'il avait appelé la mort. La mort planait au-dessus d'eux, elle ne leur était nullement familière. Ils étaient nés en temps de paix et ils étaient devenus officiers en s'adonnant paisiblement aux manœuvres et aux exercices. Ils ne savaient pas alors que chacun d'eux, sans exception, rencontrerait la mort quelques années plus tard. Aucun n'avait alors l'ouïe assez fine pour entendre tourner les rouages énormes des moulins secrets qui commençaient déjà à moudre la grande guerre. La blanche paix de l'hiver régnait dans la petite garnison. Et, comme une draperie noire et rouge, la mort flottait au-dessus de leurs têtes dans la pénombre de l'arrière-boutique.

— Je n'y comprends rien ! dit l'un des jeunes gens.

Ils avaient déjà tous dit à peu près la même chose.

— Mais voilà déjà la vingtième fois que je vous raconte l'histoire ! riposta Taittinger. Ça a commencé avec les comédiens en tournée. Le diable m'a poussé à aller justement voir cette opérette, comment s'appelle-t-elle donc ? J'en ai oublié le nom à présent ! Comment s'appelle-t-elle ?

— Le *Chaudronnier,* dit quelqu'un.

— C'est juste ! Ça a donc commencé au *Chaudronnier.* Comme je sortais du théâtre, j'aperçus Trotta, tout seul, sur la place, dans la neige. Il faut que je vous dise que je suis parti avant la fin. C'est une chose que je fais toujours, messieurs. Je ne peux jamais tenir jusqu'au bout. Quand ça finit bien, on le devine dès le début du troisième acte, alors je sais tout d'avance et je quitte la salle le plus discrètement possible. En outre, j'ai déjà vu la pièce trois fois... Bon ! J'aperçois donc le pauvre Trotta, tout seul, dans la neige. Je lui dis : « La pièce est très jolie ! » Et je lui parle aussi de la bizarre conduite de Demant qui m'a à peine regardé, a laissé sa femme toute seule dès le second acte, s'en est allé tout simplement et n'est pas revenu. Il aurait bien pu me confier sa femme tout de même ! Mais partir purement et simplement, c'est presque un scandale ! J'explique donc tout cela à Trotta : « Oh ! me dit-il, il y a bien longtemps que je n'ai pas parlé à Demant. »

— Mais on a vu Trotta et Demant ensemble pendant des semaines, s'écrie quelqu'un.

— Je le sais bien, naturellement. Et c'est d'ailleurs pour cela que j'ai parlé à Trotta de l'étrange attitude de Demant. Mais je ne veux pas non plus m'immiscer davantage dans les affaires d'autrui et c'est pourquoi je demande à Trotta de venir avec moi à la pâtisserie. « Non, me dit-il, j'ai encore un rendez-vous. » Je m'en vais donc. Et ce soir-là, précisément, la pâtisserie avait fermé plus tôt. La fatalité, messieurs ! Que faire ?... Aller au mess, naturellement. Je raconte tout bonnement l'histoire de Demant à Tattenbach et à tous ceux qui étaient encore là, j'ajoute que Trotta a un rendez-vous en pleine place du Théâtre. J'entends Tattenbach siffloter. Je lui demande : « Pourquoi siffles-tu ? — Pour rien ! me répond-il. — Attention ! dis-je, c'est tout. — Ève et le petit Trotta, Ève et le petit Trotta, chante-t-il deux fois coup sur coup, comme une scie de café-concert. » Moi, je ne sais pas qui est Ève. Je me dis que c'est celle du paradis, un symbole, au sens général, messieurs ! Vous comprenez ?

Ils avaient tous compris et le confirmèrent de leurs exclamations et hochements de tête. Ils n'avaient pas seulement compris l'exposé du capitaine, ils le connaissaient déjà parfaitement d'un bout à l'autre. Et pourtant, ils se faisaient sans cesse répéter le récit des événements car, dans le repli le plus insensé et le plus secret de leur cœur, ils espéraient que le capitaine finirait bien par le modifier au moins une fois et laisserait ainsi ouverte une légère perspective d'issue moins dangereuse. Mais son récit avait toujours le même ton. Pas le moindre de ses tristes détails ne changeait.

— Et après ? demanda une voix.

— Mais vous connaissez toute la suite, répondit le capitaine. Comme nous quittions le mess, Tattenbach, Kindermann et moi, voilà que Trotta vient se jeter tout droit dans nos bras avec Mme Demant. « Voyez un peu ! fait Tattenbach. Est-ce que Trotta ne vous a pas dit qu'il avait un rendez-vous ? — C'est peut-être un hasard, dis-je à Tattenbach. » Et c'était bien un hasard comme je le sais à présent. Mme Demant est sortie toute seule du théâtre. Trotta s'est cru tenu de la reconduire chez elle. Il a dû renoncer à son rendez-vous. Il ne serait absolument rien arrivé si Demant m'avait confié sa femme pendant l'entracte. Absolument rien !

— Absolument rien ! renchérissent les autres.

— Au mess, le lendemain soir, Tattenbach est ivre, à son habitude. Aussitôt qu'il voit Demant, il se lève et dit : « Salut, mon petit docteur ! » Voilà comment ça a commencé.

— Mesquin ! remarquent d'un commun accord deux officiers.

— Certes oui, mesquin, mais il était ivre ! Qu'y faire ? Moi, je

dis correctement : « Salut, monsieur le major. » Et d'un ton dont je ne l'aurais jamais cru capable, Demant dit à Tattenbach :
« Mon capitaine, vous n'ignorez pas que je suis major. — Je ferais mieux de rester chez moi à surveiller ! déclare Tattenbach en se cramponnant des deux mains à son fauteuil. Du reste, c'était sa fête. Ne vous l'ai-je pas encore dit ? »
— Non, s'écrient-ils tous en chœur.
— Bon, vous voilà donc renseignés. C'était précisément le jour de sa fête, répète Taittinger.
Ils dégustent tous la nouvelle avec sensualité. On aurait dit que la fête de Tattenbach était un fait nouveau qui pouvait donner à cette triste affaire un tour nouveau et favorable. Chacun examinait à part soi quel avantage on pourrait tirer de la fête de Tattenbach. Et le petit Sternberg, dans l'esprit duquel les idées surgissaient d'ordinaire une à une, comme des oiseaux au travers de nuages vides, sans frères ni sœurs, ni trace de leur passage, déclara aussitôt, une allégresse prématurée dans la voix :
— Mais alors tout s'arrange ! Situation totalement modifiée ! Puisque c'était sa fête !
Tous se tournèrent dans la direction du petit comte Sternberg, abasourdis, désespérés et pourtant prêts à faire état de cette absurde sortie. C'était extrêmement stupide, ce que Sternberg faisait entendre là ; mais, à y bien réfléchir, n'était-ce pas une planche de salut, un espoir, une lueur de consolation. Taittinger éclata d'un rire caverneux qui les saisit d'une nouvelle terreur. Les lèvres entrouvertes, des mots impuissants figés sur leurs langues muettes, les yeux dilatés, ils restaient silencieux, frappés de mutisme et de cécité, après avoir cru entendre une parole de réconfort, apercevoir une lueur consolatrice. Tout était sourd et obscur autour d'eux. Dans le monde entier, immense, muet, enseveli sous l'épaisse neige de l'hiver, il n'existait, pour eux, rien d'autre que le récit cinq fois répété, à jamais immuable, de Taittinger. Il continua :
— Donc, « je ferais mieux de rester chez moi à surveiller », fait Tattenbach. Et le docteur, vous savez, comme pour ausculter un éclopé, comme si Tattenbach était malade, penche la tête de son côté et dit : « Mon capitaine, vous êtes saoul ! — Je ferais mieux de surveiller ma femme ! continue de bredouiller Tattenbach. Nous autres, nous ne laissons pas nos femmes se promener à minuit avec

des sous-lieutenants ! — Vous êtes saoul et vous êtes un gredin ! » dit Demant. Comme je vais me lever, avant que j'aie seulement pu bouger, voilà Tattenbach qui se met à brailler comme un fou : « Youpin ! Youpin ! Youpin ! » Il le répète huit fois de suite. J'ai eu assez de présence d'esprit pour les compter très exactement.

— Bravo ! fait le petit Sternberg et Taittinger le remercie d'un signe de tête.

— Mais, continue Taittinger, j'ai eu aussi la présence d'esprit de commander : « Ordonnances, rompez ! » Qu'avaient-elles à faire là, en effet ?

— Bravo ! réitère le petit Sternberg et tous approuvent de la tête.

Ils redevinrent silencieux. On entendit à côté, dans la cuisine, un bruit d'assiettes et, dans la rue, les grelots d'un attelage. Taittinger se fourra un nouveau gâteau dans la bouche.

— Et maintenant, nous voilà dans de beaux draps ! s'écria le petit Sternberg.

Taittinger avala le dernier reste de sa friandise et dit seulement :

— Demain, sept heures vingt.

Demain, sept heures vingt ! Ils connaissaient les conditions. Échange simultané de balles, dix pas de distance. Il n'avait pas été possible d'imposer le sabre au docteur Demant. Il ignorait l'escrime. Demain, à sept heures du matin, le régiment part pour l'exercice. De la prairie jusqu'à l'endroit dénommé « Place verte » et situé derrière le vieux château, où le duel doit avoir lieu, il y a deux cents pas à peine. Chacun des officiers sait que demain, pendant l'exercice, il entendra deux coups de feu. Chacun les entend déjà, les deux coups. Les ailes noires et rouges de la mort bruissent au-dessus de leurs têtes.

— L'addition ! s'écria Taittinger. Et ils quittèrent la pâtisserie le cœur serré.

Il neigeait de nouveau. Muette troupe bleue, ils allaient dans la neige blanche, s'y perdant à deux ou solitairement. Chacun d'eux avait peur de rester seul, mais il ne leur était pas possible non plus de rester ensemble. Ils tentaient de se perdre dans les ruelles de la toute petite ville, mais ils étaient condamnés à se retrouver de nouveau au bout de quelques instants. Les rues tortueuses les poussaient les uns vers les autres. Ils étaient prisonniers de la petite cité et de leur désarroi. Et chaque fois qu'ils se rencontraient, la peur de l'un effrayait l'autre. Ils attendaient l'heure du dîner et craignaient en même temps la prochaine soirée au mess, où, aujourd'hui même, dès aujourd'hui, ils ne seraient plus tous présents.

En effet, ils n'étaient pas tous présents. Tattenbach manquait, ainsi que le commandant Prohaska, le docteur, le lieutenant Zander, le lieutenant Christ et, d'une façon générale, tous les témoins. Taittinger ne mangeait pas. Installé devant un échiquier, il jouait contre lui-même. Personne ne disait mot. Muettes, pétrifiées, les ordonnances restaient debout auprès des portes. On entendait le battement dur et lent de la grande pendule. À sa gauche, le chef suprême abaissait sur ses officiers le froid regard de ses yeux de porcelaine bleue. Personne n'osait ni partir seul ni emmener son voisin. Ils restaient donc tous à leur place. Quand ils étaient assis à deux ou trois, l'un près de l'autre, les mots tombaient de leurs lèvres, péniblement, un par un, et un silence de plomb pesait entre la question et la réponse. Chacun sentait le poids du silence sur son dos.

Ils pensaient à ceux qui n'étaient pas là, comme si les absents étaient déjà des morts. Tous se rappelaient l'arrivée du docteur Demant après son long congé de maladie, il y avait quelques semaines. Ils revoyaient son pas hésitant, ses lunettes étincelantes. Ils voyaient le comte Tattenbach, son buste court et replet sur ses jambes arquées de cavalier, son crâne perpétuellement rouge aux cheveux blonds très courts, avec la raie au milieu, et ses petits yeux clairs, bordés de rouge. Ils entendaient la voix douce du docteur et la voix tonitruante du capitaine. Et, bien que les termes : « honneur et trépas, tirer et frapper, mort et tombeau » leur fussent familiers depuis qu'ils étaient capables de penser et de sentir, l'idée d'être séparés, à jamais peut-être, de la voix tonitruante du capitaine, de la voix douce du docteur, leur paraissait aujourd'hui incompréhensible. Chaque fois que retentissait la sonnerie mélancolique de la grande horloge, les hommes croyaient avoir entendu retentir leur propre dernière heure.

Ils ne voulaient pas en croire leurs oreilles et regardaient vers le mur. Aucun doute possible. Le temps ne s'arrêtait pas. Sept heures vingt, sept heures vingt, sept heures vingt ! L'heure fatidique martelait leurs cerveaux.

Ils se levèrent l'un après l'autre, hésitants et honteux. En se quittant, ils avaient l'impression d'une mutuelle trahison. Ils marchaient presque sans bruit. On n'entendait ni leurs éperons ni leurs sabres, leurs semelles foulaient sourdement un sol sans écho. Dès avant minuit, le mess était vide. Et à minuit moins un quart, les lieutenants Schlegel et Kindermann atteignaient la caserne où ils logeaient.

Du premier étage, où se trouvaient les chambres d'officiers, une unique fenêtre éclairée projetait sa lumière dans l'obscurité de la cour. Les deux lieutenants levèrent les yeux en même temps.

— C'est Trotta ! dit Kindermann.

— Nous devrions jeter un coup d'œil chez lui !

— Ça ne lui plaira pas !

Ils suivirent le corridor, s'arrêtèrent devant la porte de Trotta et prêtèrent l'oreille. Rien ne bougeait. Schlegel mit la main sur la poignée, mais n'appuya pas. Il retira sa main. Les deux lieutenants s'éloignèrent. Ils se saluèrent d'un signe de tête et entrèrent dans leurs chambres.

Le sous-lieutenant Trotta ne les avait pas entendus. Il y avait déjà quatre heures qu'il s'efforçait d'écrire à son père une lettre circonstanciée. Il n'arrivait pas à dépasser les premières lignes. « Cher père, commençait-il, sans m'en douter et sans qu'il y ait eu de ma faute, je suis devenu le prétexte d'une sanglante affaire d'honneur. » Sa main était lourde. Instrument inerte et inutile, elle restait en suspens au-dessus du papier et la plume tremblait. C'était la première fois de sa vie qu'il avait à rédiger une lettre aussi difficile. Il paraissait inutile au sous-lieutenant d'attendre l'issue de l'affaire pour écrire au préfet. Depuis la funeste querelle entre Tattenbach et Demant, il avait négligé, jour après jour, d'avertir son père. Il était indispensable de le faire aujourd'hui. Il fallait que la lettre parte au plus tard aujourd'hui, avant le duel. Qu'aurait donc fait le héros de Solferino dans la même situation ? Charles-Joseph sentait peser sur ses épaules le regard impérieux de son grand-père. Le héros de Solferino dictait à son timide petit-fils une ferme résolution. Il fallait écrire immédiatement, sur-le-champ. Peut-être même aurait-il dû aller trouver son père. Entre le défunt héros de Solferino et son petit-fils indécis, se trouvait le père, le préfet, gardien de l'honneur, dépositaire du patrimoine. Vivant et rouge, le sang du héros de Solferino circulait aussi dans les veines du préfet. Ne pas informer le préfet à temps, c'était aussi essayer de dissimuler quelque chose à son grand-père.

Mais pour écrire cette lettre, il aurait fallu être aussi fort que son grand-père, aussi peu compliqué, aussi résolu, aussi proche des paysans de Sipolje. On n'était que le petit-fils ! Cette lettre rompait de terrible manière la commode succession des conventionnelles missives hebdomadaires, perpétuellement semblables les unes aux autres, que les fils avaient toujours envoyées à leurs pères dans la famille des Trotta. Lettre sanglante. Il fallait l'écrire.

Le sous-lieutenant continua :

« J'avais fait une innocente promenade avec la femme de notre major, vers minuit, il est vrai. J'y avais été contraint par les circonstances. Des camarades nous ont vus. Le capitaine Tattenbach, qui malheureusement est souvent ivre, y fit une perfide allusion en présence du docteur. Demain matin, à sept heures vingt, ils vont tirer tous les deux. Je serai évidemment obligé de provoquer Tattenbach en duel si, comme je le souhaite, il reste en vie. Ce sont de pénibles nécessités.

Votre fils fidèle

Charles-Joseph Trotta, sous-lieutenant.

P.S. Peut-être me faudra-t-il aussi quitter le régiment. »

Il semblait maintenant au sous-lieutenant qu'il avait surmonté le plus difficile. Mais laissant errer son regard dans l'ombre du plafond, il revit tout à coup, l'exhortant, le visage de son grand-père. À côté du héros de Solferino, il crut apercevoir aussi la figure à barbe blanche du cabaretier juif dont le docteur Demant, médecin militaire, était le petit-fils. Il sentit que les morts appelaient les vivants, il lui sembla que c'était lui-même qui, dès demain, à sept heures vingt, irait sur le terrain, pour se battre en duel. Aller sur le terrain et tomber ! Tomber ! Tomber et mourir !

En ces dimanches, depuis longtemps révolus, où Charles-Joseph se tenait debout sur le balcon de la maison paternelle, tandis que la musique militaire de M. Nechwal attaquait la *Marche de Radetzky,* tomber et mourir eût été peu de chose ! La mort était familière à l'élève de l'école de cavalerie impériale et royale, mais c'était une mort fort lointaine ! Demain, à sept heures vingt du matin, la mort attendait son ami, le docteur Demant. Après-demain ou dans quelques jours, elle attendrait le sous-lieutenant Charles-Joseph von Trotta. Oh, horreur et ténèbres ! Être la cause de sa venue et devenir sa victime ! Et si l'on ne devenait pas sa victime, de combien de cadavres la route ne serait-elle pas jonchée encore ? De même que les bornes kilométriques marquent la route des autres, les tombes marquaient la route de Trotta. Il était certain qu'il ne reverrait plus son ami, comme il n'avait jamais revu Catherine. Jamais ! Le mot s'inscrivait sous les yeux de Charles-Joseph, sans rives et sans limites, océan mort d'éternité sans écho. Le petit Trotta brandit son faible poing contre la grande loi qui faisait rouler vers vous les pierres des sépulcres, n'opposait aucun rempart à cet impitoyable « jamais » et se refusait à éclairer les éternelles ténèbres. Il serra le poing, alla à la fenêtre pour le lever contre le ciel. Mais il ne leva que les yeux. Il vit le froid scintillement des étoiles de l'hiver. Il se rappela la nuit où, pour la dernière fois, il était allé de la caserne à la ville, avec le docteur Demant. Pour la dernière fois, il en avait eu la certitude dès ce soir-là.

Soudain, la nostalgie de son ami s'abattit sur lui et l'espoir aussi qu'il était encore possible de sauver le docteur. Il était une heure vingt. Le major avait encore très certainement six heures à vivre, six grandes heures. Ce délai paraissait maintenant aussi considérable au sous-lieutenant que, tout à l'heure, l'éternité sans limites. Il se précipita sur son portemanteau, prit son sabre, enfila rapidement sa capote, courut tout le long du corridor, vola presque au bas de l'escalier, galopa vers la sortie à travers la cour obscure, passa en coup de vent auprès du factionnaire, suivit la route silencieuse, atteignit en dix minutes la petite ville, et, un instant après, l'unique traîneau qui assurait le service de nuit ; dans le tintement rassurant des grelots, il glissa vers la villa du docteur, vers le sud de la ville. La petite maison dormait derrière sa grille, avec ses fenêtres aveugles. Trotta sonna. Tout resta silencieux. Charles-Joseph cria le nom du docteur Demant. Rien ne bougea. Il attendit. Il demanda au cocher de faire claquer son fouet. Personne ne répondit.

S'il avait cherché le comte Tattenbach, il lui aurait été facile de le trouver. La veille de son duel, il était certainement chez Rési et buvait à sa propre santé. Mais impossible de deviner où se tenait Demant. Peut-être déambulait-il dans les rues de la ville. Peut-être se promenait-il entre les tombes familières, cherchant déjà sa propre tombe.

— Au cimetière ! commanda Trotta au cocher terrifié.

Non loin de là, les deux cimetières s'étendaient côte à côte. Le traîneau s'arrêta devant la vieille muraille et la grille verrouillée. Trotta descendit du traîneau. Il s'approcha de la grille. Obéissant à la folle impulsion qui l'avait poussé là, il mit ses mains en cornet devant sa bouche et, d'une voix étrangère qui lui sortait du cœur comme un hurlement, il cria le nom du docteur Demant dans la direction des tombes. Ce faisant, il lui semblait qu'il appelait déjà le mort et non plus le vivant, il eut peur et frissonna comme l'un des arbustes sur lesquels la tempête hivernale sifflait alors entre les tombes. Le sabre du sous-lieutenant se balançait contre sa hanche.

Sur le siège de son traîneau, le cocher était épouvanté. Simple comme il l'était, il pensa que le sous-lieutenant était un revenant ou un fou. Mais il n'osait pas non plus donner à son cheval le signal du départ. Ses dents claquaient, son cœur affolé frappait à grands coups sous sa houppelande en peau de chat.

— Montez donc, monsieur l'officier ! suppliait-il.

Le sous-lieutenant obéit.

— Retournez en ville ! dit-il.

Arrivé en ville, il descendit et arpenta consciencieusement les venelles tortueuses et les minuscules places. Les sons métalliques d'un piano mécanique retentissant subitement quelque part, dans le silence nocturne, lui donnèrent un but provisoire. Il courut à la rencontre de la musique grinçante. Elle s'échappait par la porte vitrée, faiblement éclairée, d'un cabaret situé non loin de l'établissement de Mme Rési, lequel, abondamment fréquenté par les hommes de la troupe, était interdit aux officiers. Le sous-lieutenant s'approcha de la fenêtre illuminée et, par-dessus le rideau rouge, jeta un regard à l'intérieur du cabaret. Il vit le comptoir avec le patron en bras de chemise. A une table, trois hommes, également en bras de chemise, jouaient aux cartes. A une autre, un caporal avec une jeune fille à côté de lui, des chopes de bière devant eux. Dans un coin, un homme assis, tout seul, un crayon à la main, se penchait sur une feuille de papier, écrivait quelque chose, s'interrompait, trempait les lèvres dans un petit verre d'eau-de-vie et regardait en l'air. Tout à coup, il braqua ses lunettes étincelantes dans la direction de la fenêtre. Charles-Joseph le reconnut. C'était le docteur Demant en civil.

Charles-Joseph frappa à la porte vitrée. Le patron vint. Le sous-lieutenant le pria de lui envoyer le consommateur solitaire. Le médecin sortit dans la rue.

— C'est moi, Trotta ! dit le sous-lieutenant et il lui tendit la main.

— Tu m'as trouvé ? fit le docteur.

Il parlait doucement, à son habitude, mais beaucoup plus nettement que d'ordinaire, semblait-il, car ses tranquilles paroles dominaient étrangement le fracas du piano mécanique. C'était la première fois qu'il était en civil devant Trotta. La voix familière du docteur métamorphosé parvenait à Trotta comme un salut bienfaisant venu de la patrie. Et, plus le docteur lui paraissait étranger, plus sa voix lui paraissait familière. Toutes les frayeurs qui avaient troublé le sous-lieutenant au cours de cette nuit se dispersèrent à la voix de l'ami que Charles-Joseph n'avait plus entendue depuis de longues semaines et qui lui avait manqué. Oui, elle lui avait manqué, il s'en rendait compte en ce moment. Le piano mécanique cessa son fracas. On entendait de temps à autre hurler le vent nocturne et l'on sentait la neige poudreuse qu'il faisait tourbillonner vous fouetter le visage. Le sous-lieutenant fit un pas vers le docteur. (Il était impossible d'être jamais assez près de lui.) « Tu ne dois pas mourir », allait-il dire. Mais l'idée que Demant était exposé, sans pardessus, au vent et à la neige lui traversa subitement l'esprit. « Quand on est en civil, ça ne se voit pas tout de suite », pensa-t-il aussi. Et d'un ton affectueux :

— Tu vas finir par t'enrhumer.

Le visage du docteur s'éclaira tout à coup de son vieux sourire bien connu, qui retroussait légèrement ses lèvres et remontait un peu sa moustache noire. Charles-Joseph rougit. « Mais il ne peut plus s'enrhumer du tout », pensa-t-il. Au même instant, il entendit la voix du docteur Demant :

— Je n'ai plus le temps de tomber malade, mon cher ami.

Il pouvait parler tout en souriant. Les paroles du docteur passaient à travers son sourire et pourtant le sourire restait entier, il planait sur ses lèvres comme un petit voile blanc et triste.

— Mais nous allons entrer, poursuivait le docteur.

Il se détachait, ombre immobile, sur la porte vitrée et projetait sur la neige une deuxième ombre plus pâle. Les flocons argentés qui poudraient ses cheveux noirs étaient éclairés par la lueur blafarde du café. La lumière céleste nimbait déjà, pour ainsi dire, sa tête et Trotta fut sur le point de s'en retourner. Il dirait : « Bonne nuit », et partirait bien vite.

— Entrons donc ! répéta le docteur. Je vais demander si tu peux le faire sans qu'on te voie.

Il partit, laissant Trotta dehors. Puis il revint avec le patron. Ils traversèrent un vestibule et une cour, puis arrivèrent dans la cuisine du café.

— On te connaît donc ici ? demanda Trotta.

— J'y viens quelquefois, répondit le docteur, ou plutôt, j'avais l'habitude d'y venir assez souvent.

Charles-Joseph regarda le docteur :

— Ça t'étonne ? J'avais comme ça mes petites habitudes particulières, ajouta le médecin.

Pourquoi dit-il « j'avais », pensa le sous-lieutenant et il se rappela, d'après ses leçons de grammaire, que cette forme s'appelait « l'imparfait ». Pourquoi le médecin militaire disait-il « j'avais » ?

Le patron apporta une petite table et deux chaises dans la cuisine et alluma une lampe à gaz. Dans la salle de café, le piano mécanique continuait son vacarme : pot-pourri de marches connues entre lesquelles retentissaient, à intervalles déterminés, les premières mesures de tambour de la *Marche de Radetzky,* défigurées par de rauques bruits parasites, mais toujours reconnaissables. Dans l'ombre verdâtre, dessinée par l'abat-jour sur les murs blanchis, se dessinait à la chaux le portrait connu du chef suprême, dans son uniforme d'un blanc éblouissant, entre deux énormes poêles à frire de cuivre rouge. Le costume blanc de l'Empereur était maculé d'innombrables taches de mouches, comme s'il avait été transformé en écumoire par d'infimes grains de plomb, et les yeux de François-Joseph Ier, eux aussi, à l'origine, inévitablement bleu porcelaine, s'étaient éteints dans l'ombre de l'abat-jour. Le major montra le portrait du doigt.

— Il y a un an, il était encore accroché dans la salle de café, dit-il, mais maintenant, le patron n'a plus envie de prouver qu'il est un loyal sujet.

Le piano mécanique se tut. Au même instant, deux coups sonnèrent à une horloge.

— Déjà deux heures ! fit le sous-lieutenant.

— Encore cinq heures ! répondit le major.

Le patron apporta du sliwowitz.

« Sept heures vingt », songeait le sous-lieutenant et cette pensée lui martelait le cerveau.

Il prit le verre, le leva et haussant le ton, comme il avait appris à le faire pour donner des ordres, il dit :

— A ta santé ! Il faut que tu vives !

— A une belle mort ! répondit le médecin militaire et il vida son verre, tandis que Charles-Joseph reposait le sien sur la table. Cette mort est insensée ! Aussi insensée qu'a été ma vie !

— Je ne veux pas que tu meures ! cria le sous-lieutenant en frappant du pied le dallage de la cuisine. Et moi non plus, je ne veux pas mourir. Pourtant, ma vie aussi est insensée.

— Tais-toi, répondit Demant. Tu es le petit-fils du héros de Solferino. Lui aussi, sa mort aurait été pareillement insensée. Bien qu'il y ait une différence entre aller au trépas, comme lui, avec la foi, ou bien y aller avec autant de faiblesse que nous deux.

Il se tut.

— Que nous deux ! reprit-il au bout d'un moment. Nos grands-pères ne nous ont pas légué beaucoup de force. Peu de force pour vivre et juste assez pour mourir, d'une mort insensée, hélas !

Le docteur repoussa son petit verre et ce fut comme s'il rejetait loin de lui et le monde entier et son ami.

— Ah ! répéta-t-il, je suis las, depuis des années ! Demain, je mourrai comme un héros, comme un prétendu héros, d'une mort en complète opposition avec ma manière d'être, en complète opposition avec la manière d'être de mes pères et de ma race et contre la volonté de mon grand-père. Dans les vieux livres où il lisait, se trouve cette sentence : Celui qui lève la main contre son semblable, est un assassin. Demain, quelqu'un lèvera un pistolet contre moi et je lèverai un pistolet contre lui. Et je serai un assassin. Mais je suis myope, je ne viserai pas. J'aurai ma petite vengeance. Quand je retire mes lunettes, je n'y vois rien du tout, rien du tout. Et je tirerai sans y voir ! Ce sera plus naturel, plus honnête et tout à fait convenable !

Le sous-lieutenant ne comprenait pas parfaitement ce que disait le major. La voix du docteur lui était familière, sa personne et son visage le lui étaient également redevenus, depuis qu'il s'était habitué au costume civil de son ami. Mais les pensées du docteur Demant venaient d'infiniment loin, elles venaient de cette sphère prodigieusement lointaine où pouvait avoir vécu son grand-père, le roi à barbe blanche des cabaretiers juifs. Le cerveau de Trotta s'appliquait péniblement à comprendre, comme jadis au cours de trigonométrie de l'école militaire, mais il saisissait de moins en moins. Il sentait seulement se relâcher, petit à petit, sa foi de tout à l'heure en une possibilité de tout sauver et le feu de son espoir s'éteindre peu à peu, se réduire lentement à une fine cendre blanche semblable à la trame ténue qui se consumait sur la petite flamme chantante du gaz. Son cœur battait bruyamment comme les coups sourds, métalliques de l'horloge. Il ne comprenait pas son ami. Peut-être aussi était-il venu trop tard. Il avait encore beaucoup de choses à dire. Mais il sentait sa langue lourde dans sa bouche, comme chargée d'un poids. Il entrouvrit les lèvres. Elles étaient blêmes, elles frémissaient doucement, il ne put les refermer qu'avec peine.

— Tu pourrais bien avoir de la fièvre ! dit le major, du même ton dont il parlait habituellement aux malades.

Il frappa sur la table, le patron arriva avec de nouveaux verres d'alcool.

— Tu n'as même pas encore bu le premier !

Trotta vida docilement le premier verre.

— J'ai découvert l'eau-de-vie trop tard... dommage ! dit le docteur. Tu ne vas pas me croire, mais cela me fait de la peine de n'avoir pas bu.

Le sous-lieutenant fit un effort considérable, il leva les yeux et les tint braqués un moment sur le visage du docteur. Il souleva le deuxième verre, il était lourd, sa main trembla, il en répandit quelques gouttes. Il but d'un trait. La colère s'alluma en lui, lui monta à la tête, lui rougit la face.

115

— Je m'en vais, dit-il, je ne peux pas supporter tes plaisanteries. J'ai été content de te retrouver. J'étais allé chez toi. J'ai sonné. Je me suis fait conduire au cimetière. J'ai crié ton nom à travers la porte, comme un fou. J'ai...

Il s'interrompit. Entre ses lèvres tremblantes, des mots se formaient silencieusement, des mots sourds, ombres sourdes aux sourdes résonances. Soudain, une eau brûlante lui remplit les yeux, un bruyant gémissement s'échappa de sa poitrine. Il voulut se lever, se sauver, car il avait grand-honte. « Mais je pleure ! pensa-t-il, mais je pleure ! » Il se sentait impuissant, d'une impuissance sans bornes, vis-à-vis de l'incompréhensible puissance qui le forçait à pleurer. Il se livrait à elle sans résistance. Il s'abandonnait aux délices de son impuissance. Il entendait son gémissement, il en jouissait, il en avait honte et jouissait encore de sa honte. Il se jetait dans les bras de la douce souffrance. Éperdument, sans interrompre ses sanglots, il répéta à plusieurs reprises :

— Je ne veux pas que tu meures, je ne veux pas que tu meures, je ne veux pas, je ne veux pas !

Le docteur Demant se leva, arpenta plusieurs fois la cuisine, s'arrêta devant le portrait du chef suprême, entreprit de compter les taches de mouches maculant la tunique de l'Empereur, renonça à son absurde besogne, s'approcha de Charles-Joseph, posa doucement les mains sur ses épaules secouées par les sanglots et pencha ses lunettes étincelantes sur les cheveux châtains du sous-lieutenant. Il en avait déjà fini avec les affaires de ce monde, le sage docteur Demant, il avait envoyé sa femme à Vienne chez son père, donné une permission à son ordonnance, fermé sa maison. Au début de la malheureuse affaire, il était venu loger à l'hôtel de l'Ours d'or. Tout était réglé. Depuis qu'il s'était mis à boire de l'alcool, dont il n'avait pas l'habitude, il lui avait même été possible de trouver à ce duel quelque absurde et mystérieuse signification, de souhaiter la mort comme la conclusion logique de l'erreur qu'avait été sa carrière, de pressentir même une lueur de cet au-delà auquel il avait toujours cru. Les tombes ne lui avaient-elles pas été familières, bien avant qu'il ne s'expose à ce danger, les morts n'étaient-ils pas ses amis? Son puéril amour pour sa femme était éteint. De la jalousie, qui brûlait encore douloureusement son cœur quelques semaines plus tôt, il ne restait plus qu'un petit amas de cendres refroidies.

Le testament qu'il venait de rédiger était dans la poche de sa veste, avec l'adresse de son colonel. Il avait peu de chose à léguer, peu de gens auxquels penser et n'avait donc rien oublié. L'alcool le rendait léger, seule l'attente l'impatientait. Sept heures vingt, l'heure qui, depuis des jours, martelait atrocement le cerveau de ses camarades, s'agitait dans sa propre tête comme une clochette argentine. Pour la première fois, depuis qu'il avait revêtu l'uniforme, il se sentait léger, fort et courageux. Il goûtait l'approche de la mort comme un convalescent l'approche de la vie. Il en avait fini. Il était prêt...

Et voilà que maintenant, devant son jeune ami, il se retrouvait déconcerté et myope, comme toujours. Oui, il y avait encore de la jeunesse, de l'amitié, des larmes qu'on répandait pour lui. Tout à coup, il éprouva de nouveau la nostalgie de sa misérable existence, de la rebutante garnison, de l'uniforme détesté, des ennuyeuses consultations, de la puanteur des rassemblements d'hommes déshabillés, des vaines vaccinations, de l'odeur phéniquée de l'hôpital, des vilaines lubies de sa femme, de la sécurité mesquine de sa maison, des jours gris de la semaine, du bâillement des dimanches endormis, des suppliciantes heures d'équitation, des absurdes manœuvres et de sa propre tristesse face à toute cette trivialité. A travers les sanglots et les gémissements du sous-lieutenant éclatait le puissant et retentissant appel de la terre vivante et, tandis que le docteur cherchait une parole qui pût consoler Trotta, la pitié inondait son cœur, l'amour dardait en lui mille langues de feu. L'indifférence dans laquelle il avait vécu ces dernières journées était déjà bien loin derrière lui.

L'horloge frappa durement ses trois coups. Trotta se tut subitement. On entendit l'écho des trois coups se noyer lentement dans le bourdonnement de la lampe à gaz. Le sous-lieutenant se mit à parler d'un ton calme :

— Il faut que tu saches à quel point toute cette histoire est bête. Taittinger m'ennuie, moi comme nous tous d'ailleurs. Je lui dis donc que j'ai un rendez-vous, ce soir-là, devant le théâtre. Puis ta femme sort seule. Je suis dans l'obligation de l'accompagner. Et, juste comme nous passons devant le mess, tous débouchent dans la rue.

Le docteur retira ses mains des épaules de Trotta et reprit ses allées et venues. Il marchait presque sans bruit, à pas feutrés et attentifs.

— Il faut encore que je te dise, poursuivit le sous-lieutenant, que j'ai eu l'intuition immédiate qu'il allait arriver quelque chose de grave. C'est à peine si j'ai pu dire encore une parole aimable à ta femme. Ensuite, comme j'étais devant votre jardin, devant ta villa, le réverbère étant allumé, dans la neige de l'allée qui va de l'entrée du jardin à la porte de la maison, j'ai pu voir nettement les empreintes de tes pas, alors j'ai eu une idée bizarre, une idée folle...

— Oui ? fit le docteur qui s'arrêta.

— Une idée comique, j'ai pensé un instant que tes empreintes étaient quelque chose comme des gardiens, il m'est impossible de l'exprimer, mais j'ai songé vraiment que, du fond de la neige, elles nous regardaient, ta femme et moi.

Le docteur Demant se rassit, considéra Trotta et dit lentement :

— Peut-être aimes-tu ma femme sans en rien savoir toi-même ?

— Je ne suis nullement coupable de toute cette affaire.

— Non, tu n'en es nullement coupable, renchérit le major.

— Mais tout se passe toujours comme si j'étais coupable, dit Charles-Joseph. Tu sais, je te l'ai raconté, ce qui m'est arrivé avec Mme Slama !

Il se tut, puis il dit tout bas :

— J'ai peur, j'ai peur, partout !

Le major écarta les bras, leva les épaules et dit :

— Toi aussi, tu es un petit-fils !

Pour le moment, il ne pensait pas aux frayeurs du sous-lieutenant. Il lui semblait très possible d'échapper maintenant encore à tout ce qui le menaçait. Disparaître !... se dit-il. Se déshonorer, être dégradé, servir trois ans comme simple soldat ou s'enfuir à l'étranger. Ne pas être tué ! Déjà le sous-lieutenant, le petit-fils du héros de Solferino, lui apparaissait comme un homme d'un autre monde, parfaitement étranger. Et il dit tout haut avec un plaisir sarcastique :

— Quelle idiotie ! Cet honneur qui pend, là, dans la stupide dragonne de ce sabre ! On ne peut accompagner une femme jusque chez elle ! Vois-tu combien c'est imbécile ? Et celui-là, il montrait le portrait de l'Empereur, ne l'as-tu pas sauvé du bordel ? Idiotie ! cria-t-il soudain. Infâme idiotie !

On frappa. Le patron entra et apporta deux petits verres pleins. Le major but.

— Bois ! fit-il.

Charles-Joseph but. Il ne comprenait pas tout à fait ce que disait le médecin, mais il pressentait que Demant n'était plus disposé à mourir. Le tic-tac de l'horloge battait ses secondes métalliques. Le temps ne s'arrêtait pas. Sept heures vingt ! Sept heures vingt ! Il aurait fallu qu'un miracle se produisît pour sauver Demant de la mort. Il n'arrivait plus de miracles. Le sous-lieutenant savait au moins cela. C'était lui-même — idée fantastique — qui demain, à sept heures vingt, se présenterait sur le terrain. Il dirait : « Messieurs, Demant est devenu fou cette nuit, je me bats à sa place ! » Enfantillage, ridicule, impossible ! Il regarda de nouveau le docteur d'un air perplexe. Le temps ne s'arrêtait pas, l'horloge continuait de piquer ses secondes sans s'arrêter. Il sera bientôt quatre heures. Trois heures encore !

— Allons ! dit enfin le major.

Son ton était celui de la décision, on aurait dit qu'il savait exactement ce qu'il y avait à faire. Mais il ne savait rien de précis ! Ses pensées incohérentes se frayaient des chemins confus, à l'aveuglette, parmi d'aveugles brouillards. Il ne savait rien ! Une loi de fer, infâme, stupide et puissante le ligotait, l'envoyait ligoté à une stupide mort. Il percevait les bruits tardifs de la salle de café. Il n'y avait évidemment plus personne. On entendait tinter les verres que le patron plongeait dans l'eau, celui-ci rassemblait les chaises, poussait les tables, agitait son trousseau de clefs. Il fallait s'en aller. C'est de la rue, du ciel nocturne, de ses étoiles, de la neige, peut-être, que viendraient le conseil et la consolation. Le médecin alla trouver le patron, paya, revint en pardessus. Noir, avec son large chapeau noir, il semblait déguisé et nouvellement transformé. Il paraissait armé, plus sérieusement armé même qu'il ne l'avait jamais été dans son uniforme, avec sabre et képi.

Ils retournèrent à la nuit en traversant la cour et le vestibule. Le docteur leva les yeux vers le ciel, les étoiles familières ne lui prodiguaient aucun conseil, elles étaient plus froides que la neige environnante. Sombres étaient les maisons, sourdes-muettes les rues, le vent de la nuit soulevait une poussière de neige, les éperons de Trotta cliquetaient légèrement, les semelles du docteur craquaient à leur côté. Ils marchaient vite, comme s'ils avaient un but déterminé. Des lambeaux d'idées, de pensées, d'images se succédaient dans leurs cerveaux. Leurs cœurs battaient comme de lourds marteaux. Sans le savoir, le major donnait la direction, Charles-Joseph suivait. Ils approchaient de l'hôtel de l'Ours d'or. Ils étaient devant la porte voûtée de l'hôtel. Dans l'imagination de Charles-Joseph surgit la vision du grand-père de Demant, le roi à barbe blanche des cabaretiers juifs. C'est assis devant une porte comme celle-là, mais probablement beaucoup plus grande encore, qu'il avait passé sa vie. Il se levait quand les paysans s'arrêtaient. Comme il était sourd, les petits paysans lui criaient ce qu'ils voulaient, leurs mains en cornet autour de leur bouche. Sept heures vingt, sept heures vingt, entendait-il de nouveau. A sept heures vingt, le petit-fils de ce grand-père serait mort.

— Mort ! dit le sous-lieutenant à haute voix.

Oh ! il n'était plus sage, le sage docteur Demant ! C'est en vain qu'il avait été libre et courageux plusieurs jours durant, il s'apercevait maintenant qu'il n'était pas quitte. En finir n'était pas facile. Son cerveau intelligent, hérité d'une longue, longue lignée de pères intelligents, savait aussi peu se déterminer que le simple cerveau du sous-lieutenant qui avait pour ancêtres les simples paysans de Sipolje. Une loi stupide, une loi de fer ne laissait ouverte aucune issue.

— Je suis un imbécile, mon cher ami, dit le docteur. Il y a longtemps que j'aurais dû me séparer d'Ève. Je n'ai pas la force d'échapper à ce duel absurde. Je vais être un héros par idiotie, conformément au code de l'honneur et aux règlements militaires. Un héros ! répéta-t-il en allant et venant à grandes enjambées devant la porte de l'hôtel.

Un espoir enfantin traversa comme un éclair la jeune tête du sous-lieutenant, prompte à se consoler : ils ne tireront pas l'un sur l'autre, ils vont se réconcilier. Tout va s'arranger. On les changera de régiment. Moi aussi. « Fou, ridicule, impossible ! » pensa-t-il aussitôt. Égaré, désespéré, la tête éperdue, la bouche sèche, les membres de plomb, il restait immobile devant le docteur qui allait et venait.

Quelle heure était-il donc ? Il n'osait pas regarder à sa montre. D'ailleurs, le clocher allait bientôt sonner :

— Si nous ne devons pas nous revoir..., fit le docteur.

Il s'arrêta et poursuivit quelques secondes après :

— Je te conseille de quitter cette armée !

Puis il tendit la main à Charles-Joseph :

— Adieu ! Rentre chez toi. Je me tirerai d'affaire tout seul ! Salut !

Il tira la sonnette. On entendit la cloche retentir à l'intérieur. Des pas s'approchaient déjà. On ouvrait. Le sous-lieutenant Trotta prit la main du docteur. D'une voix habituelle dont il fut étonné lui-même, il répondit par un ordinaire : « Salut ! » Il n'avait même pas retiré son gant. Déjà, la porte se refermait. Déjà, il n'y avait plus de docteur Demant. Comme tiré par une invisible main, le sous-lieutenant Trotta regagnait la caserne par son chemin accoutumé. Il n'entendit plus la fenêtre qui s'ouvrait au deuxième étage, au-dessus de sa tête. Le docteur s'y penchait encore une fois, il vit son ami disparaître au tournant de la rue, referma, alluma toutes les lumières de sa chambre, s'approcha de la table de toilette, aiguisa son rasoir, l'éprouva sur l'ongle du pouce, se savonna la figure, en toute tranquillité, comme les autres matins. Il se lava, prit son uniforme dans l'armoire, s'habilla, mit son sabre et attendit. Il s'assoupit. Il dormit sans rêves, dans le grand fauteuil, auprès de la fenêtre.

Quand il se réveilla, le ciel était déjà clair par-dessus les toits, une tendre lueur s'azurait au-dessus de la neige. On viendrait bientôt frapper à sa porte. Il entendait déjà au loin les grelots d'un traîneau. Le traîneau s'approchait, s'arrêtait. Maintenant, la cloche tinte. Maintenant, l'escalier craque. Maintenant, les éperons cliquettent. Maintenant, on frappe.

Ils étaient dans sa chambre : le lieutenant Christ et le capitaine Wangert du régiment d'infanterie de la garnison. Ils restaient près de la porte, le lieutenant un demi-pas en arrière du capitaine. Le major jeta un regard vers le ciel. Lointain écho d'une lointaine enfance, la voix éteinte de l'aïeul tremblait : « Écoute, Israël, dirait-elle, l'Éternel notre Dieu, l'Éternel est un ! »

— Je suis prêt, messieurs ! dit le médecin militaire.

Ils étaient un peu à l'étroit dans le petit traîneau. Les clochettes tintaient bravement, les chevaux bais relevaient leurs queues taillées et faisaient tomber sur la neige de gros crottins tout ronds, jaunes, fumants. Le major, à qui les animaux avaient été indifférents toute sa vie, éprouva soudain la nostalgie de son cheval. Il va me survivre ! se dit-il. Son visage ne trahissait rien. Ses compagnons se taisaient.

Ils s'arrêtèrent à cent pas environ de la clairière. Ils gagnèrent la « Place verte » à pied. L'aube était au rendez-vous, mais le soleil n'était pas encore levé. Les sapins restaient figés. Droits, élancés, ils portaient fièrement sur leurs branches leur habit de neige. Dans le lointain, les coqs chantaient, ils s'appelaient et se répondaient. Tattenbach parlait tout haut à ses témoins. Le docteur Mangel, médecin-colonel, allait et venait entre les deux partis.

— Messieurs ! dit une voix.

A ce moment, le docteur ôta ses lunettes, avec beaucoup de façons, à son habitude, et les posa soigneusement sur une large souche. Chose curieuse, il n'en vit pas moins très nettement son chemin, la place qu'on lui attribuait, la distance qui le séparait du comte Tattenbach et le comte lui-même. Il attendit. Jusqu'au dernier moment, il attendit son brouillard. Mais tout restait net comme si le major n'avait jamais été myope. Une voix compta :

— Un !

Le médecin militaire leva son pistolet. Il se sentait de nouveau libre et courageux, pétulant même, pour la première fois de sa vie. Il visa, comme autrefois au tir à la cible, quand il faisait son volontariat d'un an (bien qu'alors, déjà, il eût été un bien piètre tireur). Mais je ne suis pas myope, pensait-il, je ne vais plus avoir besoin de lunettes. C'était à peine explicable du point de vue médical. Le médecin militaire décida de se documenter en ophtalmologie. Au moment où le nom d'un spécialiste fameux lui revenait à l'esprit, la voix comptait : « deux ! ». Le major continuait d'y voir clair. Un oiseau d'une espèce inconnue se mit à gazouiller timidement et l'on perçut une sonnerie de trompettes. Le régiment de uhlans arrivait au champ d'exercice.

Le sous-lieutenant Trotta chevauchait dans le deuxième escadron, comme tous les jours. Le voile mat du gel perlait sur le fourreau des sabres glacés et sur le canon des carabines. Les sonneries des trompettes éveillaient la petite ville endormie. Les cochers, station-nant, à leur place ordinaire, dans leurs épaisses fourrures, redressaient leurs têtes barbues. Lorsque le régiment mit pied à terre dans la prairie, tandis que les hommes s'alignaient sur deux rangs, comme d'habitude, pour les exercices d'assouplissement de tous les matins, le lieutenant Kindermann aborda Charles-Joseph et lui dit :

— Es-tu malade ? Tu as une mine !

Il prit son coquet miroir de poche, le tint devant les yeux de Charles-Joseph. Dans le petit carré brillant, le sous-lieutenant Trotta aperçut une face de vieillard qui lui était parfaitement connue : yeux de braise étroits et noirs, grand nez osseux à l'arête tranchante, joues grises et creuses, longue bouche mince, pincée, exsangue, séparant le nez du menton comme un coup de sabre cicatrisé de longue date. Seule, cette petite moustache brune paraissait étrangère à Charles-Joseph. Le visage de son grand-père, qui s'embrumait, chez lui, sous le plafond du fumoir paternel, était complètement glabre.

— Merci ! fit le sous-lieutenant. Je n'ai pas dormi de la nuit. Il quitta le terrain d'exercice.

Il s'engagea à gauche, entre les fûts, dans le sentier qui s'embranchait sur la grand-route. Il était sept heures quarante. On n'avait pas entendu de coups de feu. Tout va bien, tout va bien, se dit-il, il s'est produit un miracle ! Dans dix minutes, au plus tard, le commandant Prohaska va arriver, alors on saura tout. On entendait les bruits hésitants de la petite ville qui se réveillait et le mugissement prolongé d'une locomotive à la gare. Au moment où le sous-lieutenant atteignit l'entrée du sentier, sur la route, le commandant arriva sur son cheval bai. Le sous-lieutenant Trotta le salua.

— Bonjour ! fit le commandant et ce fut tout.

Il n'y avait pas assez de place dans le sentier pour qu'un cavalier et un piéton pussent s'y tenir côte à côte. Le sous-lieutenant marcha donc derrière le commandant. A deux minutes à peu près de la prairie (on percevait déjà les ordres des sous-officiers), le commandant arrêta sa monture, se retourna à moitié sur sa selle et dit seulement : « Tous les deux ! » Puis, continuant d'avancer, plus pour lui-même que pour le sous-lieutenant :

— Il n'y avait vraiment rien à faire !

Ce jour-là, le régiment rentra à la caserne une bonne heure plus tôt que d'habitude. Les trompettes sonnaient comme les autres jours. L'après-midi, les sous-officiers lurent aux hommes l'ordre du jour par lequel le colonel Kovacs les informait que le capitaine de cavalerie, comte Tattenbach et le docteur Demant, médecin militaire, étaient morts en soldats, pour l'honneur du régiment.

VIII

Autrefois, avant la grande guerre, à l'époque où se produisirent les événements relatés dans ces pages, la vie ou la mort d'un homme n'était pas encore chose indifférente. Quand quelqu'un disparaissait du nombre des vivants, un autre ne prenait pas immédiatement sa place pour faire oublier le mort, il restait un vide où il manquait, et les témoins proches ou lointains de sa disparition restaient interdits chaque fois que leurs yeux rencontraient ce vide. Quand le feu avait détruit une maison dans une rue, le lieu du sinistre restait longtemps désert, car les maçons travaillaient lentement et avec soin. Quand ils voyaient la place déserte, les proches voisins, comme les passants fortuits, se rappelaient la forme et l'aspect de la maison disparue. Il en était ainsi en ce temps-là. Tout ce qui grandissait avait besoin de beaucoup de temps pour grandir, tout ce qui disparaissait avait besoin de beaucoup de temps pour se faire oublier. Mais tout ce qui avait existé un jour avait laissé des traces et l'on vivait alors de souvenirs comme l'on vit aujourd'hui de la faculté d'oublier vite et définitivement. La mort du major et du comte Tattenbach ébranla pour longtemps l'âme des officiers et des hommes du régiment de uhlans, ainsi que de la population civile. On enterra les morts selon tous les rites prescrits par les règlements militaires et religieux. Bien qu'aucun camarade n'eût laissé transpirer un seul mot sur la nature de leur mort, le bruit sembla pourtant s'être propagé, dans la petite ville de garnison, qu'ils s'étaient sacrifiés tous deux à la stricte observance de l'honneur propre à leur rang. Et ce fut comme si, désormais, chacun des officiers survivants eût porté lui aussi, sur son visage, le signe d'une prochaine mort violente et ces messieurs étrangers parurent plus étrangers encore aux marchands et aux artisans de la petite ville. Les officiers déambulaient sous leurs yeux, tels de mystérieux adorateurs d'une lointaine et cruelle divinité, dont ils étaient en même temps les victimes désignées, avec leur costume chamarré et leurs somptueux ornements. On les suivait des yeux en hochant la tête. On allait même jusqu'à les plaindre. Leur métier leur donne de multiples avantages, disaient les gens. Ils peuvent arborer leurs sabres, plaire aux femmes et l'Empereur s'occupe d'eux personnellement, comme s'ils étaient ses propres enfants. Mais que l'un d'eux en offense un autre sans crier gare, il faut que l'injure soit lavée dans le sang...

En effet, ils n'étaient pas dignes d'envie, ceux dont on parlait ainsi. Le capitaine Taittinger lui-même, dont on disait qu'il avait assisté, dans d'autres régiments, à plusieurs duels dont l'issue avait été mortelle, changea son comportement. Alors que les forts en paroles, les écervelés, restaient muets et penauds, une étrange turbulence s'emparait du maigre capitaine, qui, d'ordinaire, sacrifiait silencieusement à sa gourmandise. Il était devenu capable de passer des heures, seul, derrière la porte vitrée de la pâtisserie, à avaler des gâteaux, ou bien de jouer aux échecs et aux dominos contre lui-même ou contre le colonel, sans dire mot. La solitude lui faisait peur. Il se cramponnait littéralement aux autres. Quand il n'y avait point de camarade dans son voisinage, il entrait dans une boutique pour acheter quelque objet, superflu. Il y restait longtemps à tenir au marchand des propos inutiles et insensés, ne pouvant se résoudre à quitter le magasin, à moins qu'il ne vît passer dans la rue quelque personne de connaissance qui lui était indifférente mais sur laquelle il se précipitait aussitôt. Voilà jusqu'à quel point le monde était transformé ! Le mess restait désert. On renonçait aux expéditions collectives à l'établissement de Mme Rési. Les ordonnances avaient peu de besogne. Si quelqu'un commandait de l'eau-de-vie, il pensait en voyant le verre que c'était précisément celui dans lequel Tattenbach buvait encore quelques jours plus tôt. On racontait bien toujours les mêmes anecdotes, mais on n'en riait plus tout haut, tout au plus souriait-on. Quant au sous-lieutenant Trotta, on ne le voyait plus en dehors du service.

C'était comme si une main preste, une main magique avait fait disparaître du visage de Charles-Joseph les couleurs de la jeunesse. Il eût été impossible de trouver semblable sous-lieutenant dans toute l'armée impériale et royale. Il lui semblait qu'il aurait dû accomplir maintenant quelque chose de particulier... mais il n'y avait rien de particulier à faire à cent lieues à la ronde ! Il allait de soi qu'il quitterait le régiment et se ferait incorporer dans un autre. Mais il était à la recherche de quelque tâche difficile. En réalité, ce qu'il cherchait, c'était une expiation volontaire. Il n'aurait jamais été capable d'exprimer cela lui-même, mais nous pouvons bien le dire pour lui ; une angoisse l'étreignait indiciblement, celle d'avoir été un instrument entre les mains du malheur.

Tel était son état d'âme, lorsqu'il informa son père de l'issue du duel et lui annonça son inévitable transfert dans un autre régiment. Il n'ajouta pas que cela lui donnait droit à un petit congé, car il avait peur de paraître devant son père. Mais preuve fut faite qu'il ne connaissait pas M. von Trotta. Car le préfet, fonctionnaire civil, était parfaitement au courant des usages militaires. Et, chose curieuse, il paraissait se reconnaître dans l'affliction et le désarroi de son fils, ainsi qu'on le devinait aisément entre les lignes de sa lettre.

Voici, en effet, comment était rédigée la réponse du préfet :

« Cher fils,

Je te remercie des informations précises que tu me donnes et de ta confiance. Le destin dont tes camarades ont été les victimes me touche douloureusement. Ils sont morts comme il convient à des hommes d'honneur.

De mon temps, les duels étaient encore plus fréquents et l'honneur était encore plus précieux que la vie. Il me semble aussi que, de mon temps, les officiers étaient d'un bois plus dur. Tu es officier, mon enfant, petit-fils du héros de Solferino. Tu sauras supporter l'idée d'avoir été mêlé à cet événement tragique, sans le vouloir et sans qu'il y ait eu de ta faute. Quitter ton régiment te fait certainement aussi de la peine, mais dans tous les régiments, dans toute l'armée, tu serviras notre Empereur.

Ton père, François von Trotta.

P.S. Quant au congé de quinze jours auquel te donne droit ta mutation, tu pourras le passer comme il te plaira, soit dans ma maison, soit, mieux encore, dans ta nouvelle garnison, afin de te familiariser avec tes nouvelles conditions d'existence. »

Ce ne fut pas sans quelque honte que le sous-lieutenant Trotta lut cette lettre. Son père avait tout deviné. La personne du préfet en prit, aux yeux de son fils, une grandeur presque effrayante. Elle atteignit presque celle de son grand-père. Et, si Charles-Joseph avait déjà peur de se présenter devant son père, il lui devenait maintenant tout à fait impossible de passer son congé chez lui. Plus tard, plus tard, quand j'aurai mon congé régulier, se dit le sous-lieutenant, qui était fait d'un tout autre bois que les sous-lieutenants du temps de son père.

« Quitter ton régiment te fait certainement de la peine », disait le préfet. L'avait-il écrit parce qu'il soupçonnait le contraire ? Qu'est-ce que Charles-Joseph aurait pu quitter, regretter ? Cette fenêtre peut-être ? La vue sur les chambrées d'en face ? Les hommes eux-mêmes, accroupis sur leurs lits, les notes mélancoliques de leurs harmonicas et les airs qu'ils chantaient, échos incompris de mélodies identiques chantées par les paysans de Sipolje. Peut-être faudrait-il aller à Sipolje, songea le sous-lieutenant. Il s'approcha de la carte de l'état-major, unique ornement mural de sa chambre. Il aurait pu trouver Sipolje les yeux fermés. Il était situé à l'extrême sud de l'empire, ce brave et paisible village. Au beau milieu d'une tache brun clair aux fines hachures, se nichaient les minuscules lettres noires, légères comme un souffle, qui composaient son nom. A proximité, il y avait un puits, un moulin à eau, une petite gare, un chemin de fer à voie unique, une église et une mosquée, un jeune bois de feuillus, d'étroits sentiers forestiers, des chemins de terre, des maisons solitaires. Le soir est descendu sur Sipolje. Les femmes aux fichus bigarrés sont à la fontaine, fardées d'or par l'embrasement du couchant. Les musulmans prient, prosternés sur les vieux tapis de la mosquée. La petite locomotive fait retentir la forêt de sapins. La roue du moulin craque, le ruisseau murmure. C'était un jeu familier au temps de l'école militaire. Les visions coutumières surgissaient à son premier appel. Et, par-dessus toutes ces images, brillait le mystérieux regard de son grand-père. Sans doute n'y avait-il pas de régiment de cavalerie dans la région. Il faudrait donc passer dans l'infanterie.

Ce n'est pas sans commisération que les camarades montés regardaient les troupes à pied, ce n'est pas sans pitié qu'ils considéraient la nouvelle affectation de Trotta. Son grand-père n'avait été, lui aussi, qu'un simple capitaine d'infanterie. Fouler sous ses pieds le sol de son pays, ce serait presque retourner au foyer de ses rustiques ancêtres. Ils allaient à pas pesants sur la glèbe, ils enfonçaient le soc de la charrue dans cette chair gonflée de sève, ils lançaient la semence féconde d'un geste de bénédiction. Non, quitter son régiment, quitter peut-être la cavalerie ne faisait aucune peine au sous-lieutenant. Son père l'y autoriserait. Dans l'infanterie, il faudrait encore suivre un cours qui serait peut-être un peu ennuyeux.

Il faut faire ses adieux. Tournée d'eau-de-vie. Brève allocution du colonel. Bouteille de vin. Cordiale poignée de main aux camarades. Leurs langues vont déjà bon train derrière votre dos. Bouteille de champagne. Peut-être, qui sait, y aura-t-il pour finir une expédition en masse chez Mme Rési ? Nouvelle tournée d'eau-de-vie. Que ces formalités d'adieu ne sont-elles déjà du passé ! On emmènera Onufrij, l'ordonnance, impossible de retenir un nouveau nom. On oubliera la visite à son père. D'une manière générale, on essaiera d'éviter les contraintes fâcheuses liées à un changement de garnison. Au fait, il restait encore la pénible, pénible visite à la veuve du docteur Demant.

Quelle démarche ! Le sous-lieutenant Trotta essaya de se persuader qu'après l'inhumation de son mari Mme Demant serait retournée auprès de son père, à Vienne. Il restera donc devant la villa, sonnera longuement, en vain, se fera donner l'adresse de Vienne, écrira une lettre laconique, mais aussi cordiale que possible. Il est fort agréable de n'avoir qu'à écrire une lettre. On n'est nullement courageux, songe en même temps le sous-lieutenant. Si l'on ne sentait pas peser constamment sur ses épaules le sombre et énigmatique regard du grand-père, qui sait de quelle lamentable manière, de quel pas titubant on s'en irait par la vie ! On n'avait de courage que lorsqu'on pensait au héros de Solferino. Il fallait toujours en revenir au grand-père pour reprendre quelques forces.

Et le sous-lieutenant se mit lentement en route pour sa pénible visite. Devant les magasins, les petits boutiquiers, pauvres et grelottants, attendaient leurs rares clients. Des bruits familiers, témoins d'un travail fécond, s'échappaient des ateliers d'artisans. De joyeux coups de marteau retentissaient chez le forgeron, un tonnerre caverneux grondait chez le ferblantier, de vifs claquements sortaient de l'échoppe du cordonnier et, chez le menuisier, les scies grinçaient. Le sous-lieutenant connaissait tous les visages, tous les bruits des ateliers. Il passait devant deux fois par jour. Du haut de son cheval, il dépasssait de la tête les enseignes blanches et bleues. Tous les jours, son regard plongeait dans l'intimité matinale des premiers étages ; il apercevait les cafetières, les lits, les hommes en chemise, les femmes aux cheveux défaits, les pots de fleurs sur le rebord des fenêtres, les fruits secs et les conserves de cornichons derrière les grilles ornementées.

Il était arrivé devant la villa du docteur Demant. Le portail grinça. Il entra. L'ordonnance lui ouvrit. Le sous-lieutenant attendit. Mme Demant vint. Il tremblait un peu. Il se rappela sa visite de condoléances au maréchal des logis-chef Slama. Il sentit la main lourde, moite et molle du sous-officier. Il vit l'antichambre obscure et le salon rouge. Le goût écœurant de framboise lui revint à la bouche. « Elle n'est donc pas à Vienne ? » se dit le sous-lieutenant, quand il aperçut la veuve. Sa robe noire le surprit. Ce fut comme s'il découvrait que Mme Demant était la veuve du major. La pièce où l'on entrait maintenant n'était pas non plus celle où l'on se tenait du vivant de son ami. Au mur pendait un grand portrait du mort, voilé de crêpe noir. Il semblait lointain, comme celui de l'Empereur, au mess, comme si on ne l'avait pas sous les yeux, à portée de la main, comme s'il était inaccessible, loin derrière le mur, vu, en quelque sorte, à travers une croisée.

— Merci d'être venu ! dit Mme Demant.

— Je voulais vous faire mes adieux, répondit Trotta.

Mme Demant releva son pâle visage. Le sous-lieutenant vit le bel éclat gris clair de ses grands yeux. Ils étaient braqués sur lui, tels deux phares de glace miroitante. En cet après-midi hivernal, seuls les yeux de la femme brillaient dans la pièce. Le regard du sous-lieutenant s'évada vers le mince front blanc, puis plus loin, du côté du mur, vers le portrait du mari défunt. Les salutations se prolongeaient beaucoup trop, il était temps que Mme Demant l'invitât à s'asseoir. Mais elle ne disait rien. Cependant l'on sentait le crépuscule obscurcir les fenêtres et l'on avait une peur enfantine de ne jamais voir s'allumer de lumière dans cette maison. Aucune parole de circonstance ne venait aux lèvres du sous-lieutenant. Il entendait la légère respiration de la femme.

— Mais nous restons debout, dit-elle enfin. Asseyons-nous !

Ils s'assirent l'un en face de l'autre, près de la table. Charles-Joseph avait le dos à la porte, comme naguère chez Slama, le maréchal des logis-chef. Et il sentait la porte le menacer, comme autrefois. De temps en temps, elle semblait s'ouvrir et se refermer silencieusement, sans raison. Le crépuscule devenait plus profond. La robe noire de Mme Demant s'y fondait. Elle était revêtue maintenant du crépuscule même. Son visage pâle, nu, dévêtu flottait à la surface obscure du soir. Le portrait du mari défunt avait disparu du mur d'en face.

— Mon mari, disait la voix de Mme Demant à travers l'obscurité.

Le sous-lieutenant pouvait voir ses dents ; elles étaient plus blanches que son visage. Peu à peu, il distingua de nouveau le vif éclat de ses yeux.

— Vous étiez son seul ami ! Il le disait souvent. Combien de fois m'a-t-il parlé de vous ! Si vous saviez ! Je ne puis comprendre qu'il soit mort. Et, dit-elle à mi-voix, que j'en sois coupable !

— C'est moi qui suis coupable ! dit le sous-lieutenant.

Il parlait d'une voix forte, dure, étrangère à ses propres oreilles.

— C'est moi qui suis coupable, répéta-t-il, j'aurais dû vous reconduire chez vous avec plus de prudence. J'aurais dû éviter le mess.

La femme se mit à sangloter. Son pâle visage s'inclina vers la table, comme une grande fleur blanche, ovale, s'affaissant lentement. Soudain les mains blanches surgirent de part et d'autre, elles recueillirent le visage qui tombait, lui offrirent un appui. Puis, pendant une minute, une encore, on n'entendit plus que les sanglots de la femme. Une éternité pour le sous-lieutenant. Se lever, la laisser pleurer et s'en aller, pensa-t-il. Il se leva réellement. En un clin d'œil, les mains de Mme Demant s'abattirent sur la table. D'une voix tranquille, venant pour ainsi dire d'une autre gorge que les sanglots, elle demanda :

— Où donc allez-vous ?

— Allumer, dit Trotta.

Elle se leva, contourna la table, effleura Charles-Joseph au passage. Il sentit une vague tiède, parfumée délicatement, tôt passée, déjà dissipée. La lumière était dure. Trotta se contraignit à fixer la lampe, droit devant lui. Mme Demant mit une main devant ses yeux.

— Allumez au-dessus de la console, commanda-t-elle.

Le sous-lieutenant obéit. Elle attendit contre le chambranle de la porte, la main toujours sur ses yeux. Quand la petite lampe brûla sous le doux abat-jour jaune d'or, elle éteignit le plafonnier. Elle éloigna la main de son visage, comme on retire une visière. Elle avait l'air très hardi dans sa robe noire, son blême visage tendu vers Trotta. Elle était irritée et résolue. On voyait sur ses joues les minces traces laissées par les larmes séchées. Ses yeux avaient leur éclat habituel.

— Mettez-vous là, sur le divan ! commanda Mme Demant.

Charles-Joseph s'assit. De toutes parts, du dossier, des angles, des coussins moelleux glissèrent malicieusement, précautionneusement, vers le sous-lieutenant. Il sentait que la place était dangereuse et se mit carrément à l'extrême bord, les mains sur la coquille du sabre posé droit sur le sol. Il regarda Dame Eve s'approcher. Elle semblait être le dangereux généralissime des coussins et capitonnages. Le portrait du mort était accroché au mur, à droite du divan. Dame Ève s'assit. Un petit coussin gisait entre eux deux. Trotta ne bougea pas. Comme chaque fois qu'il ne voyait pas d'issue à l'une de ces situations pénibles auxquelles il se laissait fréquemment acculer, il s'imagina qu'il était sur le point de partir.

— Vous allez donc être muté ? demanda Mme Demant.

— C'est moi qui demande ma mutation ! dit-il, les yeux fixés sur le tapis, le menton dans les mains et les mains sur la coquille du sabre.

— C'est indispensable ?

— Oui, madame, c'est indispensable.

— Cela me fait de la peine... beaucoup de peine !

Mme Demant était assise comme lui, les coudes appuyés sur les genoux, le menton dans les mains, les yeux sur le tapis. Elle attendait évidemment une parole de consolation, une aumône. Il se taisait. Il goûtait la délicieuse sensation de venger cruellement le mort par son silence impitoyable. Les histoires de jolies petites femmes dangereuses, tueuses d'hommes, qui revenaient souvent dans la conversation de ses camarades, lui vinrent subitement à l'esprit. Il était extrêmement probable qu'elle était de la race de ces frêles meurtrières. Il fallait essayer de sortir incontinent de leur champ d'action. Il se prépara à partir. Au même moment, Mme Demant changea d'attitude. Elle retira les mains de son menton. Sa main gauche se mit à lisser consciencieusement, avec douceur, le galon de soie qui garnissait le bord du divan. Lentement, régulièrement, ses doigts montaient et descendaient le liseré brillant qui conduisait au sous-lieutenant Trotta. Ils s'insinuaient dans le champ visuel de Charles-Joseph qui aurait désiré avoir des œillères. Ces doigts blancs le mêlaient à une conversation muette, mais nullement facile à interrompre. Fumer une cigarette : heureuse idée ! Il prit son étui, ses allumettes.

— Offrez-m'en une ! dit Mme Demant.

Il dut la regarder en face pour lui donner du feu. Il trouvait inconvenant qu'elle fumât, comme si la nicotine était interdite pendant le deuil. Et la façon dont elle aspira la première bouffée et arrondit les lèvres en un petit anneau rouge, d'où échappa un délicat nuage bleuté, lui parut cavalière et dépravée.

— Avez-vous idée de l'endroit où l'on va vous nommer ?

— Non, dit le sous-lieutenant, mais je vais faire en sorte de m'en aller très loin.

— Très loin ? Où par exemple ?

— En Bosnie, peut-être.

— Croyez-vous que vous pourrez y être heureux ?

— Je ne crois pouvoir être heureux nulle part.

— Je vous souhaite de le devenir, riposta-t-elle promptement. Trop promptement, sembla-t-il à Trotta.

Elle se leva. Revint avec un cendrier, le posa à terre entre elle et le sous-lieutenant, et dit :

— Alors, nous ne nous reverrons sans doute plus jamais.

Plus jamais. Le mot dont il avait peur, océan sans vie et sans bords d'une éternité sans écho ! Plus jamais on ne pourrait revoir Catherine, le docteur Demant, cette femme ! Charles-Joseph dit :

— Plus jamais, sans doute. Malheureusement !

Il voulait ajouter : « Jamais non plus je ne reverrai Max Demant », en même temps que lui revenait à l'esprit l'une des formules hardies de Taittinger. « Les veuves appartiennent au bûcher. »

On entendit la sonnette, puis de l'agitation dans le couloir.

— C'est mon père, dit Mme Demant.

M. Knopfmacher était déjà là.

— Ah ! mais vous voilà, vous voilà ! dit-il.

Il apportait dans la pièce une âpre odeur de neige. Il déplia un grand mouchoir blanc, se moucha avec un bruit de trompette, fourra soigneusement le mouchoir dans sa poche, comme on range un bien précieux ; tendit la main vers le chambranle de la porte, alluma le plafonnier, vint à Trotta qui s'était levé dès son entrée et l'attendait, debout, depuis un moment et lui serra la main en silence. Et cette poignée de main de M. Knopfmacher exprimait tout le chagrin qu'on pouvait montrer au sujet de la mort du docteur. Déjà M. Knopfmacher disait à sa fille en désignant le plafonnier :

— Excuse-moi, je ne puis souffrir cette triste lumière de circonstance !

Ce fut comme s'il avait jeté une pierre au portrait voilé de crêpe.

— Mais vous avez bien mauvaise mine ! dit M. Knopfmacher, la minute d'après, d'une voix enjouée. Il vous a terriblement affecté, ce malheur ! Hein ?

— C'était mon unique ami.

— Vous savez, déclara M. Knopfmacher... Il s'assit près de la table, dit en souriant : Mais gardez donc votre place ! et poursuivit, quand le sous-lieutenant fut réinstallé sur le divan : que c'est exactement ce qu'il disait de vous quand il vivait encore. Quel malheur !

Il secoua la tête à plusieurs reprises et ses joues pleines, rougies, tremblotèrent un peu.

Mme Demant prit un petit mouchoir dans sa manche, le porta à ses yeux et sortit de la pièce.

— Qui sait comment elle va surmonter ça ? dit M. Knopfmacher. Bah ! j'ai pourtant assez insisté auprès d'elle, avant. Elle n'a rien voulu entendre. Vous le savez bien, mon cher lieutenant, chaque métier a ses dangers. Mais un officier ! Un officier — pardonnez-moi — ne devrait jamais se marier. Soit dit entre nous, mais il vous en a sans doute parlé à vous aussi, il voulait démissionner et se consacrer entièrement à la science. Et je ne saurais dire à quel point j'en étais satisfait. Il serait certainement devenu un grand médecin, ce cher, bon Max !

M. Knopfmacher leva les yeux vers le portrait, les garda un moment là-haut et acheva son éloge funèbre :

— C'était un homme de valeur.

Mme Demant apporta le sliwowitz que son père aimait.

— Vous buvez ? demanda Knopfmacher et il versa à boire.

Il porta lui-même, d'une main prudente, le petit verre jusqu'au divan. Le sous-lieutenant se mit debout. Il avait un goût écœurant dans la bouche, comme autrefois après la framboise. Il avala l'alcool d'un trait.

— Quand l'avez-vous vu pour la dernière fois ? demanda Knopfmacher.

— La veille, dit le sous-lieutenant.

— Il avait prié Ève d'aller à Vienne, sans rien donner à entendre. Elle est partie sans aucun soupçon. Puis sa lettre d'adieux est arrivée. Et je me suis rendu compte aussitôt qu'il n'y avait plus rien à faire.

— Non, il n'y avait rien à faire.

— Ce code de l'honneur, veuillez m'excuser, est une chose d'un autre temps. Pensez un peu que nous sommes au vingtième siècle ! Nous avons le gramophone, on téléphone à plus de cent lieues et Blériot, d'autres encore, volent déjà dans les airs ! J'ignore si vous lisez le journal et si vous êtes ferré sur la politique, mais on dit même qu'on va modifier la Constitution de fond en comble. Depuis le suffrage universel, égalitaire et secret, il s'est passé toutes sortes de choses chez nous et dans le monde. Les idées de notre Empereur — Dieu lui prête longue vie — ne sont pas aussi vieux jeu que beaucoup le croient. Il faut procéder lentement, avec prudence, avec réflexion. Ne rien précipiter surtout !

— Je n'entends rien à la politique, dit Trotta.

Au fond de son cœur, Knopfmacher était indigné. Il en voulait à cette stupide armée, à ses absurdes institutions. Voilà que sa fille était veuve, son gendre mort. Il allait falloir en chercher un autre, civil cette fois, et sa nomination comme conseiller commercial était peut-être renvoyée à plus tard. Il était grand temps de mettre fin à cet état de choses scandaleux. De jeunes propres à rien comme les lieutenants ne sauraient être autorisés, au vingtième siècle, à prendre ces airs arrogants. Les nations revendiquaient leurs droits, un citoyen en valait un autre, pas de privilège pour la noblesse ! La social-démocratie était évidemment un danger, mais aussi un contrepoids. On parle toujours de la guerre, mais elle n'aura pas lieu, c'est sûr. Qu'ils y viennent ! Notre époque est éclairée. En Angleterre, par exemple, le roi n'a plus voix au chapitre.

— Naturellement, déclara-t-il, la politique n'a pas non plus sa place à l'armée. Et cependant, lui — M. Knopfmacher désigna le portrait —, il savait beaucoup de choses en politique.

— C'est qu'il était très intelligent, dit Trotta doucement.

— Il n'y avait rien à faire, répéta Knopfmacher.

— Peut-être était-il... reprit le sous-lieutenant et il lui semblait à lui-même qu'une sagesse exemplaire s'exprimait par sa voix, la sagesse des grands vieux livres du roi des cabaretiers, avec sa barbe d'argent peut-être était-il très intelligent et tout à fait seul.

Il pâlit. Il sentit sur lui le regard brillant de Mme Demant. Il fallait partir. Il se fit un grand silence. Il n'y avait plus rien à dire.

— Nous ne reverrons plus non plus le baron Trotta, papa ! Il va être muté, dit la jeune femme.

— Mais vous nous donnerez signe de vie ? demanda Knopfmacher.

— Vous m'écrirez ? dit Mme Demant.

Le sous-lieutenant se leva.

— Bonne chance ! fit Knopfmacher.

Sa main était grande et douillette, elle donnait la sensation du velours chaud. Mme Demant le précéda. L'ordonnance arriva avec la capote. Mme Demant était auprès de lui. Trotta rapprocha les talons. Elle dit très vite :

— Vous m'écrirez. Je veux savoir où vous serez.

Ce fut un instant comme un souffle tiède, vite dissipé. Déjà l'ordonnance ouvre la porte. Voilà les marches. Déjà la grille s'ouvre, comme l'autre fois, quand il a quitté le maréchal des logis-chef.

Il rentra en ville rapidement. S'arrêta dans le premier café qu'il trouva sur son chemin. Prit un cognac au comptoir, un autre encore. « Nous ne buvons que de l'Hennessy ! » entendit-il dire au préfet. Il se hâta de regagner la caserne.

Devant la porte de sa chambre, Onufrij l'attendait, silhouette

bleue sur le blanc du mur nu. Le vaguemestre avait apporté un paquet pour le sous-lieutenant, de la part du colonel. Le mince objet était appuyé dans l'angle, enveloppé dans du papier marron. Il y avait une lettre sur la table. Le sous-lieutenant lut :
« Mon cher ami, je te lègue mon sabre et ma montre. Max Demant. »
Trotta déballa le sabre. La montre d'argent du docteur Demant pendait à la coquille. Elle ne marchait pas. Elle était arrêtée à midi moins dix. Le sous-lieutenant la remonta et l'approcha de son oreille. Son tic-tac délicat et alerte était comme une consolation. Il ouvrit le boîtier avec son couteau, curieux et joueur comme un enfant. A l'intérieur il lut les initiales M.D. Charles-Joseph sortit le sabre de son fourreau. Dans la lame, tout contre la poignée, d'une main pesante et gauche, le docteur avait tracé quelques caractères, de la pointe de son couteau : « Vis heureux et libre ! » disait l'inscription. Le sous-lieutenant suspendit le sabre dans son armoire. Il tenait la dragonne dans sa main. La soie lamée de métal ruisselait entre ses doigts, telle une fraîche pluie d'or. Trotta referma l'armoire. C'était un cercueil qu'il fermait.
Il éteignit sa lampe, s'étendit tout habillé sur son lit. La lumière jaune des chambrées flottait sur la laque blanche de sa porte et se reflétait dans sa poignée étincelante. Du côté opposé de la cour, un accordéon soupirait, enroué, mélancolique, enveloppé du tumulte des voix graves des soldats. Ils chantaient la chanson ukrainienne de l'Empereur et de l'Impératrice :

> Oh ! notre Empereur est un bon et brave homme
> Et notre souveraine est sa femme, l'Impératrice,
> Il chevauche en tête de ses uhlans
> Elle reste seule au château
> Et l'attend...
> Elle attend l'Empereur, l'Impératrice.

Il y avait déjà longtemps que l'Impératrice était morte. Mais les paysans ruthènes croyaient qu'elle vivait toujours.

Deuxième partie

IX

Le rayonnement du soleil des Habsbourg s'étendait vers l'Orient jusqu'aux confins de l'empire des tsars. C'était sous ce même soleil que la famille Trotta avait atteint à la noblesse et à la considération. La reconnaissance de François-Joseph avait la mémoire longue et sa grâce avait le bras long. Quand l'un de ses enfants préférés allait commettre une sottise, les ministres et les serviteurs de l'Empereur intervenaient à temps et contraignaient l'insensé à la prudence et à la raison. Il aurait été à peine séant de laisser l'unique descendant de la famille, récemment anoblie, des Trotta et Sipolje servir dans la province d'où était originaire le héros de Solferino, petit-fils de paysans slovènes illettrés, fils d'un maréchal des logis-chef de gendarmerie. Si le rejeton persistait dans son intention de troquer le service dans les uhlans contre l'humble service de l'infanterie, il restait tout au moins fidèle à son grand-père, qui avait sauvé la vie de l'Empereur, en tant que simple sous-lieutenant d'infanterie. Mais dans sa prudente circonspection, le ministère impérial et royal de la Guerre évita d'envoyer celui qui portait le nom du village slovène, berceau du fondateur de la famille, à proximité de ce même village. Le préfet, fils du héros de Solferino, fut exactement du même avis que l'autorité militaire. Il permit bien à son fils — non certes d'un cœur léger — de se faire muter dans l'infanterie, mais il ne fut aucunement d'accord avec lui quant à son désir d'être envoyé en pays slovène. Il n'avait jamais, lui, le préfet, ressenti nul besoin de voir le pays de ses ancêtres. Il était autrichien, serviteur et fonctionnaire des Habsbourg et sa patrie, c'était le château de l'Empereur à Vienne. S'il avait eu des idées politiques sur l'utilité d'une transformation du grand empire multiforme, il lui aurait plu de ne voir, dans la grande diversité des pays de la couronne, que les simples parvis de la Hofburg impériale et, dans toutes les nations de la monarchie, des serviteurs des Habsbourg. C'était un préfet. Dans son district, il représentait Sa Majesté apostolique. Il portait le col doré, le bicorne et l'épée. Il ne désirait pas mener la charrue sur la terre slovène. Dans sa lettre péremptoire à son fils se trouvait la phrase suivante : « Le destin a fait des paysans de la frontière, ancêtres de notre famille, des Autrichiens. Restons autrichiens. »

C'est ainsi que la frontière du sud resta fermée à Charles-Joseph, baron von Trotta et Sipolje, et que son choix se trouva circonscrit entre servir à l'intérieur de l'empire ou sur ses limites orientales. Il se décida pour le bataillon de chasseurs caserné à deux lieux, tout au plus, de la frontière russe. Non loin de là se trouvait le village de Burdlaki, pays d'Onufrij. Cette région s'apparentait à la patrie des paysans ukrainiens, de leurs accordéons mélancoliques, de leurs inoubliables chansons : c'était la sœur septentrionale de la Slovénie.

Le sous-lieutenant Trotta fit dix-sept heures de chemin de fer. A la dix-huitième surgit la gare la plus orientale de la monarchie. Il y descendit. Onufrij, son ordonnance, l'accompagnait. La caserne de chasseurs était au milieu de la petite ville. Avant de mettre le pied dans la cour, Onufrij se signa trois fois. C'était le matin. Le printemps, qui régnait depuis longtemps à l'intérieur de l'empire, ne s'était installé ici que depuis peu. Pourtant, déjà, le cytise flambait sur les talus de la voie ferrée. Déjà les violettes fleurissaient dans les bois humides. Déjà, les grenouilles coassaient dans l'infini des marais. Déjà, les cigognes tournoyaient au-dessus des rustiques maisonnettes aux toits de chaume, à la recherche des vieilles roues, fondations de leur demeure estivale.

La frontière austro-russe, au nord-est de la monarchie, était, à cette époque, une région des plus curieuses. Le bataillon de chasseurs de Charles-Joseph avait comme garnison une localité de dix mille âmes. Elle possédait une vaste place circulaire au milieu de laquelle se croisaient ses deux grandes rues. L'une allait de l'est à l'ouest, l'autre du nord au sud. L'une menait de la gare au cimetière, l'autre du château en ruine à la minoterie. Sur les dix mille habitants de la ville, un tiers à peu près vivait de l'artisanat, un deuxième tiers se nourrissait chichement de ses misérables terres et le reste s'adonnait à une sorte de commerce.

Nous disons une sorte de commerce, car ni ses marchandises ni ses usages ne correspondaient aux idées que l'on se fait du négoce dans le monde civilisé. Les négociants de cette région vivaient plutôt de hasards que d'affaires prévues, ils vivaient plutôt de l'impénétrable Providence que de spéculation commerciale, tout marchand était prêt, à tout moment, à s'emparer de la marchandise que la destinée lui livrait à l'instant même, et aussi à inventer une marchandise, quand Dieu ne lui en avait pas fourni. En fait, la vie de ces marchands était une énigme. Ils n'avaient point de boutique.

Ils n'avaient point de nom. Ils n'avaient point de crédit. Mais ils avaient un sens miraculeux, finement aiguisé, des sources secrètes et mystérieuses de l'argent. Ils vivaient du travail d'autrui, mais créaient du travail pour autrui. Ils étaient modestes. Ils vivaient aussi chichement que s'ils avaient vécu du labeur de leurs mains. Mais c'était un labeur étranger. Toujours en mouvement, toujours par les chemins, la langue bien pendue, le cerveau lucide, ils auraient été aptes à conquérir la moitié du monde, s'ils avaient connu l'importance du monde. Mais ils l'ignoraient. Car ils vivaient loin de lui, coincés entre l'Orient et l'Occident, entre la nuit et le jour, étant eux-mêmes des sortes de fantômes vivants que la nuit a enfantés et qui hantent le jour.

N'avons-nous pas dit qu'ils vivaient « coincés » ? La nature de leur patrie ne le leur faisait pas sentir. Cette nature forgeait autour des hommes de la frontière un immense horizon, elle les entourait d'un précieux écrin de vertes forêts et de collines bleutées. Quand ils cheminaient dans l'obscurité des sapins, ils auraient même pu se croire favorisés par Dieu, si le souci du pain quotidien, pour leurs femmes et leurs enfants, leur avait permis de discerner la bonté de Dieu. Mais eux, quand ils traversaient les sapinières, c'était afin d'acheter du bois pour leurs clients de la ville, dès l'approche de l'hiver. Car ils faisaient aussi le commerce du bois. Au reste, ils faisaient également le commerce du corail pour les paysannes des villages environnants, comme pour celles qui habitaient au-delà de la frontière, dans le pays russe. Ils faisaient commerce de duvet pour les lits, de crin, de tabac, de barres d'argent, de bijoux, de thé de Chine, de fruits du Midi, de chevaux et de bestiaux, de volailles et d'œufs, de poissons et de légumes, de jute et de laine, de beurre et de fromage, de forêts et de biens-fonds, de marbre d'Italie et de cheveux de Chinois pour la fabrication des perruques, de vers à soie et de soie manufacturée, de tissus de Manchester, de dentelles de Bruxelles et de caoutchouc de Moscou, de toiles de Vienne et de plomb de Bohême. Aucune des merveilleuses denrées, aucune des denrées à bon marché, dont le monde est si riche, ne restait étrangère aux marchands, aux courtiers de la contrée. Ce que les lois en vigueur dans le pays leur interdisaient de se procurer ou de revendre, ils se le procuraient et le revendaient en dépit de toute loi ; habiles et secrets, calculateurs et rusés, madrés et hardis. Quelques-uns d'entre eux faisaient même le trafic des hommes, des hommes vivants. Ils expédiaient des déserteurs de l'armée russe aux États-Unis et de jeunes villageoises au Brésil et en Argentine. Ils avaient des agences maritimes et des filiales de bordels étrangers. Et pourtant, leurs gains étaient misérables, ils ne soupçonnaient rien de la magnificence, de la largesse, de l'abondance dans laquelle un homme peut vivre. Leurs sens, si aiguisés, si exercés à trouver de l'argent, leurs mains, capables d'extraire l'or des cailloux, comme on tire des étincelles du silex, n'étaient pas aptes à procurer la joie aux cœurs, la santé aux corps. Les hommes de cette région étaient nés des marais. Car les marais s'étalaient, sinistres, sur toute l'étendue du pays, de chaque côté de la grand-route, avec leurs grenouilles, leurs bacilles et leurs herbes sournoises qui signifiaient pour le voyageur sans soupçon, ignorant du pays, le terrible sortilège d'une affreuse mort. Beaucoup périssaient sans que personne ne les eût entendus appeler au secours. Mais tous ceux qui étaient nés là-bas connaissaient la perfidie du marais et possédaient eux-mêmes un peu de cette perfidie. Au printemps et en été, l'air était saturé du coassement ininterrompu et saturé des grenouilles. Sous les cieux, les trilles tout aussi nourris des alouettes exultaient. Et c'était un inlassable dialogue du ciel avec le marécage.

Parmi les marchands dont nous avons parlé, beaucoup étaient juifs. Un caprice de la nature, la loi mystérieuse d'une filiation inconnue avec le peuple légendaire des Khazares peut-être, faisait que beaucoup de ces Juifs de la frontière étaient roux. Leur chevelure flambait sur leur tête. Leurs barbes étaient comme des incendies. Sur le dos de leurs mains agiles, des poils roux et durs se hérissaient comme des piques minuscules et, dans leurs oreilles, une délicate bourre roussâtre foisonnait, telle une émanation de l'incendie qui rougeoyait peut-être à l'intérieur de leurs têtes.

Tout étranger, quel qu'il fût, échouant dans ce pays, était condamné à s'y perdre peu à peu. Aucun n'était aussi puissant que le marais. Aucun ne pouvait tenir tête à la frontière. C'était le moment où les grands seigneurs de Vienne et de Saint-Pétersbourg commençaient à préparer la guerre mondiale. Les gens de la frontière la sentirent venir plus tôt que les autres, non seulement parce qu'ils avaient l'habitude de pressentir les choses en venance, mais encore parce qu'ils pouvaient voir tous les jours, de leurs propres yeux, les signes précurseurs de l'écroulement. Ils tiraient profit de ces préparatifs mêmes. Plus d'un vivait d'espionnage et de contre-espionnage, touchant des florins autrichiens de la police autrichienne et des roubles russes de la police russe. Dans cette garnison perdue dans un désert marécageux, tel ou tel officier devint la proie du désespoir, des jeux de hasard, des dettes et de sombres humains. Les cimetières des garnisons frontières abritèrent, nombreuses, les jeunes dépouilles de faibles hommes.

Mais là aussi, comme dans toutes les autres garnisons de l'empire, les soldats faisaient l'exercice. Tous les jours, le bataillon de chasseurs entrait à la caserne, les bottes crottées, éclaboussées de boue printanière. Le commandant Zoglauer chevauchait en tête. Le sous-lieutenant Trotta conduisait la deuxième section de la première compagnie. C'était un brave clairon qui donnait la cadence aux chasseurs et non l'orgueilleuse fanfare qui, chez les uhlans, ordonnait, interrompait et enveloppait de son tintamarre le piétinement des chevaux. Charles-Joseph était à pied et il s'imaginait qu'il s'en trouvait mieux. Tout autour de lui, les bottes cloutées de ses soldats crissaient sur les aspérités des cailloux qui, chaque semaine, au printemps, étaient sacrifiés au bourbier des chemins, sur la demande des autorités militaires. Le sol insatiable engloutissait les pierres, des millions de pierres. Et de nouvelles couches de fange grise surgissaient victorieusement des profondeurs, dévoraient pierre et mortier, giclant sur les bottes des soldats à chacun de leurs pas.

La caserne était derrière le jardin public. A sa gauche, le tribunal ; en face, la préfecture aux pompeuses et vétustes murailles ; derrière celle-ci, deux églises, l'une romaine, l'autre grecque. A droite, le lycée. La ville était si petite qu'on pouvait la parcourir en vingt minutes. Les bâtiments importants se tassaient les uns contre les autres en une fâcheuse promiscuité. Le soir, tels des détenus dans une cour de prison, les promeneurs tournaient en rond autour du parc. Il y avait une bonne demi-heure de marche jusqu'à la gare. Le mess des officiers occupait deux petites pièces dans une maison particulière. La plupart des camarades prenaient leurs repas au buffet de la gare. Charles-Joseph aussi. Il pataugeait volontiers dans la boue, uniquement pour voir une gare. C'était la dernière des gares de la monarchie, mais elle n'en montrait pas moins, elle aussi, deux paires de rails qui se prolongeaient sans interruption jusqu'à l'intérieur de l'empire. Cette gare avait, elle aussi, des signaux cristallins, clairs et joyeux, où vibrait le tendre écho des appels lancés par le pays natal. Un télégraphe crépitait continuellement, martelant consciencieusement les voix confuses d'un vaste continent perdu, qu'on eût dit piquées par une infatigable machine à coudre. Cette gare avait, elle aussi, son employé, il brandissait une cloche retentissante qui disait : « Attention au départ ! en voiture ! » Une fois par jour, juste à l'heure du déjeuner, l'employé agitait sa cloche pour le train de Cracovie-Oderberg-Vienne. Brave train, train bien-aimé ! Il s'arrêtait pendant presque toute la durée du repas sous les fenêtres du buffet de première classe où se tenaient les officiers. La locomotive ne sifflait qu'au moment où paraissait le café. La vapeur grise venait battre les fenêtres. Dès qu'elle commençait à ruisseler en perles humides, le long des carreaux, le train était parti. On buvait son café et l'on s'en retournait, lente et morne troupe, dans la boue grise. Même les généraux chargés d'inspection se gardaient de venir jusqu'ici. Ils n'y venaient pas. Personne ne venait. Dans l'unique hôtel de la petite ville, où les officiers louaient leurs chambres à l'année, seuls les riches marchands de houblon de Nuremberg, de Prague et de Saaz descendaient tous les six mois. Quand ils avaient mené à bien leurs incompréhensibles négoces, ils faisaient venir de la musique et jouaient aux cartes dans l'unique café, qui faisait partie de l'hôtel.

Du deuxième étage de l'hôtel Brodnitzer, Charles-Joseph découvrait toute la petite ville. Il voyait le pignon du palais de justice, la tourelle blanche de la préfecture, le drapeau noir et jaune surmontant la caserne, la double croix de l'église grecque, la girouette de la mairie et les toits de bardeaux des petites masures sans étages. L'hôtel Brodnitzer était la plus haute maison de l'endroit. Il servait de point de repère comme l'église, la mairie et, d'une façon générale, tous les édifices publics. Les rues n'avaient pas de nom, les maisonnettes pas de numéro et qui demandait son chemin devait se diriger d'après les renseignements approximatifs qu'on lui avait fournis. Un tel habitait derrière l'église, tel autre en face de la prison municipale, le troisième à droite du tribunal. On vivait comme dans un village. Les secrets des gens, dans leurs maisons basses, sous leurs toits de bardeaux, derrière leurs petites vitres carrées et leurs portes de bois, se répandaient à travers fentes et chevrons dans les rues bourbeuses et même dans la grande cour perpétuellement close de la caserne. Celui-ci avait été trompé par sa femme, celui-là avait livré sa fille au capitaine russe : ici, quelqu'un vendait des œufs pourris ; là-bas, un autre vivait de contrebande organisée ; un tel avait fait de la prison et tel autre avait échappé au cachot ; l'un prêtait de l'argent aux officiers et son voisin mettait la main sur le tiers de leur solde. Les camarades, bourgeois pour la plupart et d'origine allemande, vivaient depuis de nombreuses années dans cette garnison, ils s'y étaient adaptés et elle s'était emparée d'eux. Coupés des coutumes de leur pays, de l'allemand, leur langue maternelle devenue ici langue officielle, livrés à l'infinie désolation des marais, ils devenaient la proie des jeux de hasard et de l'eau-de-vie qu'on fabriquait dans la région et vendait sous le nom de « quatre-vingt-dix degrés ». De la candide médiocrité à laquelle les avaient préparés l'école militaire et la discipline traditionnelle, ils tombaient dans la perversion de cette contrée qu'effleurait déjà le souffle hostile du vaste empire des tsars. Ils étaient à peine à quatorze kilomètres de la Russie. Il n'était pas rare que les officiers russes du régiment frontalier vinssent jusqu'ici dans leur manteau jaune et gris aux lourdes épaulettes d'or et d'argent, avec, par tous les temps, leurs caoutchoucs miroitants sur leurs bottes étincelantes. Les garnisons entretenaient même certains rapports de bonne camaraderie. Parfois, on franchissait la frontière, dans les petits fourgons bâchés du régiment, pour assister aux exploits équestres des Cosaques et boire de l'eau-de-vie russe. Là-bas, dans la garnison russe, les fûts d'alcool étaient disposés au bord des trottoirs de bois, gardés par des soldats armés de fusils à longues baïonnettes triangulaires. A la tombée de la nuit, les barriques, poussées par les bottes des Cosaques, roulaient avec fracas le long des rues raboteuses, en direction de la caserne, et un léger clapotis, un glou-glou, révélait leur contenu à la population. Les officiers du tsar démontraient aux officiers de Sa Majesté apostolique ce qu'était l'hospitalité russe. Et pas un officier du tsar et pas un officier de Sa Majesté apostolique ne savait alors qu'au-dessus des verres dans lesquels ils buvaient la mort invisible croisait déjà ses doigts décharnés.

Dans la vaste plaine séparant les deux forêts, l'autrichienne et la russe, les sotnias des Cosaques chargeaient, tels des ouragans en uniforme et en ordre militaire, sur les petits chevaux, rapides comme le vent, de leurs steppes natales. Au-dessus de leurs bonnets de fourrure, ils brandissaient leurs lances comme des éclairs plantés sur des tiges de bois, de jolis éclairs avec d'adorables fanions. C'est à peine si leurs galopades s'entendaient sur le sol mou, élastique, du marais. La terre mouillée ne répondait que par un soupir humide au vol martelé des sabots. C'est à peine si les brins d'herbe se couchaient. On eût dit que les Cosaques planaient au-dessus des champs. Et quand ils bondissaient sur le sable jaune de la route, un gros nuage doré s'élevait, étincelant dans le soleil, pour se dilater et retomber disloqué en mille petites nuées. Les invités étaient assis dans des tribunes de bois grossièrement charpentées. Les évolutions des cavaliers étaient presque trop rapides pour le regard des spectateurs. De leurs solides dents jaunes, chevalines, les Cosaques, sans décoller de leurs selles, en plein galop, ramassaient par terre leurs mouchoirs rouges et bleus, les corps s'abaissaient tout à coup sous le ventre des bêtes, tandis que, dans leurs bottes éclatantes, les jambes continuaient de presser le flanc des chevaux. D'autres jetaient leurs lances au loin, dans les airs, les armes tourbillonnaient et retombaient docilement dans la main levée du cavalier, elles retournaient vers leur maître comme des faucons bien dressés. D'autres encore, le buste horizontal contre le corps de leur monture, la bouche fraternellement appliquée contre celle du cheval, sautaient à travers des cerceaux de fer étonnamment petits qui auraient pu ceindre un fût de taille moyenne. Les chevaux étiraient leurs membres. Leurs crinières se dressaient comme des ailes, leurs queues étaient à l'horizontale comme des gouvernails, leur tête fine ressemblait à la poupe effilée d'une barque fonçant sur les eaux.

D'autres encore sautaient par-dessus vingt tonneaux de bière disposés en enfilade, fond contre fond. Alors les chevaux hennissaient avant de s'élancer, le cavalier paraissait venir d'infiniment loin, c'était d'abord un minuscule point gris, puis, à une vitesse folle, il se transformait en un tiret, un corps, un cavalier, il devenait un gigantesque oiseau, un oiseau de légende fait d'un corps de cheval et d'un homme, un centaure ailé, pour s'immobiliser, quand le saut avait réussi, à cent pas en avant des tonneaux : statue de matière inerte. D'autres encore, volant comme la flèche (et eux-mêmes, les tireurs, ressemblaient à des projectiles), visaient des buts mobiles que des cavaliers, lancés ventre à terre à leurs côtés, leur présentaient sur de grandes cibles blanches, les tireurs galopaient, tiraient, touchaient le but. Plus d'un tombait de son cheval. Les camarades qui le suivaient lui passaient par-dessus, aucun sabot ne l'effleurait. Des cavaliers faisaient galoper un cheval auprès d'eux et en pleine course, sautaient d'une selle sur l'autre, revenaient à la première, retombaient soudain sur la bête qui les accompagnait et, finalement, appuyés des deux mains sur les deux selles, les jambes ballantes entre les deux chevaux, s'arrêtaient d'une secousse au but fixé, tenant leurs montures de telle manière qu'elles fussent immobiles comme des chevaux de bronze.

Ces fêtes équestres des Cosaques n'étaient pas les seules réjouissances de la région frontalière située entre la monarchie et la Russie. Il y avait aussi, dans la garnison, un régiment de dragons. Entre les officiers du bataillon de chasseurs, ceux du régiment de dragons et ces messieurs des régiments russes, le comte Chojnicki, l'un des plus riches propriétaires polonais du pays, faisait régner les relations les plus cordiales. Le comte Wojciech Chojnicki, parent des Ledochowski et des Potocki, allié aux Sternberg, ami des Thun, connaisseur du monde, quadragénaire mais sans âge discernable, capitaine de réserve dans la cavalerie, célibataire, bon vivant et en même temps mélancolique, aimait les chevaux, l'alcool, la société, la frivolité et aussi le sérieux. Il passait l'hiver dans de grands villes et dans les salles de jeu de la Côte d'Azur. Tel un oiseau migrateur, quand le cytise commençait à fleurir sur les talus, le long de la voie ferrée, il avait coutume de retourner au pays de ses ancêtres. Il y ramenait l'haleine légèrement parfumée du grand monde ainsi que des histoires romanesques et galantes. Il était de ces gens qui ne peuvent avoir d'ennemis, ni d'amis, mais connaissent uniquement des compagnons, des camarades et des indifférents. Avec ses yeux intelligents, clairs, un peu saillants, sa calvitie miroitante, polie comme une bille, sa petite moustache blonde, ses jambes démesurément longues, Chojnicki gagnait la sympathie de tous ceux dont il croisait la route par hasard ou avec intention.

Il habitait alternativement deux maisons connues et respectées des habitants sous les noms de « Vieux Château » et de « Château Neuf ». Ce qu'on appelait le Vieux Château était un pavillon de chasse délabré, d'une certaine taille, que le comte, pour d'impénétrables raisons, ne voulait pas remettre en état. Le Château Neuf était une spacieuse villa dont l'unique étage était occupé en tout temps par des amis singuliers, voire parfois peu rassurants. C'était des parents pauvres du comte. Il lui aurait été impossible, même en étudiant avec le plus grand soin l'histoire de sa famille, de découvrir le degré de parenté qui le liait à ses hôtes. Peu à peu, l'habitude s'était établie d'arriver au Château Neuf comme parent de Chojnicki et d'y passer l'été. Dès que les premiers vols d'étourneaux se faisaient entendre la nuit, après la récolte du maïs, les visiteurs repus, reposés, parfois même habillés de neuf par le tailleur du comte, regagnaient les contrées inconnues dont ils étaient originaires. Le maître de maison ne prêtait attention ni à l'arrivée, ni au séjour, ni au départ de ses hôtes. Il avait décidé une fois pour toutes que son régisseur, qui était juif, aurait à vérifier la parenté des arrivants, à régler leur train de vie et à fixer leur départ avant la venue de l'hiver. La maison avait deux entrées. Tandis que le comte et les hôtes qui n'étaient pas de la famille utilisaient la grande porte, les parents devaient faire un grand détour par le verger pour entrer et sortir par le portillon ménagé dans le mur du jardin. A part cela, les commensaux « non invités » étaient libres d'agir à leur guise.

Deux fois par semaine, le lundi et le jeudi, avaient lieu les « petites soirées » du comte Chojnicki, et une fois par mois ce qu'on appelait « la fête ». Aux petites soirées, on n'éclairait et ne mettait à la disposition des invités que six pièces, mais aux fêtes, il y en avait douze. Aux petites soirées, le personnel servait sans gants et en livrée jaune. Aux fêtes, les laquais portaient des gants blancs et des redingotes rouges à col de velours noir et boutons d'argent. On commençait toujours par du vermouth et d'âpres vins d'Espagne:

On passait au bourgogne et au bordeaux. Puis venait le champagne. Il était suivi du cognac. Et, pour payer au terroir le tribut de rigueur, on terminait par un cru local, le « quatre-vingt-dix degrés. ».

Les officiers du régiment de dragons, extrêmement féodal, et les officiers, bourgeois pour la plupart, du bataillon de chasseurs concluaient chez le comte Chojnicki de touchantes alliances pour la vie. A travers les larges fenêtres cintrées du château, l'aube estivale éclaircissait une pittoresque confusion d'uniformes d'infanterie et de cavalerie. Les ronflements des dormeurs saluaient les rayons dorés du soleil. Vers cinq heures du matin, les ordonnances désespérées accouraient en troupe au château pour réveiller leurs patrons, les officiers. Car les régiments commençaient l'exercice à six heures. Le maître de maison, que l'alcool ne fatiguait pas, était depuis longtemps dans son pavillon de chasse. Il y manipulait des tubes de verre, de petites flammes et d'étranges appareils. Le bruit courait dans le pays que le comte voulait fabriquer de l'or. En effet, il semblait s'adonner à d'extravagantes expériences d'alchimie. Mais s'il ne réussissait pas à faire de l'or, il s'entendait à le gagner à la roulette. Il laissait entrevoir parfois qu'il avait hérité une « martingale » d'un mystérieux joueur, depuis longtemps décédé.

Il y avait des années qu'il était député au Reichsrat, réélu régulièrement par sa circonscription, battant tous ses adversaires par l'argent, la force, la surprise, favori du gouvernement et dédaigneux du corps parlementaire dont il faisait partie. Il n'avait jamais prononcé de discours, jamais proféré d'interpellation. Sceptique, moqueur, sans crainte et sans scrupules, Chojnicki affirmait communément que l'Empereur était un vieillard étourdi, le gouvernement une bande de crétins, le Reichsrat une assemblée d'imbéciles naïfs et pathétiques, il disait l'administration vénale, lâche et paresseuse. Les Autrichiens de souche germanique dansaient la valse et chantaient dans les guinguettes, les Hongrois puaient, les Tchèques étaient nés cireurs de bottes, les Ruthènes étaient des Russes travestis et des traîtres, les Croates et les Slovènes des fabricants de brosses et des marchands de marrons et les Polonais dont il était, des jolis cœurs, des coiffeurs et des photographes de mode. Chaque fois qu'il revenait de Vienne ou d'autres parties du vaste monde, où il se promenait comme chez lui, il avait coutume de tenir un sombre discours conçu à peu près en ces termes :

— Cet empire sombrera fatalement. Dès que notre Empereur fermera les yeux, nous nous disloquerons en cent morceaux. Les Balkans seront plus puissants que nous. Toutes les nations organiseront leurs sales petits États et les Juifs eux-mêmes proclameront un roi en Palestine. Vienne sent déjà la sueur des démocrates, et je ne supporte plus la Ringstrasse. Les ouvriers ont des drapeaux rouges et ne veulent plus travailler. Le bourgmestre de Vienne est un pieux gardien d'immeuble. Les curés suivent déjà le peuple, on prêche en tchèque dans les églises. Au Burgtheater, on joue des saloperies juives et il ne se passe pas une semaine sans qu'un Hongrois, fabricant de W.C., ne devienne baron. Je vous le dis, messieurs, si les fusils ne partent pas dès maintenant, c'en est fait. Nous le verrons encore.

Les auditeurs du comte s'esclaffaient, buvaient une nouvelle rasade. Ils ne comprenaient pas. Les fusils partaient à l'occasion, en particulier aux élections, pour assurer son mandat au comte Chojnicki par exemple. Et l'on démontrait ainsi que le monde ne sombrerait pas si facilement que cela. L'Empereur vivait encore, le prince héritier lui succéderait. L'armée faisait l'exercice, elle brillait dans tout l'éclat des couleurs réglementaires. Les populations aimaient la dynastie et lui rendaient hommage dans les costumes nationaux les plus divers. Chojnicki était un farceur.

Mais, plus sensible que ses camarades, plus triste qu'eux, gardant perpétuellement en son âme l'écho frémissant des ailes de la mort qu'il avait déjà rencontrée deux fois, le lieutenant Trotta ressentait parfois le poids ténébreux de la prophétie.

X

Chaque semaine, quand il était de permanence, le sous-lieutenant écrivait une lettre, toujours la même, au préfet. La caserne n'avait pas l'électricité. Dans les corps de garde, on brûlait les anciennes bougies d'ordonnance, comme à l'époque du vieux héros de Solferino. C'étaient maintenant des « bougies Apollon » en stéarine blanche, moins cassante, à mèche bien tressée et flamme constante.

Les lettres du sous-lieutenant ne trahissaient rien de son nouveau genre de vie, ni des singulières conditions d'existence de la frontière. Le préfet évitait toute question. Ses réponses, qu'il envoyait régulièrement à son fils tous les quatrièmes dimanches du mois, étaient aussi uniformes que les missives du sous-lieutenant.

Tous les matins, le vieux Jacques venait apporter le courrier dans la pièce où, depuis de nombreuses années, le préfet prenait son petit déjeuner. C'était une pièce un peu retirée qui ne servait plus tout le reste de la journée. La fenêtre, qui donnait à l'est, livrait complaisamment passage à tous les matins, les matins clairs, les sombres, les frais, les chauds, les pluvieux. Elle restait ouverte pendant le petit déjeuner, été comme hiver. L'hiver, le préfet gardait les jambes enveloppées dans une chaude couverture, la table était poussée près du large poêle et dans le poêle pétillait le feu que le vieux Jacques avait allumé une demi-heure plus tôt. Tous les ans, le 15 avril, Jacques cessait d'allumer le poêle. Tous les ans, le 15 avril, le préfet commençait ses promenades estivales sans tenir compte de la température. Le garçon coiffeur mal réveillé, qui ne s'était pas encore rasé lui-même, faisait son entrée à six heures dans la chambre à coucher de M. von Trotta. A six heures quinze, le menton du préfet était glabre et poudré entre les ailes légèrement argentées de ses favoris. Le crâne chauve était déjà massé, un peu rougi par la friction de quelques gouttes d'eau de Cologne, tous les poils superflus qui poussent soit devant les narines, soit dans l'oreille ou qui foisonnent aussi, à l'occasion, sur la nuque, au-dessus du faux col, avaient disparu sans laisser de trace. Alors le préfet prenait sa canne claire et son demi-haut-de-forme gris et se rendait au parc de la ville. Il portait un gilet blanc très peu échancré avec des boutons gris, ainsi qu'une redingote grise. Des sous-pieds gris fer tendaient son pantalon étroit, sans pli, sur des bottines à élastique, étroites, à bout pointu, sans claque ni coutures. Les rues étaient encore désertes. L'arroseuse municipale, traînée par deux lourds chevaux bais, roulait en ferraillant sur le pavé raboteux. Aussitôt qu'il apercevait le préfet, le cocher, du haut de son siège, abaissait son fouet, enroulait les guides autour de la manivelle du frein et saluait si bas que sa casquette lui effleurait les genoux. C'était la seule personne de la ville, et même du district, que M. von Trotta saluât de la main, d'un geste quasi cavalier. A l'entrée du jardin public, le

sergent de ville faisait le salut militaire. Le préfet lui disait un cordial
« bonjour ! » sans bouger la main. Puis il se rendait chez la blonde
tenancière du pavillon aux rafraîchissements. Là, il soulevait un peu
son demi-haut-de-forme, buvait un verre d'eau digestive, prenait
une pièce de monnaie dans la poche de son gilet, sans retirer ses
gants gris, et continuait sa promenade. Le boulanger, le ramoneur,
le marchand des quatre saisons, le boucher croisaient son chemin.
Tous le saluaient. Le préfet répondait en portant doucement l'index
contre le bord de son chapeau. M. von Trotta ne retirait son
chapeau, pour la première fois, que devant Kronauer, le pharmacien, qui aimait comme lui les promenades matinales et qui était du
reste conseiller municipal. Il lui disait parfois : « Bonjour, monsieur
le pharmacien », s'arrêtait et demandait : « Comment ça va-t-il ? —
Très bien , répondait le pharmacien. — J'en suis ravi », déclarait le
préfet. Il levait encore une fois son chapeau et continuait son
chemin.

Il ne rentrait jamais avant huit heures. Quelquefois, il rencontrait
le facteur dans le vestibule ou dans l'escalier. Puis il allait un moment
dans les bureaux, car il aimait trouver ses lettres auprès du plateau
de son petit déjeuner. Il lui était impossible de voir qui que ce fût, ou
même de parler, pendant qu'il déjeunait. Le vieux Jacques pouvait
entrer à la rigueur pour regarder le feu, les jours d'hiver, ou pour
fermer la croisée quand il pleuvait trop fort les jours d'été. Il ne
pouvait être question de Mlle Hirschwitz. Avant une heure de
l'après-midi, le préfet avait sa vue en horreur.

Un jour, c'était à la fin de mai, M. von Trotta rentra de sa
promenade à huit heures cinq. Le facteur avait dû passer depuis
longtemps. M. von Trotta se mit à table dans la pièce du petit
déjeuner. Son œuf à la coque, bien mollet, comme toujours, était
aujourd'hui encore dans son coquetier d'argent. Le miel avait son
reflet d'or, les petits pains tendres fleuraient, comme chaque jour, le
feu de bois et la levure, le beurre mettait une touche de jaune sur une
grande feuille verte, le café fumait dans la porcelaine à bordure
dorée. Rien ne manquait. Du moins M. von Trotta eut-il l'impression, au premier instant, que rien ne manquait. Mais aussitôt après, il
se leva, reposa sa serviette et inspecta encore une fois la table. A leur
place accoutumée, les lettres faisaient défaut. Aussi loin que
pouvaient remonter les souvenirs du préfet, il ne s'était pas passé un

seul jour sans courrier officiel. M. von Trotta alla tout d'abord à la fenêtre ouverte, comme pour se persuader que le monde extérieur continuait d'exister. Les vieux marronniers du parc municipal dressaient encore leurs cimes touffues. Les oiseaux y faisaient le même invisible tapage que les autres matins. La voiture du laitier, qui, d'ordinaire, à cette heure, stationnait devant la préfecture, était là, elle aussi, insouciante comme si c'était un jour pareil à tous les autres. Rien n'a donc changé dehors, constata le préfet. Était-il possible qu'il ne fût pas arrivé de courrier ? Était-il possible que Jacques l'eût oublié ? M. von Trotta agita la sonnette. Son tintement argentin parcourut prestement la maison silencieuse. Personne ne vint. Provisoirement, le préfet ne toucha pas à son petit déjeuner. Il sonna encore une fois. Enfin on frappa. Il fut étonné, effrayé et offensé de voir entrer Mlle Hirschwitz, la gouvernante.

Elle portait une sorte de tenue matinale dans laquelle il ne l'avait encore jamais vue. Une grande blouse de toile cirée bleu foncé l'enveloppait du cou aux pieds, un bonnet blanc se tenait roide sur sa tête en dégageant ses grandes oreilles au lobe mou et charnu. M. von Trotta la trouva particulièrement affreuse ainsi, il ne pouvait supporter l'odeur de la moleskine.

— Bien contrariant ! dit-il sans répondre à son salut. Où est Jacques ?

— Jacques souffre aujourd'hui d'une indisposition.

— Indisposition ? répéta le préfet qui ne comprit pas tout de suite. Il est malade ? demanda-t-il encore.

— Il a de la fièvre, répondit Mlle Hirschwitz.

— Merci, fit le préfet, avec un geste de la main.

Il se mit à table. Il ne prit que son café. Il laissa l'œuf, le miel, le beurre et les petits pains sur le plateau. Il comprenait bien que Jacques était malade et, par conséquent, hors d'état d'apporter les lettres. Mais pourquoi était-il tombé malade ? Il s'était toujours aussi bien porté que la poste par exemple. Si elle avait subitement cessé d'expédier les lettres, ce n'aurait pas été plus surprenant. Lui-même, M. von Trotta, n'était jamais malade. Quand on tombait malade, il fallait mourir. La maladie n'était qu'une tentative de la nature pour habituer l'homme à mourir. Les maladies épidémiques — on craignait encore le choléra dans la jeunesse du préfet — pouvaient être vaincues par tel ou tel individu. Mais on devait

succomber aux autres maladies qui arrivaient comme cela, indivi-
duellement, quelle que fût par ailleurs la diversité de leurs noms. Les
médecins — que le préfet appelait des « fraters » — émettaient bien
la prétention de guérir, mais c'était uniquement pour ne pas mourir
de faim. En admettant même qu'il pût y avoir des êtres exceptionnels continuant de vivre après une maladie, aussi loin que pouvaient
remonter les souvenirs de M. von Trotta, on n'avait jamais noté
d'exception de ce genre dans son entourage proche ou lointain.

Il sonna encore une fois.

— Je voudrais le courrier, dit-il à Mlle Hirschwitz, mais faites-
le-moi envoyer par n'importe qui, s'il vous plaît ! A propos, qu'a
donc Jacques ?

— De la fièvre, dit Mlle Hirschwitz. Il a probablement pris
froid.

— Pris froid ? En mai !

— Il n'est plus jeune.

— Faites venir le docteur Sribny.

C'était le médecin de la préfecture. Il fonctionnait dans les
bureaux de neuf heures à midi. De l'avis du préfet, c'était un
« honnête homme ».

Cependant, l'huissier de la préfecture apportait le courrier. Le
préfet n'examina que les enveloppes, les rendit et donna ordre de les
déposer dans son bureau. Debout auprès de la fenêtre, il ne se faisait
pas à l'idée que le monde extérieur parût ne rien savoir encore des
changements de sa maison. Aujourd'hui il n'avait ni déjeuné ni lu le
courrier. Une maladie mystérieuse tenait Jacques alité et la vie
continuait d'aller son train habituel.

Très lentement, préoccupé par de confuses pensées, M. von
Trotta se rendit à son cabinet et se mit à son bureau vingt minutes
plus tard qu'à l'ordinaire. Le premier commissaire de district vint lui
faire son rapport. Il y avait eu la veille une nouvelle réunion
d'ouvriers tchèques. On annonçait une fête de sokols, une délégation des États slaves — il s'agissait de Serbes et de Russes, mais on
ne les désignait jamais nommément dans le jargon administratif —
devait arriver dès le lendemain. Les sociaux-démocrates germano-
phones attiraient aussi l'attention sur eux. A la filature, un ouvrier
avait été maltraité par ses camarades parce que, à ce que préten-
daient les mouchards, il refusait d'adhérer au parti rouge. Toutes ces

choses inquiétaient le préfet, le peinaient, le froissaient, elles le blessaient. Tout ce qu'entreprenaient les éléments indociles de la population pour affaiblir l'État, offenser directement ou indirectement Sa Majesté l'Empereur, rendre la loi plus impuissante encore qu'elle ne l'était déjà, troubler l'ordre, enfreindre les convenances, bafouer la dignité, fonder des écoles tchèques, faire élire des députés de l'opposition, tout cela était dirigé contre le préfet en personne. Au début, il s'était contenté de dédaigner les nationalités, l'autonomie et « le peuple » qui réclamait « plus de droits ». Peu à peu, il se mettait à les haïr, les braillards, les incendiaires, les orateurs de réunions électorales. Il enjoignit au commissaire de district de dissoudre sur-le-champ toute assemblée où l'on s'aviserait par exemple de prendre des « résolutions ». De tous les mots devenus de mode ces derniers temps, c'était celui qu'il haïssait le plus, peut-être parce qu'il ne s'en fallait que d'une toute petite lettre pour le transformer en « révolution », le plus ignoble de tous les vocables. Il avait extirpé complètement ce dernier. On ne le trouvait ni dans son vocabulaire ni dans sa langue officielle, et s'il se lisait, par exemple, dans le rapport d'un subordonné, les mots « agitateur révolutionnaire » pour désigner un militant social-démocrate, il les biffait et, à l'encre rouge, il les remplaçait par le correctif : individu suspect. Peut-être y avait-il des révolutionnaires quelque part, dans la monarchie, mais il ne s'en trouvait pas dans le ressort de M. von Trotta.

— Envoyez-moi, cet après-midi, le maréchal des logis-chef Slama, dit le préfet au commissaire de district. Demandez qu'on renforce la gendarmerie pour ces sokols. Rédigez un rapport au gouverneur, remettez-le-moi demain matin. Peut-être faudra-t-il que nous entrions en rapport avec l'autorité militaire. En tout cas, à partir de demain, la gendarmerie sera consignée et devra se tenir prête à toute éventualité. J'aimerais avoir un petit extrait du dernier décret ministériel sur le sujet.

— Oui, monsieur le préfet.

— Bien. Est-ce que le docteur Sribny est déjà arrivé ?

— Il a été immédiatement appelé auprès de Jacques.

— J'aurais aimé lui parler.

De toute la journée, le préfet ne toucha plus aucun papier officiel. Jadis, dans les années de calme, au début de son installation à la préfecture, il n'y avait pas encore d'autonomistes, de sociaux-démocrates, les « individus suspects » étaient relativement peu nombreux et c'est à peine si, dans la lente succession des ans, on remarquait combien ils se multipliaient, se développaient et devenaient dangereux. Maintenant, c'était pour le préfet comme si la maladie de Jacques le rendait soudain attentif aux cruels changements du monde, comme si son vieux domestique n'était pas seul menacé par la mort, assise peut-être en ce moment même à son chevet. Une pensée subite traversa l'esprit de M. von Trotta :« Si Jacques meurt, le héros de Solferino mourra, dans une certaine mesure, une seconde fois et peut-être aussi — le cœur du préfet suspendit une seconde ses battements — celui que le héros de Solferino a sauvé de la mort. Oh, ce n'était pas seulement Jacques qui était tombé malade aujourd'hui ! Les lettres gisaient encore, non décachetées, sur le bureau, devant M. von Trotta. Qui sait ce qu'elles pouvaient bien contenir ? Les sokols se rassemblaient à l'intérieur de l'empire, sous les yeux des autorités et de la gendarmerie. Ces sokols — qu'à part lui le préfet appelait « sokolistes » comme pour les réduire à une espèce de parti relativement insignifiant, alors qu'ils représentaient un important groupement de populations slaves — prétextaient qu'ils n'étaient que des gymnastes uniquement occupés à développer leurs muscles. En réalité, c'étaient des espions à la solde du tsar. Hier encore, on pouvait lire dans le *Fremdenblatt* que les étudiants allemands entonnaient, à l'occasion, la *Wacht am Rhein,* cet hymne des Prussiens, ces ennemis héréditaires de l'Autriche, alliés de l'Autriche. Alors, à qui pouvait-on donc bien se fier encore ? Le préfet se sentit frissonner. Et, pour la première fois depuis qu'il travaillait dans ce cabinet, par une journée de printemps indéniablement chaude, il alla fermer la fenêtre.

Le médecin de la préfecture entrant au même moment, M. von Trotta s'informa de l'état du vieux Jacques. Le docteur Sribny lui dit :

— Si la congestion pulmonaire se déclare, il ne résistera pas. Il a quarante de fièvre. Il a demandé un prêtre.

Le préfet se pencha sur son bureau. Il craignait que le docteur ne remarquât quelque altération de ses traits, il se rendait compte qu'en effet quelque chose commençait à se transformer dans son visage. Il ouvrit son tiroir, y prit des cigares et les offrit au docteur. Il lui désigna le fauteuil, sans un mot. Ils fumaient maintenant tous les deux.

— Alors, vous avez peu d'espoir? demanda enfin M. von Trotta.

— Très peu, en effet, pour dire la vérité, répondit le docteur. A cet âge...

Il n'acheva pas la phrase et regarda le préfet, comme pour jauger si le maître était beaucoup plus jeune que son domestique.

— Il n'a jamais été malade, dit le préfet, comme s'il plaidait les circonstances atténuantes et comme si le docteur eût été un juge dont dépendait la vie !

— Oui, oui, fit seulement le médecin. Ça arrive. Quel âge peut-il bien avoir ?

Le préfet réfléchit et dit :

— Entre soixante-dix-huit et quatre-vingts, peut-être.

— Oui, c'est bien ce que je lui donnais. En fait, je n'y ai pas prêté attention jusqu'à aujourd'hui ; tant que quelqu'un va et vient, on croit qu'il vivra éternellement.

Là-dessus, le docteur se leva et se rendit à son travail, M. von Trotta écrivit : « Je suis chez Jacques », il mit le billet sous un presse-papier et sortit dans la cour.

Il n'était jamais entré dans le logement de Jacques. C'était une maisonnette minuscule qui s'adossait à la muraille du fond, avec une cheminée trop grande sur son petit toit. Elle avait trois murs de briques jaunâtres et une porte marron au milieu. On entrait tout d'abord dans la cuisine, puis on passait dans la chambre par une porte vitrée. Le canari apprivoisé de Jacques était juché au sommet de sa cage, auprès de la croisée qu'ornait un rideau blanc un peu trop court, derrière lequel l'autre avait l'air d'avoir grandi. La table bien lisse était poussée contre le mur, surmontée d'une lampe à pétrole bleue, à glace ronde et réflecteur. La Madone, dans son grand cadre, appuyée contre le mur, était posée sur la table de la manière dont on dispose parfois les portraits de famille. Jacques gisait dans son lit, la tête tournée vers la fenêtre, sous une montagne de linge blanc et d'oreillers. Il crut que le prêtre était arrivé et poussa un profond soupir de délivrance, comme si la grâce venait déjà le visiter.

— Ah ! Monsieur le baron ! fit-il ensuite.

Le préfet s'approcha du vieillard. C'était dans une pièce comme celle-là, dans les logements des invalides, au parc de Laxenburg, qu'avait été exposé le cercueil du grand-père du préfet, maréchal des logis-chef dans la gendarmerie. M. von Trotta voyait encore les grands cierges blancs qui jetaient une lueur jaune dans la pénombre de la chambre mortuaire, le défunt était en tenue d'apparat et les énormes semelles de ses bottes se dressaient exactement à la hauteur de son visage. Le tour de Jacques serait donc pour bientôt ? Le vieillard s'appuya sur son coude. Il portait un bonnet de nuit de laine bleue entre les mailles duquel luisaient ses cheveux d'argent. Sa face ridée, osseuse, rougie par la fièvre, faisait penser à de l'ivoire teinté. Le préfet s'assit sur une chaise, à côté du lit, et dit :

— Allons, ce n'est pas si grave que ça ! Le docteur vient de me le dire. Ce doit être un gros rhume.

— Oui, Monsieur le baron, répondit Jacques en essayant faiblement de rapprocher les talons sous ses couvertures.

Il s'assit droit dans son lit :

— Je vous demande pardon, ajouta-t-il. Je pense que ce sera passé demain.

— Dans quelques jours, bien certainement.

— J'attends M. le curé, Monsieur le baron.

— Mais oui, mais oui, il va venir. Nous avons bien le temps !

— Il est déjà en chemin, répondit Jacques comme s'il voyait, de ses propres yeux, le prêtre venir à lui. Il vient déjà, poursuivit-il et soudain, il parut ne plus savoir que le préfet était à son chevet. Quand feu M. le baron est mort, continua-t-il, aucun de nous n'en a rien su. Le matin — ou bien est-ce que c'était la veille ? — il est encore venu dans la cour et il a dit : « Jacques, où sont les bottes ? » Oui, c'était bien la veille. Et le matin, il n'en avait plus besoin. Et puis l'hiver a commencé tout de suite après. Un hiver rudement froid. Je crois bien que, moi aussi, je tiendrai encore jusqu'à l'hiver. Jusqu'à l'hiver, ce n'est plus si long. Il me faudra un peu de patience, bien sûr. Maintenant, on est déjà en juillet, donc juillet, juin, mai, avril, août, novembre, et pour Noël, je crois qu'on pourra partir : « En route, compagnie, en avant, marche ! »

Il se tut et de ses yeux bleus, dilatés, brillants, il regarda à travers le préfet comme à travers une vitre.

M. von Trotta essaya doucement de recoucher le vieillard sur ses oreillers, mais le buste raidi de Jacques ne cédait pas. Seule sa tête tremblait et son bonnet de nuit tremblait aussi sans relâche. Sur son grand front osseux brillaient de minuscules perles de sueur. Le préfet les essuyait de temps en temps avec son mouchoir, il en venait toujours de nouvelles. Il prit la main du vieux Jacques, en examina le dos large, la peau rougeâtre, squameuse et cassante, ainsi que le gros pouce fortement écarté. Puis il remit avec soin la main sur la couverture, retourna à son bureau, donna l'ordre à l'huissier d'aller chercher le prêtre et une sœur de la Miséricorde, à Mlle Hirschwitz de veiller Jacques en attendant. Il se fit apporter son chapeau, sa canne et ses gants, et partit pour le parc en cette heure inaccoutumée, à la stupéfaction de tous ceux qui s'y trouvaient.

Mais quelque chose le poussa à quitter l'ombre profonde des marronniers et à rentrer chez lui. En approchant de sa porte, il entendit la tintenelle argentine du prêtre qui accompagnait le Saint-Sacrement. Il retira son chapeau, baissa la tête et resta ainsi devant la porte. Quelques passants s'arrêtèrent aussi. Le prêtre maintenant quittait la maison. Quelques-uns attendirent que le préfet eût disparu dans l'entrée, le suivirent, curieux, et apprirent par l'huissier que Jacques était en train de mourir. On le connaissait dans la petite ville et l'on consacra au vieillard qui abandonnait ce monde quelques minutes de respectueux silence.

Le préfet traversa directement la cour et entra dans la chambre du moribond. Il chercha avec soin dans la cuisine obscure une place pour son chapeau, sa canne, ses gants, et finit par poser le tout sur les rayons d'une étagère, entre les pots et les assiettes. Il renvoya Mlle Hirschwitz et s'assit près du lit. Le soleil était maintenant si haut dans le ciel qu'il inondait la vaste cour de la préfecture et entrait par la fenêtre dans la chambre de Jacques. Le rideau blanc trop court pendait à présent devant les carreaux comme un tablier ensoleillé. Le canari gazouillait sans arrêt, allégrement, les lames du parquet, nues et propres, luisaient, jaunes, au soleil, une large bande d'argent s'étendait sur le pied du lit, le bas de la couverture blanche arborait maintenant un blanc plus intense, pour ainsi dire céleste, et la bande de soleil grimpait à vue d'œil le long de la paroi où s'appuyait le lit. De temps à autre, une douce brise soufflait dans la cour, à travers quelques vieux arbres plantés le long du mur. Ils pouvaient être aussi vieux que Jacques, ou plus vieux encore et l'avaient abrité chaque jour de leur ombre. La brise soufflait, et leurs cimes murmuraient, Jacques avait l'air de le savoir, car il se souleva sur un coude et dit :

— La fenêtre, s'il vous plaît, Monsieur le baron.

Le préfet ouvrit la fenêtre et, aussitôt, les bruits joyeux du mois de mai pénétrèrent dans la chambrette. On perçut le murmure des arbres, la douce haleine du vent léger, le pétulant bourdonnement des cantharides étincelantes et les trilles des alouettes, tombant d'infinies hauteurs bleutées. Le canari s'élança au-dehors, mais seulement pour montrer qu'il savait encore voler, car il revint au bout de quelques instants, se percha sur le rebord de la fenêtre et se mit à siffler deux fois plus fort. Le monde était gai, au-dedans et au-dehors. Jacques se pencha hors de son lit et resta aux écoutes, sans bouger. Les petites perles de sueur miroitaient sur son front dur et sa bouche étroite s'ouvrit lentement. Tout d'abord, il ne fit que sourire en silence. Puis il contracta les paupières, ses joues maigres, rougies se plissèrent aux pommettes, il ressemblait maintenant à un vieux fripon et un petit rire s'échappa de sa gorge. Il riait. Il riait sans arrêt, les oreillers tremblaient doucement et le bois de lit gémissait même un peu. Le préfet eut, lui aussi, un sourire de satisfaction. Oui, la mort venait au vieux Jacques comme une allègre jeune fille au printemps, Jacques ouvrait sa vieille bouche et lui montrait ses rares dents jaunes. Il leva la main, désigna la fenêtre et secoua la tête tout en continuant de rire tout bas :

— Beau temps, aujourd'hui, dit le préfet.

— Mais le voilà, mais le voilà qui vient ! fit Jacques. Sur son cheval blanc, tout habillé de blanc. Pourquoi avance-t-il si lentement ? Tiens, tiens, comme il va lentement ! Bonjour ! Bonjour ! Ne voulez-vous pas approcher ? Venez donc ! Venez donc ! Fait beau aujourd'hui, hein ?

Il ramena sa main, dirigea son regard sur le préfet et dit :

— Comme il va lentement ! C'est parce qu'il vient de là-bas. Voilà déjà longtemps qu'il est mort. Il n'est pas habitué à aller à cheval sur nos cailloux ! Oui, jadis ! Te rappelles-tu encore comment il était ? Je voudrais voir son portrait. Me rendre compte s'il a réellement changé. Apporte-le, le portrait, aie la bonté de l'apporter ! S'il te plaît, Monsieur le baron !

Le préfet comprit tout de suite qu'il s'agissait du portrait du héros de Solferino. Il sortit docilement. Dans l'escalier, il enjamba même les marches deux par deux, entra rapidement dans le fumoir, monta sur une chaise et décrocha le portrait du héros de Solferino. La toile était quelque peu poussiéreuse, le préfet souffla dessus et, sans cesser de sourire, y passa le mouchoir dont il avait tout à l'heure épongé le front du mourant. Il était joyeux. Il y avait longtemps qu'il ne l'avait plus été. Il se hâta de traverser la cour, le grand tableau sous le bras. Il rejoignit Jacques. Celui-ci contempla longuement le portrait, avança l'index, le promena sur le visage du héros de Solferino, finit par dire :

— Tiens-le au soleil !

Le préfet obéit, il tint le portrait dans la bande de lumière, au pied du lit, Jacques se dressa et dit :

— Oui, c'est tout à fait comme ça qu'il était !

Et il se recoucha sur ses oreillers.

Le préfet mit le portrait sur la table, à côté de la Madone, et retourna auprès du lit :

— Allons, on s'en va bientôt monter là-haut ! dit Jacques en souriant, tout en désignant le plafond.

— Il y a encore le temps ! fit le préfet.

— Non, non, déclara Jacques, avec un rire bien clair. Voilà assez longtemps que j'ai le temps ! A présent, il faut monter. Regarde donc un peu l'âge que j'ai, j'ai oublié.

— Où dois-je regarder ?

— Là-dessous, dit Jacques en montrant le bois de lit.

Il y avait un tiroir. Le préfet l'ouvrit. Il aperçut un petit paquet proprement ficelé dans du papier d'emballage marron. Une boîte ronde en fer-blanc était à côté. Le chromo fané du couvercle représentait une bergère en perruque blanche. M. von Trotta se rappela qu'en son enfance, il avait vu de ces boîtes sous l'arbre de Noël de bien des camarades :

— Voilà le petit livre, dit Jacques.

C'était son livret militaire. Le préfet mit son lorgnon et lut : « François-Xavier-Joseph Kromichl ».

— C'est bien ton livret ?

— Bien sûr.

— Mais tu es nommé François, Xavier, Joseph ?

— C'est mon nom, probable !

— Pourquoi t'es-tu donc appelé Jacques ?

— C'est lui qui l'a ordonné.

— Ah ! dit M. von Trotta et il regarda la date de naissance. Tu vas donc avoir quatre-vingt-deux ans en août ?

— Quatre-vingt-deux ans en août ! Quel jour sommes-nous donc ?

— Le 19 mai.

— Combien ça fait-il jusqu'en août ?

— Trois mois.

— Ah ! fit Jacques tout tranquillement en se renversant de nouveau en arrière. Alors je ne serai plus là ! Ouvre la boîte ! Et le préfet ouvrit la boîte. Il y a saint Antoine et saint Georges, continua Jacques. Tu pourras les garder. Puis un morceau de racine contre la fièvre. Tu le donneras à ton fils, à Charles-Joseph. Dis-lui bien bonjour de ma part ! Ça pourra lui servir. C'est du marécage là-bas ! À présent, ferme la fenêtre. Je voudrais dormir.

Il était midi. Le lit était maintenant en plein soleil. De grandes cantharides immobiles collaient aux carreaux et le canari ne gazouillait plus, il becquetait son sucre. Douze coups retentirent au beffroi ; leur écho doré vint mourir dans la cour. La respiration de Jacques était calme. Le préfet alla dans la salle à manger.

— Je ne déjeune pas, dit-il à Mlle Hirschwitz.

Il jeta un coup d'œil sur la pièce. C'est à cette place que Jacques se tenait toujours avec le plat à la main, c'est ainsi qu'il s'approchait de la table ; c'est ainsi qu'il servait. M. von Trotta était incapable de manger aujourd'hui. Il descendit dans la cour, s'assit sur le banc près du mur, sous la charpente du toit en saillie, et attendit la sœur de la Miséricorde.

— Il est en train de dormir, lui dit-il, quand elle arriva.

Une douce brise l'effleurait par instants. L'ombre des poutres s'allongeait, s'étirait lentement. Les mouches bourdonnaient autour des favoris du préfet. De temps en temps, il les chassait de la main, et sa manchette battait son poignet. C'était la première fois, depuis qu'il était au service de Sa Majesté, qu'il restait complètement inactif un jour de semaine. Il n'avait jamais éprouvé le besoin de prendre des vacances. C'était sa première journée de congé. Il pensait constamment au vieux Jacques et cependant il était gai. Le vieux Jacques était en train de mourir, mais c'était comme s'il célébrait un grand événement, comme si le préfet avait pris, à cette occasion, son premier jour de vacances.

Tout à coup, il entendit la sœur passer la porte. Elle déclara que Jacques, en apparence tout à fait lucide et sans fièvre, était sorti de son lit et sur le point de s'habiller. En effet, tout de suite après, le préfet aperçut Jacques à la fenêtre. Il avait posé sur le rebord son blaireau, son savon et son rasoir, comme il avait l'habitude de le faire tous les matins, les jours où il se portait bien ; il avait accroché sa glace à l'espagnolette et se préparait à se raser. Jacques ouvrit la croisée et, de sa voix coutumière d'homme valide, il cria :

— Je vais bien, Monsieur le baron, je suis tout à fait bien portant, je vous prie de m'excuser, ne vous gênez pas pour moi.

— Allons, tout est donc pour le mieux ! Ça me fait plaisir, ça me fait extraordinairement plaisir. Tu vas maintenant commencer une nouvelle vie, François-Xavier-Joseph !

— J'aime mieux Jacques !

Ravi de ce merveilleux dénouement, mais aussi quelque peu perplexe, M. von Trotta s'en revint à son banc, pria la sœur de rester pour parer à toute éventualité et lui demanda si elle avait connaissance de cas de guérison aussi rapides chez des personnes aussi âgées. Les yeux baissés sur son chapelet, en égrenant sa réponse comme les perles du rosaire, la sœur répondit que la maladie et la guérison, rapides ou lentes, sont entre les mains de Dieu, et que, souvent déjà, Sa Volonté avait, sans délai, rendu des moribonds à la vie. Une réponse plus scientifique aurait davantage convenu au préfet. Et il résolut de s'informer, le lendemain, auprès du médecin de la préfecture. En attendant, il se rendit dans les bureaux, soulagé il est vrai d'un grand souci, mais en proie à une inquiétude plus grande encore, qui restait inexplicable. Il était incapable de travailler. Il donna ses instructions, pour la fête des sokols, au maréchal des logis-chef Slama, qui l'attendait déjà depuis longtemps, mais il le fit sans rigueur et sans énergie. Tous les dangers dont étaient menacés le district de W. et la monarchie, paraissaient soudain à M. von Trotta moins graves qu'ils ne l'étaient le matin. Il congédia le maréchal des logis-chef ; mais il le rappela aussitôt et lui demanda :

— Dites-moi, Slama, avez-vous déjà entendu chose pareille ? Ce matin, on aurait dit que le vieux Jacques allait mourir et le revoilà tout à fait en train !

Non, jamais le maréchal des logis-chef Slama n'avait rien entendu de pareil. Comme le préfet lui demandait s'il voulait voir le vieillard, Slama répondit qu'il y était certes tout disposé. Et ils allèrent tous deux dans la cour.

Jacques était sur son tabouret, une rangée de bottines alignées militairement devant lui, sa brosse à la main, crachant vigoureusement dans la boîte en bois qui contenait le cirage. Il voulut se mettre debout en voyant M. von Trotta devant lui, mais il ne put le faire assez vite et, d'ailleurs, sentit aussitôt les mains du préfet sur ses épaules. Il salua gaiement de sa brosse le maréchal des logis-chef. Le préfet s'assit sur le banc, Slama appuya son fusil contre le mur et prit place sur le banc à convenable distance. Jacques resta sur son tabouret et fit les chaussures, avec toutefois plus de douceur et de lenteur que d'habitude. Cependant, la sœur était en prières dans la chambre.

— Il vient de me revenir à l'idée que, ce matin, j'ai dit « tu » à Monsieur le baron, fit Jacques. Je m'en suis souvenu tout à coup.

— Ça ne fait rien, Jacques, dit M. von Trotta. C'était la fièvre.

— Oui, puisque c'est un mort qui parlait ! Et il va falloir me mettre en prison pour fausse identité, maréchal des logis-chef. Parce que, en réalité, je m'appelle François-Xavier-Joseph. Mais j'aimerais qu'on mette quand même Jacques sur ma tombe. Et mon livret de caisse d'épargne est sous mon livret militaire, il y a quelque chose pour mon enterrement et pour une messe, on m'y appellera Jacques aussi.

— Tant qu'il y a de la vie, il y a de l'espoir, dit le préfet, nous pouvons attendre.

Le maréchal des logis-chef rit bruyamment tout en s'épongeant le front.

Jacques avait ciré toutes les chaussures. Il frissonnait un peu. Il rentra, revint enveloppé de sa fourrure d'hiver qu'il portait aussi l'été, quand il pleuvait, et s'assit sur le tabouret. Le canari le suivait, voletant autour de sa tête argentée. Il chercha un moment une petite place, se percha sur la barre où pendaient quelques tapis et attaqua sa fanfare. Son chant éveilla dans les cimes des arbres des centaines de voix de moineaux et, en quelques minutes, l'air fut plein d'une joyeuse confusion de gazouillis et de sifflements. Jacques releva la tête et prêta l'oreille, non sans fierté, à la voix triomphante de son canari qui dominait toutes les autres. Le préfet sourit. Le maréchal des logis-chef mit son mouchoir devant sa bouche et Jacques eut un petit rire. La bonne sœur elle-même cessa de prier et sourit par la fenêtre. Le soleil de l'après-midi dorait déjà le bois de la charpente et jouait tout là-haut sur les cimes verdoyantes. Les moucherons agglutinés en essaims menaient leur petite danse du soir et parfois un hanneton, au lourd bourdonnement, passait auprès des trois hommes pour se précipiter tout droit dans le feuillage, courant à sa perte : vraisemblablement dans les becs géants des moineaux. Le vent se faisait plus fort. Les moineaux maintenant se taisaient. L'échancrure du ciel devint d'un bleu profond et les petits nuages blancs se teintèrent de rose.

— Tu vas aller te coucher, à présent, dit M. von Trotta à Jacques.

— Il faut encore que je remonte le tableau, murmura le vieillard.

Il alla chercher le portrait du héros de Solferino et disparut dans l'obscurité de l'escalier.

— Curieux ! fit le maréchal des logis-chef en le suivant des yeux.

— Oui, bien curieux ! répondit M. von Trotta.

Jacques revint et s'approcha du banc. Il s'assit sans un mot de façon surprenante entre le préfet et le maréchal des logis-chef et, avant que l'un ou l'autre ait eu le temps de se tourner vers lui, sa vieille nuque se renversa sur le dossier, ses mains retombèrent sur le siège, se houppelande s'ouvrit, ses jambes se raidirent et ses pantoufles pointèrent vers le ciel. Un violent coup de vent balaya brièvement la cour. Là-haut, les nuées rougeâtres voguaient comme des voiles légères. Le soleil avait disparu derrière le mur. Le préfet prit doucement, dans le creux de sa main gauche, la tête argentée de son serviteur évanoui, tout en cherchant à palper son cœur de la main droite. Le maréchal des logis-chef restait cloué par l'effroi, son képi noir par terre, à côté de lui. La sœur de la Miséricorde accourut à grandes enjambées. Elle prit la main du vieillard, la tint un moment entre ses doigts, la remit doucement sur la fourrure et fit le signe de croix. Elle regarda silencieusement le maréchal des logis-chef. Il comprit et prit Jacques sous les bras. Elle le saisit par les jambes. Ils l'emportèrent ainsi dans sa petite chambre, le couchèrent sur le lit, lui joignirent les mains, les entourèrent du chapelet et mirent à sa tête l'image de la Madone. Ils s'agenouillèrent auprès de la couche et le préfet pria. Il y avait déjà longtemps qu'il n'avait plus prié. Des profondeurs ensevelies de son enfance, une prière lui revint, prière pour le salut de l'âme de parents défunts, et il la dit à voix basse. Il se releva, eut un coup d'œil pour son pantalon, enleva la poussière des genoux et sortit lentement, suivi du maréchal des logis-chef.

— C'est ainsi que je voudrais mourir un jour, mon cher Slama, dit-il au lieu de son « au revoir » habituel et il alla au fumoir.

Il consigna ses instructions pour la mise en bière et les obsèques de son domestique sur une grande feuille de papier officiel et ce après mûre réflexion, comme un maître des cérémonies, point par point, avec des divisions et des subdivisions. Le lendemain matin, il se fit voiturer au cimetière pour y choisir une tombe, acheta une pierre, remit l'inscription : « Ici repose en Dieu, François-Xavier-Joseph Kromichl, dit Jacques, vieux serviteur et fidèle ami », et commanda un enterrement de première classe avec quatre chevaux noirs et huit croque-morts en tenue. Trois jours plus tard, il conduisit le deuil tout seul, à pied, derrière le cercueil, suivi à convenable distance du maréchal des logis-chef Slama et de maintes autres personnes qui se joignirent au cortège parce qu'elles avaient connu le vieux Jacques, mais surtout parce qu'elles voyaient M. von Trotta à pied. Ainsi donc un nombre respectable de gens accompagna jusqu'au tombeau le vieux François-Xavier-Joseph Kromichl, dit Jacques.

Désormais, le préfet trouva sa maison changée, vide et sans aucune intimité. Le courrier ne l'attendait plus auprès du plateau de son petit déjeuner et il hésitait à donner de nouvelles instructions à l'huissier. Il ne toucha plus à une seule des clochettes d'argent de sa table et, quand il lui arrivait, par distraction, de porter la main vers elles, il se contentait de les caresser. Quelquefois, l'après-midi, il restait aux écoutes et croyait entendre dans l'escalier le pas spectral du vieux Jacques. Il allait parfois dans la petite chambre où Jacques avait vécu et tendait un morceau de sucre au canari, entre les barreaux de sa cage.

Un jour, c'était juste avant la fête des sokols et sa présence n'aurait pas été superflue, ce jour-là, donc, il prit une résolution surprenante.

XI

Le préfet résolut d'aller voir son fils dans sa lointaine garnison-frontière. Pour un homme de son espèce, ce n'était pas une mince entreprise. Il se représentait la frontière orientale de la monarchie d'une façon peu ordinaire. Pour fautes graves dans le service, deux de ses anciens condisciples avaient été transférés en ce lointain pays de la couronne, sur les bords duquel on devait probablement déjà entendre hurler le vent de Sibérie. Des ours, des loups et d'autres monstres pires encore, tels que les poux et les punaises, y menaçaient l'Autrichien civilisé. Les paysans ruthènes offraient des sacrifices à des dieux païens et les Juifs sévissaient férocement contre le bien d'autrui. M. von Trotta emporta son revolver à barillet. Les aventures ne l'effrayaient nullement, il éprouvait bien plutôt ce sentiment un peu grisant qui, au temps à jamais enseveli de son adolescence, le poussait, avec son ami Moser, à s'enfoncer pour y chasser dans les bois mystérieux du domaine paternel ou à visiter le cimetière à l'heure de minuit. Il fit d'allègres adieux à Mlle Hirschwitz, avec le vague et téméraire espoir de ne jamais la revoir. Il alla seul à la gare. L'employé, derrière son guichet, dit :

— Oh ! enfin une destination lointaine ! Bon voyage.

Le chef de gare accourut sur le quai :

— Vous partez pour affaire de service ? demanda-t-il.

Et le préfet, de cette humeur enjouée qui vous donne envie, à l'occasion, de paraître énigmatique :

— Pour ainsi dire, monsieur le chef de gare. Pour affaire de service, oui, à la rigueur.

— Pour assez longtemps ?

— Pas encore fixé.

— Sans doute irez-vous aussi voir votre fils.

167

— Si faire se peut.

Debout à la portière, le préfet salua de la main. Il prenait délibérément congé de son district. Il ne songeait pas au retour. Il relut encore une fois, dans son indicateur, les noms de toutes les stations : « Changer à Oderberg ! » se répéta-t-il. Il compara les heures de départ et d'arrivée indiquées avec les heures réelles, et sa montre avec toutes les horloges des gares devant lesquelles son train passait. Toute irrégularité le réjouissait, lui rafraîchissait même étrangement le cœur. A Oderberg, il laissa passer un train. Jetant des regards curieux de tous les côtés, il traversa les voies, les salles d'attente, fit même un petit bout de chemin sur la longue route qui mène à la ville. Revenu à la gare, il fit comme s'il s'était mis en retard sans le vouloir et dit expressément à l'employé :

— J'ai manqué mon train !

Il fut déçu que l'employé ne manifestât pas de surprise. Il dut changer encore une fois à Cracovie. Il y trouva de l'agrément. S'il n'avait pas annoncé son arrivée à Charles-Joseph et s'il y avait eu deux trains par jour pour « ce dangereux trou », il aurait volontiers fait un nouvel arrêt pour observer le monde. « Bah ! on pouvait aussi bien l'examiner par la portière ! » Le printemps le salua tout le long du trajet. Il arriva dans l'après-midi. Il descendit du marchepied avec une joie sereine, de ce « pas élastique » que les journaux se plaisaient à vanter chez l'Empereur et que beaucoup de fonctionnaires d'État avaient acquis peu à peu. Car à cette époque-là, dans la monarchie, on avait une façon spéciale, complètement oubliée depuis, de quitter un train ou une voiture, de se présenter à l'hôtel, sur un quai de gare ou dans une maison, de s'avancer vers ses parents et ses amis — allure qui était peut-être d'ailleurs influencée par le pantalon étroit des messieurs d'un certain âge et les sous-pieds en caoutchouc que beaucoup d'entre eux aimaient encore boucler autour de leurs bottines. Ce fut donc de ce pas tout particulier que M. von Trotta quitta son wagon. Il étreignit son fils qui s'était posté devant la portière. M. von Trotta était le seul étranger descendant aujourd'hui de la voiture de première et seconde classes. Quelques permissionnaires, des cheminots et des Juifs en long caftan noir sortirent des troisièmes. Tous regardèrent le père et le fils. Le préfet se hâta de gagner la salle d'attente. Là, il mit un baiser sur le front de Charles-Joseph. Il commanda deux cognacs au buffet. Il y avait une glace contre le mur, derrière les rayons de bouteilles. Tout en buvant, père et fils y considéraient leurs visages.

— Cette glace est-elle si misérable, demanda M. von Trotta, ou bien as-tu réellement si mauvaise mine ?

« Es-tu vraiment si grisonnant », aurait volontiers demandé Charles-Joseph, car il voyait briller beaucoup de blanc dans les sombres favoris et sur les tempes de son père.

— Attends que je te regarde, poursuivit le préfet, ça ne tient sûrement pas à la glace. Peut-être est-ce ton service ? C'est dur ?

Le préfet constatait que son fils n'avait pas la mine que doit avoir un jeune sous-lieutenant. « Peut-être est-il malade », se disait-il. En dehors des maladies dont on mourait, il y avait encore ces terribles maux dont il savait par ouï-dire qu'ils atteignent fréquemment les officiers.

— As-tu droit au cognac ? demanda-t-il pour tirer la chose au clair par des voies détournées.

— Oui, papa, certainement, dit le sous-lieutenant.

Il l'avait encore dans l'oreille cette voix qui l'interrogeait, auparavant, en de possibles matinées dominicales, cette voie nasale de fonctionnaire, voix sévère, toujours un peu étonnée et inquisitrice, en présence de laquelle tout mensonge mourait au bord de vos lèvres.

— Te plais-tu dans l'infanterie ?

— Beaucoup, papa.

— Et ton cheval ?

— Je l'ai amené, papa.

— Montes-tu souvent ?

— Rarement.

— Tu n'aimes pas ça ?

— Non, papa, je n'ai jamais aimé ça.

— Cesse donc tes « papa », dit brusquement M. von Trotta. Tu es assez grand maintenant ! Et je suis en vacances !

Ils se firent conduire en ville.

— Tiens, mais il n'est pas si sauvage que ça, ce pays, dit le préfet. S'y amuse-t-on ?

— Beaucoup, dit Charles-Joseph, chez le comte Chojnicki. Tout le monde s'y rassemble. Tu le verras. Je l'aime beaucoup.

— Ce serait donc le premier ami que tu aies jamais eu ?

— Il y a eu aussi le major Max Demant, répondit Charles-Joseph. Voilà ta chambre, papa, dit le sous-lieutenant. Mes camarades habitent ici et il leur arrive de faire du bruit, la nuit. Mais il n'y a pas d'autre hôtel. D'ailleurs, ils se surveilleront, tant que tu seras là.

— Ça ne fait rien. Ça ne fait rien, dit le préfet.

Il sortit de sa malle une boîte ronde en fer-blanc, enleva son couvercle et la fit voir à Charles-Joseph :

— C'est une espèce de racine... Il paraît que c'est bon contre la fièvre des marais. C'est Jacques qui te l'envoie.

— Qu'est-ce qu'il devient ?

— Il est déjà là-haut !

Le préfet désigna le plafond.

— Il est déjà là-haut, répéta le sous-lieutenant.

Il sembla au préfet que c'était un vieil homme qui parlait. Son fils devait avoir de nombreux secrets. Le père ne les connaissait pas. « Père et fils », disait-on, mais des années, des montagnes les séparaient. On n'en savait guère plus sur Charles-Joseph que sur un autre sous-lieutenant. Il avait débuté dans la cavalerie, puis il s'était fait muter dans l'infanterie. Il portait les parements verts des chasseurs au lieu des parements rouges des dragons. Oui, et après ? On n'en savait pas davantage. Visiblement, on se faisait vieux. On n'appartenait plus tout à fait à son service, ni à ses devoirs. C'était à Jacques et à Charles-Joseph qu'on appartenait. On était venu apporter de l'un à l'autre une racine dure comme la pierre et rongée par le temps.

Toujours penché sur sa valise, le préfet parlait. Les paroles tombaient dans la valise, comme dans une tombe béante. Toutefois, il ne dit pas comme il l'aurait voulu. « Je t'aime, mon fils », mais seulement :

— Sa mort a été facile. C'était un vrai soir de mai et tous les oiseaux gazouillaient. Te rappelles-tu son canari ? C'est lui qui sifflait le plus fort. Jacques a ciré toutes ses chaussures et il n'est mort qu'après, dans la cour, sur le banc. Slama était là aussi. Il n'a eu de fièvre que le matin. Il m'a chargé de te donner le bonjour !

Puis le préfet leva les yeux et regarda son fils en face.

— C'est exactement comme cela que je désirerais mourir un jour.

Le sous-lieutenant entra dans sa chambre, ouvrit son armoire, mit le petit bout de racine auprès des lettres de Catherine et du sabre de Max Demant. Il prit la montre du docteur. Il crut voir la fine aiguille des secondes tourner plus vite sur le tout petit cadran et entendre plus fort résonner son tic-tac. Les aiguilles n'avaient point de but, le tic-tac point de sens. Bientôt, j'entendrai aussi la montre de papa, il me la léguera. J'aurai, accrochés dans une chambre, le portrait du héros de Solferino, le sabre de Max Demant et un héritage de papa. On enterrera tout avec moi. Je suis le dernier Trotta !

Il était assez jeune pour puiser dans sa tristesse une douce volupté et, dans sa certitude d'être le dernier, une douloureuse dignité. Le vacarme des grenouilles qui coassaient lui parvenait des marais voisins. Le soleil couchant rougissait les meubles et les murs de la chambre. Une voiture arriva. On entendit des chevaux trotter menu sur la route poussiéreuse. La voiture s'arrêta. C'était une *britschka* jaune paille, véhicule d'été du comte Chojnicki. Le claquement de son fouet interrompit trois fois le chant des grenouilles.

Il était curieux, le comte Chojnicki. C'était la curiosité, sa seule passion, qui le poussait à voyager de par le vaste monde, à s'asseoir aux tables des grandes salles de jeu, à s'enfermer derrière les portes de son pavillon de chasse, à prendre place sur le banc des députés, à rentrer chaque printemps au pays, à célébrer ses fêtes habituelles, c'était elle qui lui barrait le chemin du suicide. C'était sa seule curiosité qui le gardait en vie. Il était d'une curiosité insatiable. Le sous-lieutenant Trotta lui avait raconté qu'il attendait son père, le préfet, et, bien que le comte connût une bonne douzaine de préfets autrichiens et d'innombrables pères de lieutenants, il était cependant avide de faire la connaissance du préfet Trotta.

— Je suis l'ami de votre fils, dit Chojnicki. Vous êtes mon hôte. Votre fils doit vous l'avoir dit. Du reste, je vous ai déjà vu quelque part. Ne connaissez-vous pas Swoboda, du ministère du Commerce ?

— Nous sommes camarades de classe.

— Ah ! c'est cela, s'écria Chojnicki. Swoboda est un de mes bons amis. Un peu gâteux, avec le temps, mais si distingué ! Me permettez-vous une entière franchise ? C'est François-Joseph que vous me rappelez.

Le silence régna un instant. Le préfet n'avait jamais prononcé le nom de l'Empereur. Dans les occasions solennelles, on disait « Sa Majesté », dans la vie ordinaire, « l'Empereur ». Mais ce Chojnicki, lui, disait François-Joseph, comme il venait de dire Swoboda.

— Oui, c'est bien François-Joseph que vous me rappelez, répétait Chojnicki.

Ils étaient en voiture. De part et d'autre de la route, les grenouilles donnaient leur interminable concert ; les marais d'un bleu verdâtre s'étendaient à l'infini. Teintant le ciel de pourpre et d'or, le soir descendait à leur rencontre. Ils entendaient le crissement des roues dans le sable du chemin et le grincement des essieux. Chojnicki stoppa devant le petit pavillon.

Le mur du fond s'adossait à la sombre lisière de la sapinière. Un jardinet et une grille de pierre le séparaient de la route étroite. Les haies, qui bordaient le court chemin menant de la grille à l'entrée de la maison, n'avaient pas été taillées depuis longtemps ; par endroits, au gré de leur caprice, elles surplombaient le sentier de leur foisonnement, leurs branchages s'incurvaient les uns au-devant des autres et ne permettaient pas à deux personnes de passer de front. Les trois hommes avancèrent donc en file indienne, le cheval les suivait docilement en tirant la petite voiture, il paraissait bien connaître ce chemin et habiter le pavillon comme une personne humaine. Derrière les haies s'étendaient de vastes surfaces parsemées de fleurs de chardons et surveillées par les larges faces vertes du « pas d'âne ». A droite se dressait un pilier de pierre, vestige d'une tour peut-être. Comme une énorme dent ébréchée, la pierre surgissait au milieu du jardin, dressait vers le ciel ses nombreuses plaques de mousse verte et ses minces fissures noires. Le lourd portail de bois arborait le blason des Chojnicki : écu bleu tiercé en fasce, à trois cerfs d'or aux bois inextricablement enchevêtrés. Chojnicki alluma la lumière. Ils étaient dans une vaste salle basse. La dernière lueur du jour filtrait encore à travers les interstices des jalousies vertes. La table, dressée sous la lampe, était couverte d'assiettes, de bouteilles, de cruches, de couverts d'argent et de plats.

— Je me suis permis de vous préparer une petite collation, dit Chojnicki.

Il versa du « quatre-vingt-dix degrés », clair comme de l'eau de roche, dans trois petits verres, en offrit deux à ses invités et leva lui-même le troisième. Le préfet était un peu troublé en reposant le petit verre sur la table. Bah ! la réalité des mets contredisait le caractère mystérieux du pavillon et l'appétit du préfet était plus grand que son trouble ! Le pâté de foie gras, piqué de truffes d'un noir d'ébène, était entouré d'une étincelante couronne de cristaux de glace. La tendre poitrine du faisan se dressait, solitaire, dans l'assiette blanche, suivie d'une escorte bigarrée de légumes verts, rouges, blancs et jaunes, chacun dans son plat armorié à bordure bleu et or. Des perles de caviar, flanquées de rondelles de citron, fourmillaient par millions dans un grand vase de cristal. Et les tranches de jambon toutes rondes, surmontées par une grande fourchette d'argent tridentée, s'alignaient docilement dans un plat long, accompagnées de radis joufflus qui faisaient penser à de jeunes et croustillantes villageoises. Bouillies, rôties et marinées avec des oignons sucrés et vinaigrés, les grosses carpes bien grasses voisinaient, dans le verre, l'argent et la porcelaine, avec de minces brochets. Des pains ronds, noirs et blancs reposaient dans de simples corbeilles, d'un travail rustique, comme des enfants dans des berceaux, découpés en tranches à peine visibles et si artistement reconstitués qu'ils avaient encore l'air intact. Entre les plats s'intercalaient des bouteilles pansues, des carafes de cristal, carrées ou hexagonales, d'autres unies et rondes, les unes à long goulot, les autres à courte encolure, avec et sans étiquette, toutes suivies d'un régiment de grands et de petits verres aux formes variées.

Ils se mirent à manger.

Pour le préfet, cette manière inaccoutumée de prendre une collation à une heure inhabituelle était un indice extrêmement agréable des mœurs extraordinaires de la frontière. Dans la vieille monarchie impériale et royale, même les caractères spartiates comme M. von Trotta étaient de remarquables amateurs de plaisirs. Il s'était écoulé pas mal de temps déjà depuis le dernier repas extraordinaire du préfet. Le prétexte en avait été la fête d'adieu au gouverneur, le prince M., auquel ses fameuses connaissances linguistiques et son prétendu talent pour « mater les peuples sauvages » avaient valu une charge des plus honorifiques dans les territoires nouvellement occupés de Bosnie-Herzégovine. A cette occasion, le préfet avait mangé et bu d'une façon extraordinaire ! Et ce jour-là, avec d'autres jours d'agapes et de bonne chère, avait laissé dans sa mémoire un souvenir aussi fort que les jours exceptionnels où il avait reçu les félicitations de son gouverneur, ceux où il avait été nommé commissaire de district et, par la suite, préfet. Il dégustait des yeux l'excellence de la nourriture comme d'autres la dégustent du palais. Son regard erra plusieurs fois sur la richesse de la table, appréciant et s'arrêtant çà et là pour savourer. Il avait presque oublié l'ambiance mystérieuse, quelque peu inquiétante même. On mangea. On but des différentes bouteilles. Et le préfet fit l'éloge de tout, s'écriant : « Délicieux » ou : « Exquis », chaque fois que l'on passait d'un plat à un autre. Sa face se colorait lentement. Et les ailes de ses favoris bougeaient sans cesse.

— Je vous ai conviés ici, messieurs, disait Chojnicki, parce que nous n'aurions pas été tranquilles au Château Neuf. Là-bas, ma porte est pour ainsi dire toujours ouverte, tous mes amis peuvent y venir quand ils le désirent. D'habitude, je ne me tiens ici que pour travailler.

— Vous travaillez ? demanda le préfet.

— Oui, dit Chojnicki, je travaille. Je travaille en quelque sorte pour mon plaisir. Je me contente de poursuivre la tradition de mes ancêtres, mais, à l'avouer franchement, je suis loin de prendre la chose aussi au sérieux que ne le faisait encore mon grand-père. Les paysans de la région le tenaient pour un puissant magicien et peut-être l'était-il. Ils me prennent aussi pour un sorcier, ce que je ne suis pas. Jusqu'à présent, je n'ai pas réussi à fabriquer la moindre pépite.

— Pépite ? demanda le préfet. Une pépite de quoi ?

— D'or, cela va de soi ! fit Chojnicki, comme s'il s'agissait de la chose la plus naturelle du monde. Je m'entends un peu à la chimie, poursuivit-il, ce talent est de vieille tradition dans la famille. Vous voyez là, contre les murs, les plus archaïques et les plus modernes des appareils.

Il désignait les murs. Le préfet compta six rayons de bois sur chaque paroi. Sur les rayons, des mortiers, des sacs de papier, grands et petits, des fioles et, comme dans les anciennes pharmacies, de curieuses boules de verre remplies de liquides multicolores, de petites lampes, des réchauds à gaz et des éprouvettes.

— Très étrange ! dit M. von Trotta.

— Et je ne saurais dire moi-même, continuait Chojnicki, si je prends ou non la chose au sérieux. Oui, parfois, quand je viens ici, le matin, ma passion s'empare de moi, je lis les formules de mon grand-père, me mets à faire des expériences, me moque de moi-même et m'en vais. Mais je reviens toujours et fais toujours de nouvelles tentatives.

— Étrange, étrange ! répétait le préfet.

— Pas plus étrange, dit le comte, que toutes les autres choses que je pourrais entreprendre. Dois-je devenir ministre des Cultes et de l'Instruction publique ? On me l'a proposé. Dois-je devenir chef de cabinet ou ministre de l'Intérieur ? On me l'a proposé également. Dois-je aller à la cour, faire partie de la maison de l'Empereur ? Je le puis aussi, François-Joseph me connaît...

Le préfet recula sa chaise de deux pouces. Toutes les fois que Chojnicki appelait l'Empereur ainsi, familièrement, par son nom, comme s'il n'était qu'un de ces députés ridicules qui siégeaient au Parlement depuis l'établissement du suffrage universel, égalitaire et secret ou, en mettant les choses au mieux, comme s'il était déjà mort et figurait dans l'histoire nationale, le préfet en recevait un coup au cœur. Chojnicki se reprit :

— Sa Majesté me connaît.

Le préfet se rapprocha et demanda :

— Et pourquoi, je vous demande pardon, serait-il tout aussi superflu de servir la patrie que de faire de l'or ?

— Parce que la patrie n'est plus.

— Je ne comprends pas ! dit M. von Trotta.

— Je pensais bien que vous ne m'aviez pas compris, déclara Chojnicki. Nous ne vivons plus, ni les uns ni les autres !

Un profond silence s'établit. La dernière lueur du jour s'était éteinte depuis longtemps. Entre les fines lames des jalousies, on aurait pu voir quelques étoiles au ciel. Le vacarme des grenouilles avait fait place à la douce chanson métallique des grillons nocturnes. De temps à autre le coucou lançait son appel... Le préfet, que l'alcool, l'ambiance singulière et les discours inaccoutumés du comte avaient mis dans un état nouveau, presque magique, regardait son fils à la dérobée, uniquement pour voir un être qui lui fût familier et proche. Mais, Charles-Joseph, lui-même, ne lui paraissait plus ni familier ni proche ! Peut-être Chojnicki avait-il dit vrai, peut-être n'existaient-ils plus, ni les uns ni les autres, ni la patrie, ni le préfet, ni son fils ! Au prix d'un grand effort, le préfet parvint encore à formuler une question :

— Je ne comprends pas... Comment la monarchie n'existerait-elle plus ?

— Si on prend les choses à la lettre, elle dure toujours, naturellement, dit Chojnicki. Nous avons encore une armée — le comte désigna le sous-lieutenant — et des fonctionnaires — le comte désigna le préfet. Mais son corps vivant se désagrège. Elle se désagrège, elle est déjà désagrégée. C'est un vieillard voué à la mort, dont le moindre rhume de cerveau met la vie en danger, qui maintient l'ancien trône pour la simple et miraculeuse raison qu'il peut encore s'y tenir assis. Pour combien de temps encore, pour combien de temps ? Cette époque ne veut plus de nous ! Cette époque veut d'abord se créer des états nationaux indépendants. On ne croit plus en Dieu. La nouvelle religion, c'est le nationalisme. Les peuples ne vont plus à l'église. Ils fréquentent des groupements nationaux. La monarchie, notre monarchie, est fondée sur la piété ; sur la croyance que Dieu a choisi les Habsbourg pour régner sur tant et tant de nations chrétiennes. Notre Empereur est un frère séculier du pape, il est Sa Majesté apostolique, impériale et royale, aucune autre Majesté n'est « apostolique », aucune autre Majesté d'Europe ne dépend, comme lui, de la grâce divine et de la foi des peuples en la grâce divine. L'empereur d'Allemagne continuera toujours de régner, même si Dieu l'abandonne, il régnera, le cas échéant, par la grâce de la nation. L'empereur d'Autriche, lui, ne peut pas régner sans Dieu. Mais maintenant, Dieu l'a abandonné !

Le préfet se leva. Il n'aurait jamais cru qu'il pût y avoir homme au monde capable de dire que Dieu avait abandonné l'Empereur. Toutefois, à lui qui, toute sa vie, avait laissé les affaires du ciel aux théologiens et tenait du reste l'église, la messe, les cérémonies du Vendredi Saint, le clergé et le bon Dieu pour des institutions de la monarchie, la phrase du comte apporta la brusque explication de tout le trouble qu'il avait ressenti ces dernières semaines, surtout depuis la mort du vieux Jacques. Dieu avait abandonné le vieil Empereur, c'était certain ! Le préfet fit quelques pas et l'antique carrelage grinça sous ses pieds. Il s'approcha de la fenêtre et, entre les fentes des jalousies, vit les minces stries bleues de la nuit. Tous les phénomènes de la nature et tous les événements de la vie quotidienne prirent soudain un sens menaçant et incompréhensible. Incompréhensible, le susurrement des grillons ; incompréhensible, le scintillement des étoiles ; incompréhensible, le bleu velouté de la nuit. Son voyage à la frontière et son séjour chez le comte, tout devint incompréhensible pour le préfet. Il regagna la table, passa la main sur l'un de ses favoris, comme il avait coutume de le faire, quand il était légèrement perplexe. Légèrement perplexe ! Il n'avait jamais été en proie à une perplexité aussi grande qu'en ce moment. Il y avait encore un verre plein devant lui. Il le but rapidement.

— Alors, vous croyez... vous croyez que nous...

— Sommes perdus, compléta Chojnicki, nous sommes perdus, vous, votre fils et moi. Nous sommes, dis-je, les derniers d'un monde où Dieu accorde encore sa grâce aux Majestés et où des fous comme moi font de l'or. Écoutez ! Regardez !

Chojnicki se leva, se dirigea vers la porte, tourna un commutateur et les lampes du grand lustre s'illuminèrent.

— Regardez ! Cette époque est celle de l'électricité et non de l'alchimie. De la chimie aussi, comprenez-vous ? Vous savez comment la chose s'appelle ? De la nitroglycérine — le comte détachait les syllabes — de la nitroglycérine, répéta-t-il, et non plus de l'or ! On brûle encore souvent de la bougie au château de François-Joseph ! Comprenez-vous ? C'est la nitroglycérine et l'électricité qui causeront notre perte ! Il n'y en a plus pour bien longtemps, plus pour bien longtemps.

L'irradiation des lampes électriques éveillait dans les tubes de verre, contre les murs, sur les rayons, de tremblants reflets verts, rouges et bleus, étroits ou larges. Charles-Joseph restait silencieux et pâle. Il avait bu sans discontinuer. Le préfet regarda le sous-lieutenant. Il pensa à son ami, le peintre Moser. Et, parce qu'il avait bu lui-même, le vieux M. von Trotta, c'était comme dans un miroir très lointain qu'il apercevait la blême image de son fils ivre, sous les arbres verdoyants du *Volksgarten*, coiffé d'un chapeau mou, un grand carton sous le bras, ce fut comme si le don prophétique du comte, son don de voir l'histoire à venir, s'était transmis au préfet et l'avait rendu capable de distinguer l'avenir de son descendant. Les assiettes, plats, bouteilles et verres à moitié vides étaient mornes. Dans les tubes, le long des murs, les lumières qui les entouraient brillaient d'un éclat magique. Deux vieux laquais à favoris, qui ressemblaient comme des frères à l'Empereur François-Joseph et au préfet, commençaient à desservir. De temps à autre, l'appel du coucou tranchait sur la stridulation des grillons. Chojnicki leva une bouteille.

— Il faut que vous preniez encore de notre *nationale !* — c'est ainsi qu'il appelait l'eau-de-vie — il n'y en a plus qu'un reste. Et ils burent le dernier reste de *nationale.*

Le préfet tira sa montre, mais ne put discerner exactement la position des aiguilles. Leur rotation sur le cadran blanc paraissait si rapide qu'on aurait dit qu'il y avait cent aiguilles au lieu des deux réglementaires. Et, au lieu des douze chiffres, il y en avait douze fois douze. Or, les chiffres se serraient les uns contre les autres comme, d'habitude, les traits des minutes. Il pouvait être neuf heures du soir ou déjà minuit.

— Dix heures ! dit Chojnicki.

Les laquais à favoris prirent doucement les invités sous le bras et les firent sortir. La grande calèche de Chojnicki attendait. Le ciel était très proche. Telle une coque terrestre, bienfaisante et familière, d'un vert-bleu également familier, il reposait sur la terre, si près qu'on aurait pu le toucher de la main. Les étoiles avaient été piquées avec des épingles dans le ciel proche, comme de petits drapeaux dans une carte de géographie. Parfois, la nuit bleue tout entière tournait autour du préfet, se balançait doucement, puis de nouveau s'arrêtait. Les grenouilles coassaient dans les immenses marais. On sentait une odeur humide de pluie et d'herbe. Le cocher en manteau noir dominait les chevaux fantomatiques, devant la voiture noire. Les chevaux blancs hennissaient, leurs sabots grattaient le sol mouillé et sablonneux, doucement, comme des pattes de chat.

Le cocher eut un claquement de langue et ils se mirent en marche.

Ils refirent en sens inverse le chemin par lequel ils étaient venus, prirent la large allée de bouleaux, semée de gravier, et atteignirent les lanternes qui annonçaient le « Château Neuf ». Les troncs argentés des bouleaux brillaient d'un éclat plus vif encore que les lanternes. Les roues caoutchoutées de la calèche roulaient sur le gravier, sans heurts, avec un sourd murmure, on n'entendait que les sabots des chevaux blancs. La calèche était large et commode. On s'y adossait comme sur un lit de repos. Le sous-lieutenant Trotta dormait. Il était assis à côté de son père. Sa figure pâle s'appuyait presque verticalement contre le dossier rembourré ; par la portière ouverte, le vent venait l'effleurer. De temps à autre, une lanterne l'éclairait. Alors, Chojnicki, installé en face de ses hôtes, voyait les lèvres exsangues, entrouvertes, du sous-lieutenant, et son nez dur et saillant.

— Il dort bien, dit-il au préfet.

Il leur semblait à tous deux qu'ils étaient les deux pères du sous-lieutenant. Le vent de la nuit dégrisait le préfet, mais un vague effroi habitait encore son cœur. Il voyait le monde sombrer et c'était son monde à lui. Chojnicki était assis vis-à-vis de lui, vivant ; c'était, selon toute apparence, un homme vivant dont les genoux heurtaient même parfois le tibia de M. von Trotta et pourtant il était inquiétant. Le vieux revolver, emporté par le préfet, le gênait dans la poche arrière de son pantalon. A quoi un revolver rimait-il ici ? On ne voyait pas d'ours et pas de loups à la frontière. On n'y voyait que le naufrage du monde !

La voiture s'arrêta devant le grand porche de bois voûté. Le cocher fit claquer son fouet. La porte s'ouvrit à deux battants et, à pas mesurés, les chevaux blancs gravirent la pente douce. Par les fenêtres de la façade, la lumière tombait sur le gravier et sur le gazon, de part et d'autre de l'allée. On entendait des voix et du piano. C'était indubitablement une « grande fête ».

On avait déjà dîné. Les laquais couraient dans toutes les directions en portant de grands verres d'alcool de toutes couleurs. Les invités dansaient, jouaient au tarot et au whist, buvaient. Là-bas, l'un d'eux faisait un discours à des gens qui ne l'écoutaient pas. Quelques-uns parcouraient les salles en titubant, d'autres dormaient dans les coins. Les hommes dansaient exclusivement entre eux. Les dragons en tenue de fantaisie serraient leurs dolmans noirs contre les tuniques bleues des chasseurs. Dans les pièces du Château Neuf, Chojnicki éclairait à la bougie. De puissants candélabres d'argent posés le long des murs, sur des rebords ou des consoles de pierre, ou tenus par les laquais qui se relayaient toutes les demi-heures, sortaient de grosses bougies d'un blanc de neige ou jaune cire. Leurs petites flammes tremblaient parfois au vent nocturne qui soufflait par les fenêtres ouvertes. Quand le piano se taisait quelques instants, on percevait la stridulation des grillons et le chant des rossignols et, de temps en temps, le choc léger des larmes de cire tombant goutte à goutte sur l'argent.

Le préfet cherchait son fils. Une angoisse sans nom chassait le vieil homme à travers les salles. Son fils... où était-il ? Ni parmi les danseurs, ni parmi ceux qui titubaient sous l'effet de l'ivresse, ni parmi les joueurs, ni parmi les messieurs d'un certain âge, bien élevés, qui conversaient çà et là dans les angles. Le sous-lieutenant était assis, tout seul, dans une pièce écartée. Une grosse bouteille était à ses pieds, à moitié vide. Elle avait l'air énorme à côté du mince buveur tassé sur lui-même, on l'eût dite capable d'engloutir celui-ci. Le préfet se posta devant lui, les pointes de ses bottines touchèrent la bouteille. Le fils aperçut deux pères et plus encore, leur nombre augmentait à chaque seconde. Il se sentait oppressé par eux. Témoigner à tant de pères le respect qui ne revenait qu'à un seul, se lever devant tous, cela n'avait pas de sens. Cela n'avait pas de sens et le lieutenant garda son étrange position, c'est-à-dire qu'il resta assis, couché et accroupi en même temps. Le préfet ne bougea pas. Son cerveau travaillait très vite, donnant naissance à mille souvenirs. Il voyait par exemple Charles-Joseph, élève à l'école des cadets, assis les dimanches d'été dans son cabinet de travail, les gants d'un blanc de neige et le képi noir sur les genoux, répondant à chacune de ses questions d'une voix sonore avec son regard d'enfant docile. Le préfet voyait entrer dans la même pièce le sous-lieutenant nouvellement nommé, bleu, or, et rouge sang. Mais ce jeune homme était bien loin maintenant du vieux M. von Trotta. Pourquoi cela lui faisait-il si mal de voir un sous-lieutenant de chasseurs ivre ?

Le sous-lieutenant ne bronchait pas. Il parvenait bien à se rappeler que son père était récemment arrivé, à distinguer qu'il n'avait pas devant lui ce seul père, mais plusieurs. Toutefois, il n'arrivait pas à comprendre pourquoi son père était arrivé précisément ce jour-là, ni pourquoi lui-même, le sous-lieutenant, n'était pas en état de se mettre debout.

Depuis plusieurs semaines, le sous-lieutenant Trotta s'était habitué au « quatre-vingt-dix degrés ». Il ne vous montait pas à la tête, il vous tombait seulement « dans les pieds », comme disaient volontiers les amateurs. Tout d'abord, il produisait une agréable chaleur dans la poitrine. Le sang commençait à rouler plus vite dans les veines, l'appétit remplaçait le mal de cœur et l'envie de vomir.

Alors, on reprenait encore un « quatre-vingt-dix degrés » : si froid et si sombre que fût le matin, on s'y enfonçait avec courage et de la meilleure humeur du monde, comme dans un matin ensoleillé et heureux. Pendant le repos, on mangeait un morceau en compagnie des camarades, à l'auberge-frontière, au voisinage de la forêt-frontière où les chasseurs faisaient l'exercice, et l'on buvait un nouveau coup de « quatre-vingt-dix degrés ». Il vous coulait dans le gosier comme un incendie qui s'éteint lui-même. C'est à peine si l'on sentait que l'on avait mangé. On retournait à la caserne, on se changeait, on allait déjeuner à la gare. Bien qu'on eût fait un long trajet, on n'avait pas la moindre faim, en conséquence de quoi on reprenait un « quatre-vingt-dix degrés ». On mangeait et on avait immédiatement envie de dormir. On buvait donc du café noir et un nouveau « quatre-vingt-dix degrés » par-dessus. Bref, il n'arrivait jamais, au cours de l'ennuyeuse journée, qu'on eût un motif de ne point boire un petit verre d'eau-de-vie. Il y avait au contraire bien des après-midi et bien des soirées où il était indiqué de prendre de l'alcool.

Car la vie devenait facile aussitôt qu'on avait bu ! O miracle de cette frontière ! Elle rendait la vie difficile à l'homme à jeun, mais à qui permettait-elle de rester à jeun ? Quand il avait bu, le sous-lieutenant voyait en tous ses camarades, supérieurs et subordonnés, de vieux et bons amis. La petite ville lui était familière, comme s'il y était né et y avait grandi. Il pouvait aller dans les minuscules boutiques, sombres et pleines de recoins, bourrées de marchandises de toutes sortes, qui étaient creusées comme des trous de rats dans les murs épais du *bazar,* pour y faire emplette de choses inutilisables : faux corail, petits miroirs à bon marché, misérable savon, peignes en bois de tremble, laisses de chien nattées, et cela uniquement parce qu'il obéissait joyeusement à l'appel d'un Juif au poil roux. Il souriait à tout le monde, aux paysannes portant des fichus bariolés et de grands cabas de rafia, aux filles des Juifs coquettement habillées, aux employés de la préfecture et aux professeurs du lycée. Un large courant de sympathie et de bonté circulait dans ce monde en réduction. Et de ce monde, un salut enjoué semblait venir au-devant du sous-lieutenant. Il n'existait plus rien de pénible. Rien de pénible dans le service, ni en dehors du service ! Tout se faisait vite et sans difficulté. On comprenait le

181

langage d'Onufrij. Vous arrivait-il de tomber dans un village des environs, vous demandiez votre chemin aux paysans, ils vous répondaient dans une langue étrangère et vous les compreniez. On ne montait pas à cheval. On prêtait son cheval à tel ou tel camarade, de bons cavaliers qui savaient apprécier une monture. En un mot, on était satisfait. Le sous-lieutenant Trotta ignorait seulement que sa démarche devenait incertaine, que sa veste était tachée, son pantalon sans pli, qu'il manquait des boutons à ses chemises ; qu'il avait le teint jaune le soir, gris cendre le matin, le regard vague. Il ne jouait pas, c'était la seule chose qui rassurât le commandant Zoglauer. Dans la vie de tout homme, il y avait des moments où il fallait boire. Ça ne faisait rien, ça passait ! L'eau-de-vie était bon marché. Ce qui les perdait presque tous, c'étaient les dettes ! Trotta n'était pas plus négligent que les autres dans son service. Il ne faisait pas de scandale comme bien d'autres. Plus il buvait, plus il était doux. Il se mariera un jour et redeviendra sobre, se disait le commandant. C'est un protégé des hautes sphères. Pour peu qu'il le veuille, il sera de l'état-major.

M. von Trotta s'assit avec précaution sur le bord du sofa, à côté de son fils, et chercha des paroles de circonstance. Il n'avait pas l'habitude de parler à des ivrognes.

— Tout de même, dit-il après avoir assez longuement réfléchi, il faut prendre garde à l'alcool. Moi, par exemple, je n'ai jamais bu plus qu'à ma soif.

Le sous-lieutenant fit un effort surhumain pour passer de son irrespectueuse station accroupie à la station assise. Son effort fut vain. Il considéra le vieil homme. Dieu merci, il n'y en avait plus qu'un qui devait se contenter de l'étroit bord du siège, les mains appuyées sur les genoux ! Et il demanda :

— Qu'est-ce que tu viens de dire, papa ?

— Il faut prendre garde à l'alcool, répéta M. von Trotta.

— Pourquoi ?

— Que me demandes-tu là ? fit le préfet, son fils lui paraissait avoir assez de lucidité pour comprendre ce qu'il lui disait. L'alcool te perdra. Te rappelles-tu Moser ?

— Moser, Moser, dit Charles-Joseph, bien sûr... Il a tout à fait raison ! Je me souviens de lui. C'est lui qui a fait le portrait de grand-père.

— Tu l'as oublié, murmura M. von Trotta.

— Je ne l'ai jamais oublié, répondit le sous-lieutenant. J'ai toujours pensé à ce portrait. Je ne suis pas assez fort pour ce portrait. Les morts... Je ne peux pas oublier les morts... Père, je ne peux rien oublier... Père !...

M. von Trotta restait perplexe à côté de son fils. Il ne comprenait pas très bien ce que disait Charles-Joseph, mais il pressentait aussi que ce n'était pas seulement l'ivresse qui parlait par la bouche de son fils. Il comprenait que son fils lui criait au secours et il ne pouvait pas le secourir. Il était venu à la frontière pour trouver lui-même un peu d'aide. Car il était tout seul en ce monde. Et ce monde sombrait aussi. Jacques gisait sous terre, on était seul, on voulait revoir son fils encore une fois, le fils était seul aussi, il était peut-être plus près du naufrage du monde, parce qu'il était plus jeune. Que la vie a donc toujours été simple ! se disait le préfet. A toutes les situations correspondait une attitude déterminée. Quand votre fils venait en vacances, vous lui faisiez subir un petit examen. Quand il devenait sous-lieutenant, vous le félicitiez. Quand il vous écrivait ses obéissantes lettres où il y avait si peu de chose, vous lui répondiez par quelques lignes mesurées. Mais comment se conduire, quand votre fils était ivre ? Quand il vous criait : « Père ! », quand quelque chose en lui vous criait : « Père ! »

Il vit entrer Chojnicki et se leva plus brutalement que ce n'était sa manière.

— Il est arrivé un télégramme pour vous, dit Chojnicki. C'est le domestique de l'hôtel qui l'a apporté.

C'était une dépêche officielle. Elle rappelait M. von Trotta.

— On vous rappelle déjà, dommage, déclara Chojnicki. Ce doit être en rapport avec les sokols.

— Oui, c'est vraisemblable, dit M. von Trotta. Il va y avoir des désordres.

Il savait maintenant qu'il était trop faible pour entreprendre quelque chose contre des désordres. Il était très las. Il lui restait encore quelques années avant la retraite. Mais, en cet instant, l'idée lui passa par l'esprit de la demander bientôt. Il pourrait s'occuper de Charles-Joseph. C'était la tâche qui convenait à un père.

Chojnicki dit :

— Entreprendre quoi que ce soit contre des désordres n'est pas facile. Quand on a les mains liées comme dans cette sacrée monarchie ! Faites donc seulement arrêter quelques meneurs, alors les francs-maçons, les députés, les démagogues, les journaux, vous tomberont dessus et on les remettra tous en liberté. Faites dissoudre l'association des sokols et vous recevrez un blâme de votre gouvernement. Oui, attendez un peu ! Au moins ici, dans ma circonscription, tout désordre se termine par des coups de fusil et, tant que je vivrai, je serai élu comme candidat du gouvernement, ce pays est heureusement éloigné de toutes les idées modernes exploitées dans les sales journaux. Il s'approcha de Charles-Joseph et du ton expert d'un homme habitué au commerce des ivrognes, il dit :

— Monsieur votre père est obligé de s'en aller.

Le sous-lieutenant comprit aussitôt. Il chercha son père de son regard vitreux.

— J'en suis navré, père !

— Il m'inspire quelque inquiétude, dit le préfet à Chojnicki.

— Avec raison, répondit Chojnicki. Il faut qu'il parte d'ici, quand il aura son congé, j'essaierai de lui faire voir un peu le monde. Alors, il n'aura plus envie de revenir. Peut-être aussi tombera-t-il amoureux...

— Je ne tomberai pas amoureux, dit Charles-Joseph très lentement.

Ils rentrèrent à l'hôtel.

Pendant tout le trajet, un seul mot fut prononcé : « Père ! » dit Charles-Joseph, et ce fut tout.

Le lendemain matin, le préfet se réveilla très tard, on entendait déjà les trompettes du bataillon qui rentrait. Le train partait dans deux heures. Charles-Joseph arrivait. Déjà le fouet de Chojnicki claquait en bas pour donner le signal. Le préfet déjeunait au buffet de la gare, à la table des officiers de chasseurs.

Il s'était écoulé un temps extrêmement long depuis qu'il avait quitté sa préfecture de W... Il dut faire effort pour se rappeler que, depuis qu'il avait pris le train, il ne s'était passé que deux jours. Abstraction faite du comte Chojnicki, il était le seul civil de la longue table, en fer à cheval, des officiers chamarrés et se tenait assis, sombre et sec, sous le portrait de François-Joseph Ier, le portrait connu, partout présent, du chef suprême de l'armée, en tunique blanche de feldmarschall, avec son écharpe rouge sang. Les ailes sombres, légèrement argentées, des favoris de M. von Trotta s'étalaient presque parallèlement aux favoris blancs de l'Empereur, à cinquante centimètres au-dessous de lui. Les plus jeunes officiers, placés aux extrémités du fer à cheval, pouvaient voir la ressemblance de Sa Majesté apostolique et de son serviteur. Et, de sa place, le sous-lieutenant pouvait comparer, lui aussi, le visage de l'Empereur et celui de son père. Or, durant quelques minutes, il sembla au sous-lieutenant que c'était le portrait de son père vieilli qui était suspendu là-haut, contre le mur, et que c'était l'Empereur en chair et en os qui se tenait à table, en civil et un peu rajeuni. L'Empereur et son père lui devinrent lointains et étrangers.

Pendant ce temps, le préfet jetait un regard désespéré et inquisiteur autour de la table, sur les figures imberbes des jeunes officiers et les faces moustachues des plus âgés. Le commandant Zoglauer était à côté de lui. Hélas ! M. von Trotta aurait bien voulu échanger encore avec lui quelques paroles inquiètes à propos de Charles-Joseph. Mais il n'y avait plus le temps. Le train venait déjà se garer devant les fenêtres.

M. von Trotta était complètement découragé. De tous côtés, on buvait à sa santé, à son beau voyage, au succès de ses devoirs professionnels. Il sourit dans toutes les directions, se leva brusquement, trinqua de-ci de-là. Sa tête était lourde de soucis et de graves pressentiments oppressaient son cœur. Ne s'était-il pas écoulé un temps considérable depuis qu'il avait quitté son district de W... ? Oui, le préfet s'était rendu gaiement et cavalièrement dans une contrée aventureuse, auprès de son fils. Et maintenant, il s'en revenait, seul, de chez son fils, qui restait, de la frontière où l'on voyait déjà le monde sombrer aussi nettement que l'on voit un orage se former aux confins d'une ville dont les rues s'allongent encore, heureuses, sans se douter de rien, sous le ciel bleu. La cloche de l'employé retentissait déjà joyeusement. La locomotive sifflait déjà. La vapeur du train s'abattait déjà en fines perles sur les fenêtres du buffet. Le repas était déjà fini et tous se levaient. « Le bataillon tout entier » accompagna M. von Trotta sur le quai. M. von Trotta éprouvait le désir de dire quelque chose de particulier, mais il ne lui venait rien à l'esprit qui fût de circonstance. Il envoya encore un affectueux regard à son fils. Mais tout de suite après il craignit qu'on eût remarqué ce regard et baissa les yeux. Il serra la main du commandant Zoglauer. Il remercia Chojnicki. Il souleva le demi-haut-de-forme gris qu'il avait coutume de porter dignement en voyage. Il tenait son chapeau de la main gauche et, de la droite, il enlaça le dos de Charles-Joseph. Il embrassa son fils sur les joues. Et bien qu'il eût envie de dire : « Ne te fais pas de bile, mon fils, je t'aime », il dit seulement :

— Tiens-toi bien ! Car les Trotta étaient des gens timides.

Il montait déjà en voiture, le préfet. Il était déjà à la portière, sa main, dans son gant gris, appuyée sur la glace baissée. Son crâne chauve brillait. Une fois encore, ses yeux soucieux cherchèrent le visage de Charles-Joseph.

— Si vous revenez prochainement, dit le capitaine Wagner, toujours de bonne humeur, vous trouverez déjà ici un petit Monte-Carlo.

— Comment cela ? demanda M. von Trotta.

— On va ouvrir une salle de jeu ! répondit Wagner.

Or, avant que le préfet eût pu appeler son fils pour le mettre en garde, de tout son cœur, contre le Monte-Carlo annoncé, la locomotive siffla, les tampons s'entrechoquèrent bruyamment et le train se mit en marche. Le préfet salua de son gant gris et tout le régiment lui fit le salut militaire. Charles-Joseph ne bougea pas. Il revint avec Wagner.

— Ce sera une salle de jeu épatante ! dit le capitaine. Une vraie salle de jeu ! Ah ! mon Dieu, qu'il y a donc longtemps que je n'ai vu de roulette ! J'adore la voir rouler. Et son bruit ! Ça me fait un plaisir extraordinaire !

Le capitaine Wagner n'était pas le seul qui attendit l'ouverture de la salle de jeu. Ils l'attendaient tous. Voilà des années que la garnison frontière attendait la salle de jeu que devait ouvrir Kapturak.

Huit jours après le départ du préfet, Kapturak arriva. Il aurait vraisemblablement excité une plus grande curiosité encore si, en même temps que lui, et par un curieux hasard, n'était arrivée la dame sur qui se porta l'attention de tous.

XII

Il y avait alors, sur les confins de la monarchie austro-hongroise, beaucoup d'individus de l'espèce de Kapturak. Ils commençaient à tournoyer aux abords du vieil empire comme de lâches oiseaux noirs qui épient le mourant d'une distance infinie. Ils attendent sa fin avec d'impatients battements de leurs ailes sombres. Ils précipitent leurs becs abrupts sur leur proie. On ne sait pas d'où ils viennent, ni où ils vont. Ce sont les frères ailés de la mort : ils l'annoncent, l'accompagnent et lui succèdent.

Kapturak est un petit homme au visage insignifiant. Des bruits furtifs lui font cortège, le précèdent dans ses voies tortueuses, suivent les traces à peine visibles qu'il laisse derrière lui. Il habite à l'auberge-frontière. Il est en rapport avec les agents des compagnies de navigation sud-américaines qui transportent annuellement des milliers de déserteurs russes dans une nouvelle et féroce patrie. Il aime jouer et boit peu. Il n'est pas dépourvu d'une certaine affabilité chagrine. Il raconte qu'il a fait pendant de nombreuses années, de l'autre côté de la frontière, la contrebande des déserteurs russes et que, dans la crainte d'être traîné en Sibérie, il y a abandonné une maison, une femme et des enfants, lorsqu'on eut arrêté et condamné plusieurs fonctionnaires civils et militaires. Et quand on lui demande ce qu'il projette de faire ici, Kapturak répond avec un sourire :

— Des affaires !

Le propriétaire de l'hôtel où logeaient les officiers, un certain Brodnitzer, Silésien d'origine, qui avait échoué à la frontière pour des raisons inconnues, ouvrit la salle de jeu. Il suspendit un grand écriteau à la devanture de son café. Il annonça qu'il tenait prêts des jeux de toutes sortes, ferait « concerter » un orchestre tous les jours, du soir au matin, et qu'il avait engagé de « célèbres chanteuses de café-concert ». L'organisation nouvelle de l'établissement débuta par l'audition de l'orchestre composé d'un ramassis de huit musiciens. Puis on vit apparaître le « Rossignol de Mariahilf », jeune personne d'Oderberg. Elle chantait des valses de Lehar, les faisait

187

suivre de la chanson osée. « Quand, dans la nuit d'amour, je m'en vais au petit jour... » et donnait en supplément : « Sous ma petite robe, j'porte des dessous roses, tout pleins d'plis... » C'est ainsi que Brodnitzer échauffait les espoirs de sa clientèle. On découvrit qu'à côté de ses nombreuses tables de jeu, courtes ou longues, dans l'ombre d'une encoignure que dissimulait un rideau, Brodnitzer avait installé une petite table de roulette. Le capitaine Wagner excitait l'enthousiasme en allant en parler à tout le monde. Pour les hommes qui servaient à la frontière, la petite boule était au nombre de ces objets magiques du grand monde qui vous font gagner soudainement de belles femmes, des chevaux de prix et de riches châteaux. A qui ne serait-elle pas venue en aide, la petite boule ? Ils avaient tous vécu de mornes années d'enfance à l'école congréganiste, de rudes années de jeunesse à l'école des cadets, de cruelles années de service à la frontière. Ils attendaient la guerre. Au lieu de cela, on avait eu une mobilisation partielle contre la Serbie, d'où l'on était retombé dans l'attente habituelle de l'avancement automatique. Manœuvres, service, mess. Mess, service, manœuvres. C'était la première fois qu'ils entendaient la petite boule rouler ; maintenant ils savaient que c'était la chance elle-même qui roulait parmi eux pour atteindre untel aujourd'hui, et tel autre demain. Des messieurs étrangers, comme on n'en avait jamais vu, siégeaient là, pâles, riches et taciturnes. Un jour, le capitaine Wagner gagna cinq cents couronnes. Le lendemain, ses dettes étaient payées. Pour la première fois depuis longtemps, il toucha ce mois-là son traitement intégral, trois tiers complets. Il est vrai que le lieutenant Schnabel et le lieutenant Gründler avaient perdu cent couronnes chacun. Mais ils pouvaient en gagner mille le lendemain...

Quand la bille blanche commençait à courir, semblable elle-même à une trace laiteuse autour des cases noires et rouges, quand ces cases se mélangeaient jusqu'à se fondre elles-mêmes en un unique cercle de couleur indéfinissable, le cœur des officiers palpitait, un brouhaha inconnu se faisait dans leur tête, comme si une bille particulière virait dans chacun de leurs cerveaux. Alors ils voyaient noir, rouge, noir, rouge. Les genoux flageolaient, bien qu'on fût assis. Les yeux se hâtaient désespérément de suivre la boule qu'ils ne pouvaient pas saisir. Suivant ses lois propres, elle finissait par tituber d'elle-même, grisée par la course, et s'arrêtait, épuisée, dans un des creux numérotés. Tous poussaient un soupir de soulagement. Même celui qui avait perdu se sentait délivré. Ils se le disaient le lendemain matin. Et un grand vertige les prit tous. Il vint de plus en plus d'officiers dans la salle de jeu. Des civils inconnus arrivaient aussi de régions inexplorées. C'étaient eux qui animaient les parties, remplissaient la caisse, extrayaient de gros billets de banque de leur portefeuille, des ducats d'or, des montres et des chaînes de leur gousset, retiraient des bagues de leurs doigts.

Toutes les chambres de l'hôtel étaient occupées. Les fiacres somnolents qui, d'ordinaire, attendaient à la station, avec leurs cochers bâillant sur leur siège et leurs rosses efflanquées, figés comme au musée de cire, se réveillaient eux aussi ! Tiens, mais leurs roues étaient capables de rouler ! Les vieux canassons trottaient, sabots claquants, de la gare à l'hôtel, de l'hôtel à la frontière, puis rentraient dans la petite ville. Les boutiquiers moroses avaient un sourire. Leurs échoppes obscures semblaient devenir plus lumineuses, les marchandises de leurs étalages plus colorées. Nuit après nuit, le « Rossignol de Mariahilf » chantait et, comme si sa chanson avait réveillé d'autres sœurs, de jeunes personnes qu'on n'avait jamais vues arrivaient en belle toilette au café. On rangeait les tables, et l'on dansait au son des valses de Lehar. Le monde entier était métamorphosé.

Le monde entier, oui ! Ailleurs, on voyait apparaître de singulières affiches, comme on n'en avait jamais vu en cet endroit. Dans toutes les langues du pays, elles engageaient les ouvriers de la manufacture à cesser le travail. La préparation du chiendent pour balai-brosse est la seule misérable industrie de la région. Les ouvriers sont de pauvres paysans. Une partie d'entre eux abat du bois en hiver, fait la moisson en automne. En été ils sont obligés d'aller à l'usine. D'autres appartiennent aux couches inférieures de la population juive. Ils ne savent ni compter ni faire du commerce, ils n'ont pas non plus appris de métier. Dans les environs, à plus de vingt lieues à la ronde, il n'y a pas d'autre fabrique.

Les prescriptions qui réglementaient la préparation du chiendent et que les fabricants n'appliquaient pas volontiers étaient incommodes et coûteuses. Il fallait doter les ouvriers de masques interceptant poussières et bacilles, prévoir des locaux spacieux et bien éclairés, faire brûler les déchets deux fois par jour, et remplacer les ouvriers qui commençaient à tousser. Car tous ceux qui étaient occupés à nettoyer le chiendent se mettaient rapidement à cracher du sang. La fabrique était une vieille bâtisse délabrée, avec de petites fenêtres et un toit d'ardoise en mauvais état, que limitait une haie de saules proliférant en toute liberté et qu'entourait un vaste terrain vague où l'on déchargeait le fumier depuis des temps immémoriaux, où des chats et des rats crevés étaient livrés à la pourriture, où rouillaient des ustensiles en fer-blanc, où des pots cassés voisinaient avec des chaussures percées. Tout alentour s'étendaient des champs couverts de cette bénédiction qu'est le blé doré, remplis de l'incessante stridulation des grillons, ainsi que des marais d'un vert sombre retentissant sans cesse du joyeux tapage des grenouilles. Devant les petites croisées grises, auprès desquelles les ouvriers peignaient infatigablement, de leurs râteaux de fer, la chevelure emmêlée des bottes de chiendent et avalaient des nuages de poussière sèche auxquels donnait naissance chaque nouveau paquet, les hirondelles filaient, les mouches scintillantes dansaient, les papillons blancs ou multicolores voletaient et la triomphale fanfare des alouettes pénétrait par les lucarnes du toit. Arrivés, depuis peu de mois seulement, de leurs libres villages, les ouvriers qui étaient nés et qui avaient grandi dans le doux parfum du foin, la froide haleine de la neige, l'âcre odeur de l'engrais, le chant des oiseaux, la diversité des bienfaits de la nature, les ouvriers regardaient l'hirondelle, le papillon et la sarabande des moucherons, à travers les nuages de poussière grise, et ils avaient le mal du pays. Les trilles des alouettes en faisaient des insatisfaits. Ils ignoraient auparavant qu'une loi ordonnait de prendre soin de leur santé, qu'il y avait un Parlement dans la monarchie et qu'au Parlement siégeaient des députés, ouvriers eux-mêmes. Des étrangers arrivaient qui rédigeaient des affiches, organisaient des réunions, vous expliquaient la Constitution et les défauts de la Constitution, vous lisaient des extraits de journaux, parlaient toutes les langues du pays. Ils faisaient plus de bruit que les alouettes et les grenouilles : les ouvriers se mirent en grève.

C'était la première grève de la région. Elle effraya les autorités civiles. Elles étaient habituées, depuis des décennies, à organiser de paisibles recensements, à célébrer l'anniversaire de l'Empereur, à prendre part au recrutement annuel et à envoyer des rapports uniformes au gouvernement. On arrêtait de temps en temps des Ukrainiens russophiles, un pope orthodoxe, des Juifs surpris à faire la contrebande du tabac et des espions. Depuis des décennies, on nettoyait le chiendent, l'expédiait aux fabriques de brosses de Moravie, de Bohême, de Silésie et recevait de ces pays les brosses terminées. Depuis des années, les ouvriers toussaient, crachaient du sang, tombaient malades et mouraient dans les hôpitaux. Mais ils ne faisaient pas grève. Et maintenant, il fallait rassembler les postes de gendarmerie de toute la contrée et envoyer un rapport au gouvernement. Celui-ci entra en contact avec l'autorité militaire et l'autorité militaire informa le commandant de la garnison.

Les jeunes officiers s'imaginaient que le « peuple », c'est-à-dire la couche inférieure de la population civile, revendiquait son égalité de droits avec les fonctionnaires, les nobles et les négociants. On ne pouvait, en aucun cas, la lui accorder si l'on voulait éviter une révolution. Et l'on ne voulait pas de révolution. Et il fallait tirer, avant qu'il ne fût trop tard. Le commandant Zoglauer fit une petite allocution d'où tout cela ressortait clairement. Une guerre est certes plus agréable. On n'est pas officier de gendarmerie, ni de police ! Mais il n'y a pas de guerre pour le moment. Un ordre est un ordre. Le cas échéant, il faudra mettre baïonnette au canon et commander le feu. Un ordre est un ordre. Pour le moment, cet ordre n'empêche personne de fréquenter l'établissement de Brodnitzer et de gagner beaucoup d'argent.

Un jour, le capitaine Wagner en perdit beaucoup. Un monsieur étranger, ancien uhlan de l'active, au nom ronflant, propriétaire terrien en Silésie, gagna deux soirs de suite, prêta de l'argent au capitaine et fut rappelé chez lui le troisième par un télégramme. Cela faisait deux mille couronnes en tout, une bagatelle pour un officier de cavalerie. Mais pas pour un officier de chasseurs ! On aurait pu aller trouver Chojnicki, si on ne lui en avait pas déjà dû trois cents.

Brodnitzer déclara :

— Mon capitaine, disposez comme vous voudrez de ma signature.

— Oui, dit le capitaine, mais qui m'avancera une pareille somme sur votre signature ?

Brodnitzer réfléchit un moment :

— M. Kapturak.

Kapturak se montra et dit :

— Il s'agit donc de deux mille couronnes. Remboursables ?

— Pas la moindre idée.

— Ça fait bien de l'argent, monsieur le capitaine.

— Je le rendrai, répliqua Wagner.

— Comment ? En combien d'acomptes ? Vous savez qu'on ne peut retenir qu'un tiers du traitement ? Que, de plus, tous ces messieurs sont déjà fort engagés. Je ne vois aucune possibilité !

— M. Brodnitzer... commença le capitaine.

— M. Brodnitzer, dit Kapturak, comme si Brodnitzer n'avait pas été présent, me doit aussi beaucoup d'argent. Je pourrais vous donner la somme que vous désirez si l'un de vos camarades, non engagé encore, voulait se porter garant. M. le lieutenant von Trotta, par exemple. Il vient de la cavalerie, il a un cheval.

— Soit, dit le capitaine. Je vais lui en parler.

Et il réveilla Trotta.

Ils étaient dans le long corridor, étroit et obscur, de l'hôtel.

— Signe vite ! chuchota le capitaine. Ils sont là-bas. Ils voient que tu n'as pas envie !

Trotta signa.

— Descends tout de suite ! dit Wagner. Je t'attends.

Charles-Joseph s'arrêta auprès de la petite porte du fond, par où les locataires de l'hôtel entraient habituellement dans le café. C'était la première fois qu'il voyait la salle de jeu que Brodnitzer venait d'ouvrir. C'était la première fois que, de toute façon, il voyait une salle de jeu. Un rideau de reps vert foncé était tiré autour de la roulette. Le capitaine Wagner le souleva et disparut de l'autre côté, dans un monde nouveau. Charles-Joseph entendait le ronron étouffé, velouté, de la boule. Il n'osait pas soulever la tenture. L'estrade se dressait à l'autre bout du café, près de la porte de la rue, et l'infatigable rossignol de Mariahilf tourbillonnait sur l'estrade. Aux tables, on jouait. Les cartes claquaient en s'abattant sur le faux marbre. Les gens poussaient des exclamations indistinctes. Ils avaient l'air de porter un uniforme, tous en bras de chemise, régiment de joueurs assis. Les vestes pendaient au dos des chaises ; à chaque mouvement des joueurs, leurs manches vides se balançaient comme des spectres. Une épaisse nuée orageuse, faite de la fumée des cigarettes, planait au-dessus des têtes. Dans la vapeur grise, les bouts des cigarettes formaient de minuscules brasiers, rougeâtres ou argentés, et leur brouillard alimentait sans cesse l'épaisse nuée orageuse. Au-dessous de celle-ci, un deuxième nuage semblait flotter, nuage de bruits, mugissant, grondant, bourdonnant. Quand on fermait les yeux, on pouvait croire qu'une immense armée de sauterelles au chant terrifiant avait été lâchée sur l'assistance.

Le capitaine Wagner, complètement transformé, rentrait dans le café, par le rideau. Ses yeux étaient dans des cavernes violettes. Sur sa bouche pendait une moustache ébouriffée, dont une moitié paraissait étrangement écourtée et, sur son menton, les poils roussâtres de sa barbe drue étaient de minuscules lances.

— Où es-tu, Trotta ? cria-t-il, bien qu'ils fussent face à face. Deux cents de perdues ! Maudit rouge ! C'en est fini de ma chance à la roulette ! Il faut que j'essaie autre chose !

Et il entraîna Trotta vers les tables de jeu.

Kapturak et Brodnitzer se levèrent :

— Gagné ? demanda Kapturak, car il voyait bien que le capitaine avait perdu.

— Perdu, perdu ! hurla Wagner.

— Dommage, dommage ! fit Kapturak. Tenez, moi, par exemple, combien de fois déjà n'ai-je pas gagné ou perdu ! Il m'est même arrivé de tout perdre, puis de tout regagner. Ne pas toujours se tenir au même jeu ! Surtout ne pas toujours se tenir au même jeu ! Voilà l'essentiel !

Le capitaine décrocha le col de sa veste. Sa figure reprit sa coloration habituelle. Sa moustache s'arrangea pour ainsi dire toute seule. Il donnait des tapes dans le dos de Trotta.

— Tu n'as jamais touché une carte ?

Charles-Joseph vit Kapturak sortir de sa poche un jeu de cartes flambant neuf, le poser sur la table avec précaution, comme pour éviter de faire du mal à la face multicolore de la carte de dessous. Il passe ses doigts prestes sur le petit paquet. Le dos des cartes brille comme un petit miroir d'un vert sombre. Les lumières du plafond flottent sur leur légère convexité. Des cartes isolées se dressent par leurs propres moyens, se tiennent verticalement sur le tranchant de leur côté étroit, se couchent tantôt sur le dos et tantôt sur le ventre, se réunissent en un petit tas qui s'effeuille avec un doux crépitement en faisant passer sous vos yeux, comme un bref orage coloré, le murmure de ses figures rouges et noires, se reforme encore et s'abat sur la table, divisé en paquets plus petits. Des cartes isolées s'en échappent, elles s'emboîtent délicatement les unes dans les autres, chacune recouvrant à moitié le dos de sa voisine, elles s'arrondissent ensuite en cercle, vous font penser à un étrange artichaut retourné et aplati, se remettent vivement sur un seul rang, puis se rejoignent pour reformer le petit paquet. Toutes les cartes obéissent aux silencieux appels des doigts. Le capitaine Wagner suit ce prélude avec des yeux affairés. Ah ! qu'il les aimait les cartes ! Parfois celles qu'il avait appelées venaient à lui, parfois elles le fuyaient. Il se plaisait à poursuivre les fugitives au galop démentiel de ses désirs et à les obliger enfin, enfin, à faire volte-face. Il est vrai que les fuyardes étaient quelquefois plus rapides et les désirs du capitaine forcés de battre en retraite, épuisés. Au cours des ans, Wagner avait inventé un plan de bataille, difficile à comprendre, extrêmement embrouillé, où pas une des méthodes propres à forcer la chance n'était négligée : ni celle de l'adjuration, de la force, de la surprise, de la supplication, de la séduction ni l'attirance du fol amour. Tantôt le pauvre capitaine devait prendre l'attitude du désespoir, sitôt qu'il voulait un cœur et promettre en secret à l'invisible qu'il se suiciderait s'il tardait à venir, tantôt il croyait plus avantageux d'affecter la fierté et de jouer l'indifférence à l'égard de la carte qu'il désirait si ardemment. Dans un troisième cas, pour gagner, il lui fallait battre les cartes lui-même, et de la main gauche encore, tour d'adresse qu'il avait fini par exécuter grâce à une volonté de fer, à la suite d'un long entraînement. Dans un quatrième cas, il était plus profitable de s'asseoir à la droite du banquier. Mais presque toujours, à vrai dire, il importait de cumuler toutes les méthodes, ou de les substituer rapidement l'une à l'autre de façon à n'être pas deviné de ses partenaires. Car ça, c'était une chose très importante. « Changeons de place ! » pouvait dire par exemple le capitaine, d'un ton tout à fait candide, et s'il croyait distinguer un sourire entendu sur les lèvres de son partenaire, il riait et ajoutait : « Vous faites erreur, je ne suis pas superstitieux, c'est la lumière qui me gêne ! » En effet, si ses compagnons de jeux découvraient quelque chose des systèmes stratégiques du capitaine, leurs mains trahissaient ses intentions aux cartes et celles-ci ayant eu, pour ainsi dire, vent de sa ruse, avaient le temps de se sauver. Ainsi donc, aussitôt qu'il s'installait à une table de jeu, le capitaine se mettait à travailler aussi laborieusement qu'un état-major au grand complet. Et, tandis que son cerveau accomplissait cette performance surhumaine, le feu et la glace, l'espérance et la douleur, l'allégresse et l'amertume lui traversaient le cœur. Il combattait, luttait, souffrait atrocement. Dès qu'on avait commencé à jouer à la roulette, il s'était mis à élaborer des plans de bataille pour conjurer la malignité de la boule. Mais il savait bien qu'elle était plus difficile à vaincre que les cartes.

Il jouait presque exclusivement au baccara. Pourtant, ce jeu n'était pas seulement interdit, il était l'objet de sanctions. Mais comment aurait-il pu s'intéresser à des jeux qui vous forçaient à calculer et à réfléchir — à calculer et à réfléchir raisonnablement — alors que ses spéculations confinaient au non calculable, à l'inexplicable, qu'elles le dévoilaient, le subjuguaient même souvent ? Non, c'est sans intermédiaire qu'il voulait lutter avec les énigmes de la destinée et qu'il voulait les résoudre. Et il se mit à la table de baccara. Et il gagna en effet : il eut successivement trois neuf et trois huit, tandis que Trotta n'avait que des valets et des rois, Kapturak, deux fois seulement, des quatre et des cinq. Alors le capitaine Wagner s'oublia. Et bien qu'il eût comme principe de ne pas montrer à la chance qu'il était sûr d'elle, il tripla soudain la mise. Car il espérait « récupérer sa traite » le jour même. C'est alors que le désastre commença. Le capitaine perdit. Trotta n'avait presque pas cessé de perdre. Finalement Kapturak gagnait cinq cents couronnes. Le capitaine dut signer une nouvelle reconnaissance de dette.

Wagner et Trotta se levèrent. Ils se mirent à mélanger du cognac avec du « quatre-vingt-dix degrés » et ce dernier avec de la bière d'Okocîm. Le capitaine avait honte de sa défaite tout comme un général qui sort vaincu d'un combat auquel il a invité un ami pour lui faire partager son triomphe. Mais c'était l'humiliation du capitaine que le sous-lieutenant partageait avec lui ! Et ils savaient l'un et l'autre que, sans alcool, il leur aurait été impossible de se regarder en face. Ils buvaient lentement à petites gorgées régulières.

— A ta santé, disait le capitaine.
— A ta santé, disait Trotta.

Toutes les fois qu'ils proféraient ce souhait, ils se regardaient avec courage et se prouvaient réciproquement que leur défaite les laissait indifférents. Mais soudain, il sembla au sous-lieutenant que son ami était l'homme le plus malheureux de la terre et il se mit à pleurer amèrement.

— Pourquoi pleures-tu ? demanda le capitaine dont les lèvres frémissaient déjà.

— Je pleure sur toi, sur toi, mon pauvre ami ! répondit Trotta, et ils se perdirent en lamentations muettes ou prolixes.

Un ancien projet émergea alors dans le souvenir du capitaine. C'est au cheval de Trotta qu'il avait trait. Wagner avait l'habitude de le monter tous les matins, il s'était pris d'affection pour lui et avait tout d'abord voulu en faire l'acquisition pour lui-même. Puis il lui était venu à l'esprit que, s'il avait autant d'argent qu'en pouvait valoir la bête, il gagnerait à coup sûr une fortune au baccara et pourrait posséder plusieurs chevaux. Là-dessus, il songea que le sous-lieutenant pourrait lui céder son cheval, qu'il ne le paierait pas mais emprunterait dessus, jouerait la somme et dégagerait ensuite la bête. Était-ce *unfair* ? Personne ne serait lésé. Combien de temps cela prendrait-il ? Deux heures de jeu et tout était dit. La plus sûre façon de gagner, c'était de s'asseoir à la table de jeu sans crainte, sans avoir besoin de compter. S'il vous avait été donné de jouer ainsi, fût-ce une seule fois, en homme riche et indépendant !... Une seule fois !... Le capitaine pesta contre sa solde. Une solde minable qui ne vous permettait même pas de jouer d'une façon « digne d'un homme ».

A présent qu'ils étaient côte à côte, si émus, ayant oublié le monde qui les entourait mais persuadés aussi que le monde entier les avait oubliés, le capitaine Wagner crut pouvoir dire enfin :

— Vends-moi ton cheval.

— Je t'en fais cadeau, répondit Trotta, touché.

Un cadeau ne se revend pas, pas même provisoirement, se dit Wagner, et il répliqua :

— Non, vends-le-moi !

— Prends-le ! suppliait Trotta.

— Je le paierai ! s'obstinait le capitaine.

Ils discutèrent ainsi quelques minutes. Puis Wagner finit par se mettre debout, il tituba un peu et cria :

— Je vous ordonne de me le vendre !

— Oui, mon capitaine, répondit automatiquement Trotta.

— Mais je n'ai pas d'argent, balbutia le capitaine.

Il se rassit et reprit un air débonnaire.

— Ça ne fait rien. Je t'en fais cadeau !

— Non, c'est justement ce que je ne veux pas. Je ne veux plus l'acheter non plus. Que n'ai-je de l'argent !

— Je puis le vendre à un autre, fit Trotta que la joie de cette idée peu ordinaire faisait rayonner.

— Épatant ! s'écria Wagner. Mais à qui ?

— A Chojnicki, par exemple.

— Épatant ! répétait le capitaine. Je lui dois cinq cents couronnes.

— Je les prends à mon compte ! dit Trotta.

Parce qu'il avait bu, son cœur était plein de commisération pour le capitaine. Il fallait le sauver, ce pauvre camarade ! Il se trouvait en grand péril ! Il lui était tout familier et tout proche, le cher capitaine Wagner ! De plus, en ce moment, le sous-lieutenant tient pour une inéluctable nécessité de prononcer une bonne et consolante parole, peut-être même une grande parole, et d'accomplir une action secourable. La générosité, l'amitié et le besoin de paraître très fort et très secourable confluent dans son cœur comme trois courants chauds. Trotta se lève. L'aube pointe déjà. Quelques lampes seulement sont encore allumées, déjà ternies par la clarté du jour qui pénètre, tout-puissant, à travers les jalousies. Hormis M. Brodnitzer et son unique garçon de café, il n'y a plus une âme dans l'établissement. Les tables, les chaises et l'estrade où le rossignol de Mariahilf sautillait encore cette nuit, semblent désolées, images d'un départ brusqué qui se serait produit ici, comme si les clients surpris par un danger avaient quitté le café, en masse, précipitamment. De longs tubes de carton fourmillent par terre, en tas, à côté de bouts de cigares. Ce sont les vestiges de cigarettes russes et de cigares autrichiens. Ils révèlent que des hôtes du pays étranger ont joué et bu avec les nationaux.

— L'addition ! crie le capitaine.

Il prend le sous-lieutenant dans ses bras, le presse longuement sur sa poitrine avec effusion ;

— Allons, à la grâce de Dieu ! dit-il, les yeux pleins de larmes.

Dans la rue, le matin tout entier était déjà présent, matin d'une petite ville de l'est, plein du parfum des marronniers en fleurs, du

197

lilas tout juste éclos et des pains noirs, frais, aigrelets, transportés par les boulangers dans de grandes corbeilles. Les oiseaux faisaient leur tapage, c'était une immense mer de gazouillis, un océan de notes dans les airs. Le ciel bleu et transparent s'étendait, lisse et proche, au-dessus des toits de bardeaux, gris et pentus, des maisonnettes. Les toutes petites voitures des paysans roulaient mollement, lentes et encore endormies, dans la rue poussiéreuse, et dispersaient de tous côtés de longues tiges de paille, des brins de paille hachée et du foin sec de l'année passée. Au levant, le soleil montait rapidement. Le sous-lieutenant Trotta allait au-devant de lui, un peu dégrisé par la brise qui précédait le jour, tout absorbé par le fier dessein de sauver son camarade. Vendre son cheval sans en demander d'abord l'autorisation à son père, ce n'était pas chose simple. On faisait cela pour son ami !... Ce n'était pas une chose bien simple non plus — mais qu'est-ce qui aurait pu être simple en cette vie pour le sous-lieutenant Trotta ? — que d'offrir le cheval à Chojnicki. Toutefois, plus l'entreprise lui paraissait difficile, plus les pas du sous-lieutenant se faisaient énergiques et résolus pour aller l'affronter. Déjà le beffroi sonnait. Trotta atteignait l'entrée du Château Neuf au moment où Chojnicki, botté, le fouet à la main, allait monter dans sa voiture d'été. Il remarqua la fraîcheur artificielle, rougeâtre, de la figure hâve et non rasée du sous-lieutenant, le fard des buveurs. Elle s'étendait sur la pâleur réelle du visage comme le reflet d'une lampe rouge sur une table blanche. « Il se perd », songea Chojnicki.

— Je venais vous faire une proposition, dit Trotta, voulez-vous de mon cheval ?

Sa question l'effraya lui-même. Il lui devint soudain difficile de parler.

— Vous n'aimez pas aller à cheval, je le sais bien, puisque vous avez quitté la cavalerie... Soit... Vous n'avez pas le goût de vous occuper de la bête, puisque vous ne la montez pas volontiers. C'est tout simple, bien sûr, mais vous pourriez quand même le regretter...

— Non, fit Trotta.

Il ne voulut rien dissimuler :

— J'ai besoin d'argent !

Le sous-lieutenant avait honte. Emprunter de l'argent à Chojnicki, cela faisait partie des actions déshonnêtes, douteuses, interdites. Et pourtant, il semblait à Charles-Joseph que cet emprunt marquait le début d'une nouvelle phase de sa vie et qu'il lui fallait l'autorisation de son père. Le sous-lieutenant avait honte. Il déclara ;

— Pour dire les choses clairement, je me suis porté garant pour un camarade... Une grosse somme... De plus, il en a encore perdu une plus petite, cette nuit. Je ne veux pas qu'il reste redevable de quoi que ce soit à ce cafetier. Il m'est impossible de lui prêter les fonds... Oui, répéta le sous-lieutenant, cela m'est complètement impossible... La personne en question vous doit déjà de l'argent...

— Mais ça ne vous regarde en rien ! dit Chojnicki. Ça n'a rien à voir avec votre affaire. Vous me rembourserez prochainement. C'est une bagatelle. Je suis riche, vous savez, ce qu'il est convenu d'appeler riche. L'argent ne compte pas pour moi. C'est exactement comme si vous me demandiez un petit verre... Que d'histoires !... Regardez un peu, regardez ! — Chojnicki tendit sa main vers l'horizon, et lui fit décrire un demi-cercle — Toutes ces forêts m'appartiennent. C'est sans aucune importance, d'ailleurs, je n'en parle que pour vous éviter des remords... Je suis reconnaissant à tous ceux qui m'en prennent un peu... Mais non, c'est ridicule... Je vous dis que ça n'importe pas le moins du monde... Dommage de perdre son temps à parler de ça ! Je vais vous faire une proposition : je vous achète votre cheval et vous le laisse un an. Au bout d'un an, il m'appartiendra.

Chojnicki s'impatiente visiblement. Au reste, le bataillon ne va pas tarder à se mettre en route. Le soleil monte sans relâche. Il fait grand jour. Le bataillon sera prêt dans une demi-heure.

Charles-Joseph n'avait plus le temps de se faire la barbe. Le commandant Zoglauer arrivait sur les onze heures. Il n'aimait pas que ses chefs de section ne fussent pas rasés. Les seules choses auxquelles il eût appris à prêter encore quelque attention, au cours de ses années de frontière, étaient « la propreté et la bonne tenue dans le service ». Tant pis, il était trop tard ! On entra en courant dans la cour de la caserne. Tout au moins était-on dégrisé. On trouva le capitaine Wagner devant sa compagnie rassemblée :

— Oui, ça y est ! lui dit-on en toute hâte.

On prit la tête de la section et l'on commanda : « En rang par deux ! Demi-tour à droite ! En avant ! Marche !» Le sabre étincela. Les trompettes sonnèrent. Le bataillon s'ébranla.

Ce jour-là, ce fut le capitaine Wagner qui paya les prétendus « rafraîchissements » à l'auberge-frontière. On disposait d'une demi-heure. Le temps de prendre deux, trois « quatre-vingt-dix degrés ». Le capitaine savait pertinemment qu'il commençait à avoir sa chance en main. C'est tout seul qu'il allait la diriger à présent ! Deux mille cinq cents couronnes cet après-midi ! On allait en rembourser immédiatement quinze cents et l'on s'assoirait à la table de baccara en toute tranquillité, en toute insouciance, tout à fait comme un homme riche. On prenait la banque. On battait les cartes soi-même. Et de la main gauche encore ! Peut-être qu'en attendant on ne rembourserait que mille couronnes et se mettrait à jouer avec quinze cents, en toute tranquillité, en toute insouciance, tout à fait comme un homme riche. Cinq cents pour la roulette et mille pour le bac, ce serait mieux encore...

— A inscrire au compte du capitaine Wagner ! cria-t-il au comptoir.

Et l'on se leva. Le repos était terminé et les exercices de campagne allaient commencer.

Heureusement, le commandant Zoglauer s'éclipsa ce jour-là au bout d'une demi-heure seulement. Le capitaine Wagner passa le commandement au lieutenant Zander, monta à cheval et se rendit à toute allure chez Brodnitzer. Il demanda s'il pouvait compter sur des partenaires pour quatre heures de l'après-midi. « Oui, sans aucun doute !» Tout s'annonçait pour le mieux. Les « esprits de la maison », ces êtres invisibles dont le capitaine pouvait sentir la présence, avec qui même parfois il s'entretenait en silence et dans un jargon qu'il s'était composé au cours des années, les « esprits de la maison » eux-mêmes sont ce jour-là toute bienveillance à l'égard du capitaine Wagner. Pour se les rendre plus favorables encore, ou pour les empêcher de changer d'avis, Wagner décide qu'aujour-d'hui, par exception, il va déjeuner au café Brodnitzer et qu'il ne bougera pas de sa place avant la venue de Trotta. Il resta. Vers trois heures de l'après-midi, les premiers joueurs arrivèrent. Le capitaine Wagner se prit à trembler. Si ce Trotta allait le laisser dans l'embarras ! N'apporter l'argent que demain, par exemple. Alors, peut-être ses chances seraient-elles passées. Peut-être ne retrouverait-il jamais une aussi bonne journée que celle-là. Les dieux étaient bien disposés et on était un jeudi. Mais le vendredi ! Appeler la chance le vendredi, c'était demander à un médecin d'état-major de faire faire l'exercice à une compagnie ! Plus le temps s'écoulait, plus le capitaine Wagner s'acharnait en pensée contre le sous-lieutenant Trotta. Il ne venait pas, le jeune gredin ! Et dire qu'on s'était donné tant de mal, qu'on avait quitté avant l'heure le terrain d'exercices, qu'on avait renoncé à déjeuner comme d'habitude au buffet de la gare, qu'on avait péniblement négocié avec les « esprits de la maison » et suspendu, dans une certaine mesure, le cours de ce favorable jeudi ! Tout cela pour être laissé en plan ! L'aiguille de l'horloge avançait infatigablement et Trotta ne venait pas, ne venait pas, ne venait pas.

Si ! Il vient ! La porte s'ouvre, les yeux de Wagner brillent ! Il ne tend même pas la main à Trotta. Ses doigts sont d'impatients voleurs. Dès la minute qui suit, ils enserrent déjà une magnifique et bruissante enveloppe.

— Assieds-toi ! commande le capitaine. Tu me reverras dans une demi-heure au plus tard.

Et il disparut derrière le rideau vert.

La demi-heure se passa, encore une heure, encore une. C'était déjà le soir, les lumières étaient allumées. Le capitaine Wagner approchait lentement. Tout au plus était-il encore reconnaissable à son uniforme, bien que ce dernier lui-même se fût transformé. Ses boutons étaient ouverts, le collier de caoutchouc noir dépassait son col, la poignée du sabre disparaissait sous sa tunique, les poches bâillaient et sa veste était couverte de cendre de cigare. Sur la tête du capitaine, ses cheveux, la raie défaite, se tordaient en désordre et ses lèvres s'entrouvraient sous la moustache ébouriffée.

— Tout ! dit le capitaine dans un râle et il s'assit.

Ils n'avaient plus rien à se dire. A plusieurs reprises, Trotta essaya de poser une question. De sa main tendue, de ses yeux, pour ainsi dire, tendus aussi, Wagner le priait de se taire. Puis il se leva, remit de l'ordre dans son uniforme. Il se rendait compte que désormais sa vie était sans but. Il s'en allait maintenant pour en finir une bonne fois.

— Adieu ! dit-il d'un ton solennel... et il partit.

Mais, dehors, un soir débonnaire, déjà estival, avec ses cent mille étoiles et ses cent parfums, l'enveloppa de son souffle.

A tout prendre, il était plus facile de ne plus jamais jouer que de ne plus jamais vivre. Et il se donna sa parole d'honneur de ne plus jamais jouer. Plutôt crever que toucher une carte !... Plus jamais !... Plus jamais était un délai bien long, on l'abrégea. On se dit : « Pas de jeu avant le 31 août ! Puis on verra bien. Entendu, capitaine Wagner, parole d'honneur ! »

Et, la conscience lavée de frais, fier de sa fermeté, content de la vie qu'il vient de se sauver lui-même, le capitaine Wagner se rend chez Chojnicki. Chojnicki se tient sur sa porte. Il connaît le capitaine depuis assez longtemps pour distinguer à première vue que Wagner a subi de grosses pertes et a repris une fois de plus la résolution de ne plus toucher un jeu. Il s'écrie :

— Qu'avez-vous fait de Trotta ?

— Pas vu !

— Tout ?

Le capitaine baisse la tête, regarde le bout de ses bottes et déclare :

— J'ai donné ma parole d'honneur.

— Parfait, dit Chojnicki, il n'est que temps !

Il est décidé à délivrer le sous-lieutenant Trotta de l'amitié qui le lie à ce dément de Wagner ! « Éloignons-le », se dit-il. Pour le moment, on va l'envoyer quelques jours en permission avec Wally. Et il part pour la ville.

— Oui, dit Trotta sans hésiter.

Il a peur de Vienne et du voyage avec une femme. Mais il faut qu'il parte. Il ressent cette angoisse toute particulière qu'il a éprouvée régulièrement avant chacun de ses changements de vie. Il se sent menacé d'un nouveau danger, du plus grand danger qui puisse exister, d'un danger qu'il a lui-même ardemment désiré. Il n'ose pas demander qui est cette femme. De nombreux visages de femmes inconnues, yeux bleus, bruns et noirs, cheveux blonds, cheveux noirs, hanches, seins et jambes de femmes qu'il a peut-être frôlées un jour dans son enfance, son adolescence, passent sous ses yeux, rapides, toutes ensemble : merveilleux et tendre assaut de femmes. Il respire leur parfum ; il sent la ferme et fraîche délicatesse de leurs genoux, déjà le joug des bras nus lui entoure doucement le cou et le verrou des mains enlacées se ferme sur sa nuque.

Il existe une peur de la volupté qui est elle-même voluptueuse, comme peut être mortelle une certaine peur de la mort. C'est cette angoisse qui envahit maintenant le sous-lieutenant Trotta.

XIII

Mme von Taussig était belle et ce n'était plus une jeune femme. Fille d'un commandant de place, veuve d'un capitaine de cavalerie nommé Eichberg, qui était mort jeune, elle avait épousé, quelques années auparavant, un M. von Taussig, riche industriel valétudinaire, anobli de fraîche date. Il souffrait d'une légère psychose dite cyclothymique. Ses accès revenaient régulièrement tous les six mois. Il en ressentait les approches plusieurs semaines à l'avance et regagnait alors cette maison de santé du lac de Constance où des soins empressés, mais dispendieux, attendaient les aliénés des milieux aisés qui avaient l'habitude d'être choyés et que les infirmiers traitaient avec une délicatesse de sage-femme. Peu de temps avant l'une de ses crises et sur les conseils d'un de ces médecins évaporés et mondains qui prescrivent à leurs malades les « émotions psychiques » avec la même désinvolture que les vieux « médecins de famille » la rhubarbe et l'huile de ricin, Taussig avait convolé avec la veuve de son ami Eichberg. Il en éprouva bien une « émotion psychique », mais son nouvel accès n'en fut que plus prompt et plus violent. Durant sa courte vie conjugale avec M. von Eichberg, sa femme s'était fait beaucoup d'amis et, après la mort de son mari, elle avait refusé plusieurs demandes en mariage. On faisait silence sur ses adultères par pure considération. C'était, on le sait, une époque sévère, mais qui savait distinguer les cas exceptionnels et qui même les aimait. Cela faisait partie de ces quelques principes aristocratiques en vertu desquels on considérait les simples bourgeois comme des êtres de deuxième catégorie, mais qui autorisaient tel ou tel officier d'origine bourgeoise à devenir aide de camp de l'Empereur, qui interdisaient aux Juifs l'accès des hautes distinctions, mais anoblissaient certains Juifs et en faisaient les amis des archiducs, qui astreignaient les femmes à une morale traditionnelle, mais permettaient à telle ou telle de pratiquer l'amour à la hussarde. (Principes que nous qualifions actuellement « d'hypocrites », parce que nous sommes devenus beaucoup plus intransigeants. Intransigeants, honnêtes et dépourvus d'humour.)

Chojnicki était le seul des amis intimes de la veuve qui ne lui eût pas offert de l'épouser. Le monde où il valait encore la peine de vivre était condamné à sombrer. Le monde qui lui succéderait ne méritait plus d'être habité par des gens comme il faut. Aimer avec suite, se marier, engendrer des enfants n'avaient donc pas de but, Chojnicki considéra la veuve de ses tristes yeux bleu pâle, un peu saillants, il dit :

— Excuse-moi de ne pas désirer t'épouser.

Et ces mots mirent fin à sa visite de condoléances.

La veuve épousa donc le dément Taussig. Elle avait besoin d'argent et il était moins encombrant qu'un enfant. Aussitôt son accès passé, il la priait de venir. Elle arrivait, lui permettait un baiser et le ramenait chez eux.

— A un joyeux revoir ! disait M. von Taussig au professeur qui le reconduisait jusqu'à la grille du domaine clos.

— Au revoir, à bientôt ! disait la femme.

(Elle aimait les moments où son mari était malade.) Et ils regagnaient leur logis.

Sa dernière visite à Chojnicki remontait à dix ans, elle n'était pas encore mariée avec Taussig, pas moins belle qu'aujourd'hui, mais plus jeune de dix bonnes années. Alors elle n'était pas non plus repartie seule. Un sous-lieutenant, jeune et triste comme Trotta, l'avait accompagnée. Il se nommait Ewald et il était dans les uhlans. S'en retourner sans compagnie eût été le premier réel chagrin de sa vie et revenir avec un lieutenant, par exemple, une désillusion. Elle ne se sentait pas encore assez vieille, loin de là, pour les grades supérieurs. Dans dix ans... peut-être.

Mais l'âge approchait à pas cruels et silencieux, parfois sous de perfides déguisements. Elle comptait les jours qui passaient et, chaque matin, les rides fines, les délicats réseaux, tissés la nuit autour de ses yeux qui dormaient sans se douter de rien. Toutefois, son cœur restait celui d'une jeune fille de seize ans. Gratifié d'une durable jeunesse, il habitait au milieu de ce corps vieillissant comme un beau mystère dans un château en décrépitude. Chacun des beaux jeunes gens que Mme von Taussig prenait dans ses bras était l'hôte souhaité de longue date. Malheureusement, il ne dépassait jamais l'antichambre. Puisqu'elle n'aimait pas, puisqu'elle ne faisait qu'attendre ! Elle les voyait qui s'en allaient, l'un après l'autre, le regard grave, non satisfait, aigri. Petit à petit, elle s'habituait à voir des hommes arriver et repartir : race de géants puérils qui ressemblaient à des insectes mammouths, fugitifs et pourtant très pesants, armée de stupides balourds qui s'essayaient à voltiger avec des ailes de plomb, guerriers qui croyaient conquérir tandis qu'on les méprisait, posséder pendant qu'on se riait d'eux, jouir pleinement quand ils avaient à peine commencé à goûter, horde barbare que l'on continuait d'attendre malgré tout tant que l'on vivait. Peut-être un jour verrait-on se détacher de leur masse confuse et obscure un être d'exception, léger et chatoyant, un prince aux mains bénies. On attendait et il ne venait pas. L'âge arrivait et il ne venait pas. Ces jeunes gens, Mme von Taussig les opposait, comme des digues, à la vieillesse qui approchait. Craignant la perspicacité de leur regard, c'est les yeux fermés qu'elle partait pour chacune de ses prétendues aventures. Et, de ses désirs, elle métamorphosait magiquement, pour son usage personnel, ces benêts. Ils ne s'en apercevaient même pas, hélas ! Et ils ne se métamorphosaient pas le moins du monde.

Elle jaugea le sous-lieutenant Trotta. Il paraît vieux pour son âge, se dit-elle, il lui est arrivé des choses tristes, mais elles ne l'ont pas instruit. Il ne met pas de passion dans son amour, mais peut-être pas de légèreté non plus. Il est déjà si malheureux que la seule chose qu'on puisse encore pour lui, c'est le rendre heureux.

Le lendemain matin, Trotta obtint trois jours de permission pour « raison de famille ». A une heure de l'après-midi, il prit congé de ses camarades, au buffet. Envié, il monta avec Mme von Taussig au milieu des cris d'allégresse, dans un compartiment de première pour lequel il avait évidemment dû payer un supplément.

A la tombée de la nuit, il se sentit anxieux comme un enfant qui a peur du noir et il sortit du compartiment pour aller fumer, ou plutôt sous prétexte de ne pouvoir s'empêcher de fumer. Debout dans le couloir, en proie à de confuses pensées, il regarda par la portière les serpents volants auxquels les étincelles blanches de la locomotive donnaient naissance en un clin d'œil et qui s'éteignaient tout aussi rapidement, les épaisses ténèbres des forêts et les paisibles étoiles de la voûte céleste. Il poussa doucement la porte et, sur la pointe des pieds, rentra dans le compartiment.

— Peut-être aurions-nous dû prendre des couchettes ? dit la femme.

La voix surgissant de l'obscurité le surprit, l'effraya même.

— Puisque vous ne pouvez vous arrêter de fumer, faites-le donc ici !

Elle ne dormait donc pas encore. L'allumette lui éclaira le visage. Pâle, encadré de cheveux noirs, ébouriffés, il reposait sur le coussin grenat.

— Oui, on aurait peut-être dû prendre des couchettes.

Le petit bout de la cigarette rougeoyait à travers les ténèbres. Ils passèrent sur un pont, le fracas des roues s'intensifia.

— Les ponts, dit la femme, j'ai peur qu'ils ne s'effondrent !

« Bah ! qu'ils s'effondrent donc ! » songeait le sous-lieutenant. Pour lui, le choix se limitait exclusivement entre un malheur subit et un malheur lent et insidieux. Assis, immobile, en face de la femme, il voyait les lumières fugitives des gares éclairer un instant le compartiment et le pâle visage de Mme von Taussig pâlir davantage encore. Il ne pouvait proférer un mot. Il se figura qu'il ferait mieux de l'embrasser que de dire quoi que ce fût. Il remettait sans cesse l'échéance du baiser. « Après la prochaine station », se disait-il. Brusquement, la femme avança la main, chercha le verrou du compartiment, le trouva, le poussa. Et Trotta s'inclina sur ses mains.

A ce moment, Mme von Taussig aimait le sous-lieutenant Trotta avec la même véhémence qu'elle avait aimé le sous-lieutenant Ewald, dix ans auparavant, sur le même parcours, à la même heure et — qui sait ? — peut-être dans le même compartiment. Mais pour l'instant, il était effacé comme ceux d'avant, comme ceux d'après. Le flot du plaisir passait tumultueusement sur les souvenirs et en lavait toutes les traces. Mme von Taussig se nommait Valérie de son petit nom, mais on l'appelait Wally, abréviation usuelle dans le pays. Ce nom, qu'on lui murmurait aux heures de tendresse, prenait un son nouveau à chaque nouvelle heure de tendresse. Et voilà que ce jeune homme la baptisait une fois de plus. Elle n'était qu'une enfant (une enfant fraîche comme son nom). Toutefois, elle constatait maintenant, par habitude et avec mélancolie, qu'elle était « beaucoup plus vieille que lui », remarque qu'elle risquait toujours avec les tout jeunes gens et qui était en quelque sorte une audace prudente. Au reste, cette réflexion servit de prélude à une nouvelle série de caresses. Elle alla rechercher tous les termes d'amitié qui lui étaient familiers et dont elle avait gratifié tel ou tel. Et maintenant — elle ne connaissait que trop bien la succession des choses, hélas ! — l'homme allait la prier, toujours dans les termes consacrés, de ne pas parler d'âge, ni de temps. Elle savait le peu que signifiait ce genre de prières... et elle y ajoutait foi. Elle attendit. Mais le sous-lieutenant Trotta se taisait, insensible. Elle craignit que son mutisme ne fût un verdict et elle dit prudemment :

— Combien crois-tu que j'ai de plus que toi ?

Il demeura perplexe. Ce sont des questions auxquelles on ne répond pas ; d'ailleurs, ça ne le regardait nullement. Il constatait la rapide alternance de fraîcheur et de chaleur sur la peau unie, ces brusques changements de climat qui font partie des phénomènes magiques de l'amour. En l'espace d'une seule heure, toutes les caractéristiques de toutes les saisons s'accumulent sur une seule épaule féminine, abolissant effectivement les lois du temps.

— Je pourrais bien être ta mère, murmurait la femme, devine un peu quel âge j'ai ?

— Je ne sais pas, répond le pauvre garçon.

— Quarante et un, dit Mme Wally.

(Elle n'avait quarante-deux ans que depuis un mois, mais c'est la nature elle-même qui interdit aux femmes de dire la vérité, la nature qui les garde de vieillir.)

Peut-être Mme von Taussig eût-elle été trop fière pour dissimuler trois ans tout entiers. Mais voler la vérité d'une seule misérable année, ce n'était pas commettre un larcin au détriment de la vérité.

— Tu mens ! dit-il enfin, grossier par politesse et elle l'étreignit dans un nouveau déferlement de gratitude.

Les lumières blanches des gares défilaient devant la portière, illuminaient le compartiment, éclairaient le pâle visage de la femme et semblaient lui dénuder une fois de plus les épaules. Le sous-lieutenant reposait sur sa poitrine comme un enfant. Elle éprouvait une souffrance bienfaisante, bienheureuse, maternelle. C'était un amour maternel qui circulait dans ses bras et les remplissait d'une force neuve. Elle voulait du bien à son amant comme à son propre enfant, comme s'il était issu de son sein, de ce même sein qui l'accueillait en ce moment.

— Mon enfant, mon enfant ! répétait-elle.

Elle n'avait plus peur de son âge ; elle les bénissait même pour la première fois, ces années qui la séparaient du sous-lieutenant. Quand le matin, un radieux matin d'été, pénétra par les fenêtres du train lancé à toute vitesse, ce fut sans crainte qu'elle montra à Charles-Joseph sa figure non encore « faite » pour la journée. A la vérité, elle comptait un peu sur le rose de l'aurore, car, fortuitement, la portière près de laquelle elle était assise donnait à l'est.

Le monde paraissait changé au sous-lieutenant Trotta. Il en concluait qu'il venait de faire la connaissance de l'amour, c'est-à-dire d'assister à la réalisation des idées qu'il se faisait de l'amour. A la vérité, il n'éprouvait que la reconnaissance d'un enfant rassasié.

— A Vienne, nous resterons ensemble, n'est-ce pas ?

— Cher, cher enfant, se disait-elle.

Elle le considérait avec un orgueil de mère, comme si elle était pour quelque chose dans les vertus qu'il ne possédait pas et qu'elle lui attribuait, comme une mère.

Elle organisa une interminable série de petites fêtes. Il se trouvait qu'ils arrivaient à Vienne pour la Fête-Dieu. Elle allait se procurer deux places de tribune. Elle aurait plaisir à assister à ce cortège bigarré qu'elle aimait, comme l'aimaient alors en Autriche toutes les femmes, quelle que fût leur classe sociale.

Elle se procura donc les places de tribune. Les pompes joyeuses et solennelles du défilé lui dispensaient à elle-même leur reflet chaleureux qui la rajeunissait. Depuis sa jeunesse, elle ne connaissait pas moins bien que le grand-maître des cérémonies lui-même la procession de la Fête-Dieu, avec toutes ses phases, parties et règles, tout comme les habitués qui occupent d'ancienneté leur loge à l'Opéra connaissent toutes les scènes des œuvres qu'ils aiment. Le plaisir que lui donnait le spectacle n'en était pas diminué, au contraire, la connaissance qu'elle en avait alimentait ce plaisir. En Charles-Joseph se réveillaient les vieux rêves puérils et héroïques qui, aux vacances, sur le balcon paternel, l'envahissaient et le comblaient de bonheur, aux accents de la *Marche de Radetzky*. Le vieil empire défilait sous ses yeux, dans toute sa puissante majesté. Le sous-lieutenant pensait à son grand-père, le héros de Solferino, à son père, dont l'inébranlable patriotisme était comparable à un petit mais solide rocher parmi les hautes montagnes de l'omnipotence habsbourgeoise. Il pensait à son propre devoir, au devoir sacré de mourir pour l'Empereur à tout moment, sur l'eau et sur la terre ferme, ainsi que dans les airs, bref en tout lieu. Les termes du serment qu'il avait prononcé machinalement, à plusieurs reprises, prenaient vie. Les mots s'élevaient l'un après l'autre, comme des drapeaux. Le regard bleu porcelaine du chef suprême de l'armée, refroidi sur tant de portraits, sur tant de murs de l'empire, se remplissait d'une bienveillance paternelle et s'abaissait sur le petit-fils du héros de Solferino comme un firmament bleuté. Les pantalons bleu clair des fantassins défilaient, lumineux. Les artilleurs, café au lait, passaient, telle la grave science balistique faite homme. Les fez rouge sang flambaient au soleil sur les têtes des Bosniaques comme de petits feux de joie allumés par l'Islam en l'honneur de Sa Majesté apostolique. Dans les noirs carrosses vernis se tenaient les chevaliers dorés de la Toison d'Or et les échevins aux joues cramoisies. Derrière eux, pareils à de majestueux ouragans qui réfrènent leur fougue au voisinage de l'Empereur, les gardes du corps à pied s'avançaient, agitant leurs panaches de crin. Enfin, préparé par la sonnerie de la générale, l'hymne impérial et royal : *Dieu conserve, Dieu protège...* des chérubins de l'armée terrestre, mais pourtant apostolique, s'éleva au-dessus de la foule, des soldats, du trot lent des chevaux et du roulement silencieux des voitures. L'hymne plana au-dessus des têtes, mélodie céleste, baldaquin de sonorités noires et jaunes. Et le cœur du sous-lieutenant s'arrêta tout en précipitant ses battements... singulier phénomène médical. Entre les accents traînants de l'hymne, des vivats montèrent, comme de petits drapeaux blancs hissés entre de grandes bannières peintes d'écussons. Le cheval blanc s'avançait d'un pas dansant, avec la majestueuse coquetterie des fameux lippizans dressés au haras impérial et royal. Un demi-escadron de dragons le suivait, dans un élégant tonnerre de sabots. Les casques noir et doré étincelaient au soleil. Les appels de fanfare annonçaient gaiement :

— Attention, attention, le vieil Empereur approche !

Et l'Empereur vint. Quatre chevaux d'un blanc immaculé tiraient sa voiture. Et des laquais, en frac noir brodé d'or et perruque blanche, montaient ces chevaux blancs. Ils avaient l'air de dieux et n'étaient que les serviteurs de demi-dieux. De chaque côté de la voiture, deux archers gardes du corps se tenaient à cheval, coiffés du casque d'argent, ainsi que deux gardes du corps hongrois, des peaux de panthère noir et jaune sur l'épaule. Ils faisaient songer aux gardes des murailles de Jérusalem, la ville sainte dont François-Joseph était roi. L'Empereur portait la tunique, blanche comme neige, popularisée par tous les portraits de la monarchie, ainsi qu'un énorme panache de plumes de perroquet à son chapeau. Sur sa vieille figure, le sourire était comme un petit soleil qu'il avait créé lui-même. Les cloches de la cathédrale Saint-Étienne se firent entendre. L'Église romaine envoyait son salut au Saint Empereur romain germanique. L'Empereur descendit de sa voiture et, du pas élastique vanté par tous les journaux, entra dans l'église comme un simple mortel. Il entrait à pied dans l'église, les cloches sonnant à toute volée.

Pas un sous-lieutenant de l'armée impériale et royale n'aurait pu assister avec indifférence à cette cérémonie. Et Charles-Joseph était l'un des plus sensibles. Il vit l'éclat répandu par la procession et ne perçut pas le sombre battement d'ailes des vautours. Car ils tournoyaient déjà au-dessus de l'aigle à deux têtes des Habsbourg, les vautours, ses frères ennemis.

Non, le monde ne sombrait pas comme l'avait dit Chojnicki, on pouvait constater de ses propres yeux combien il était vivant. On voyait déambuler, dans la large Ringstrasse, les habitants de cette ville, joyeux sujets de Sa Majesté apostolique, tous laquais de sa cour. La ville tout entière n'était que la gigantesque cour du château. Sous les portes cochères des antiques palais, les portiers en livrée, les dieux des laquais, s'érigeaient, puissants, armés de leur bâton. Des équipages noirs, sur de hautes et nobles roues caoutchoutées aux délicats rayons, s'arrêtaient devant les portails. Les chevaux caressaient le pavé d'un sabot précautionneux. Des fonctionnaires d'État en bicorne noir, col doré, petite épée, revenaient, dignes et suants, de la procession. Les écolières en blanc, des fleurs dans les cheveux, des cierges à la main, s'en retournaient chez elles, coincées entre leurs parents gourmés dont elles semblaient être les âmes devenues charnelles, des âmes un peu effarées, un peu molestées aussi peut-être. Au-dessus des clairs chapeaux des dames habillées de couleurs claires, que leurs cavaliers menaient à la promenade comme en laisse, s'arrondissaient les élégants baldaquins des ombrelles. Des uniformes bleus, noirs, chamarrés d'or et d'argent, se mouvaient comme des arbrisseaux et des plantes étranges issues d'un jardin méridional et aspirant à regagner leur lointaine patrie. Le feu noir des chapeaux haut-de-forme brillait au-dessus des faces affairées et rubicondes. Des écharpes de couleur, arcs-en-ciel des citadins, barraient les poitrines, les gilets, les ventres. Ici, les gardes du corps ondulaient sur la chaussée de la Ringstrasse en deux larges rangs, avec leurs pèlerines blanches, leurs parements rouges et leurs plumets blancs, d'étincelantes hallebardes au poing, les tramways, les fiacres, les automobiles elles-mêmes stoppaient devant eux comme devant des revenants familiers de l'histoire. Aux carrefours, aux coins des rues, de grosses bouquetières copieusement enjuponnées (sœurs urbaines des fées) aspergeaient leurs gerbes éclatantes avec de petits arrosoirs verts, bénissaient de leurs regards souriants les couples d'amoureux qui passaient, liaient des bottes de muguet et faisaient marcher leurs vieilles langues. Les casques dorés des pompiers qui se rendaient aux festivités scintillaient en évoquant gaiement les périls et les catastrophes. L'air sentait le lilas et l'aubépine. Les bruits de la ville n'étaient pas assez forts pour dominer les sifflements des merles dans les jardins et les trilles des alouettes dans les airs. Et tout cela, le monde le déversait sur le sous-lieutenant Trotta. Il était en voiture, à côté de son amie, il l'aimait et il lui semblait qu'il parcourait le premier beau jour de sa vie.

En fait, c'était bien comme si sa vie commençait. Il apprenait à boire du vin, comme il avait appris à boire du « quatre-vingt-dix degrés ». Il mangeait avec la dame dans ce fameux restaurant dont la propriétaire avait la dignité d'une impératrice, dont la salle était sereine et recueillie comme un temple, noble comme un château et paisible comme une chaumière. Les Excellences y avaient leurs tables attitrées et les garçons qui les servaient semblaient être leurs égaux, si bien qu'on aurait dit que les clients et les garçons

211

alternaient suivant une succession déterminée. Et tous se connaissaient par leur prénom, comme se connaissaient des frères, mais ils se saluaient l'un l'autre comme des princes. On connaissait les jeunes et les vieux, les bons et les mauvais cavaliers, les coureurs et les joueurs, les braves garçons, les ambitieux, les favoris, les héritiers d'une antique bêtise sanctifiée par la tradition, devenue proverbiale et partout vénérée, de même que les malins qui parviendraient au pouvoir demain. On n'entendait qu'un léger bruit de fourchettes et de cuillers bien élevées et, aux tables, ce souriant chuchotement des convives, qui n'est perçu que de votre interlocuteur et pourtant deviné par le voisin averti. Les nappes blanches irradiaient un éclat paisible, un jour discret s'épandait à travers les rideaux des hautes fenêtres, le vin coulait des bouteilles avec un tendre glouglou et celui qui voulait appeler un garçon n'avait qu'à lever les yeux. Car, dans ce silence de bon ton, on entendait une paupière se soulever comme, ailleurs, on perçoit un appel.

Oui, voilà comment débutait ce qu'il appelait « la vie » et qui était peut-être aussi la vie à cette époque : promenade sans heurts, en voiture, parmi les denses effluves d'un printemps mûri auprès d'une femme dont on était aimé. Chacun des tendres regards de son amie lui paraissait la justification de sa conviction nouvelle qu'il était un « homme supérieur », doué de nombreuses qualités, même un « fameux officier » au sens attribué à ce terme dans l'armée. Il se rappelait avoir été, presque toute sa vie, triste, sauvage, aigri même, pouvait-on dire. Mais, étant donné l'idée qu'il se faisait de lui en ce moment, il ne comprenait plus comment il avait pu être triste, sauvage, aigri. Voir la mort de près l'avait effrayé, mais maintenant les pensées mélancoliques qu'il accordait à Catherine et à Max Demant étaient presque pour lui une source de délectation. A son avis, il en avait « vu de dures ». Il méritait les tendres regards d'une jolie femme. Il l'observait de temps à autre, non toutefois sans une légère angoisse. N'avait-elle pas satisfait un simple caprice en l'emmenant comme un petit garçon et en lui réservant quelques bonnes journées ? Ce sont des choses qu'on ne saurait accepter. Il était — le fait était bien certain à présent — « quelqu'un de fameux » et qui l'aimait devait l'aimer jusqu'à la mort, comme la pauvre Catherine. Pourtant, qui sait combien d'hommes passaient dans l'esprit de cette femme, tandis qu'elle croyait ou prétendait n'aimer que lui ? Était-il jaloux ? Il était certainement jaloux ! Et aussi désarmé, comme il se le dit aussitôt. Jaloux et dépourvu de tout moyen d'en rester là ou d'aller plus loin avec cette femme, de la garder tant qu'il lui plairait, de l'étudier, de la gagner. Oui, il n'était qu'un pauvre petit sous-lieutenant, qui recevait de son père une mensualité de cinquante couronnes et qui avait des dettes...

— Jouez-vous beaucoup dans votre garnison ? demanda tout à coup Mme von Taussig.

— Les camarades, dit-il. Le capitaine Wagner par exemple. Il perd énormément.

— Et toi ?

— Moi, pas du tout, dit le sous-lieutenant.

A ce moment précis, il sut comment on peut acquérir la puissance. Il s'emporta contre la médiocrité de son sort. Il souhaitait une brillante destinée. S'il était devenu fonctionnaire civil, peut-être aurait-il eu l'occasion de tirer utilement parti des qualités intellectuelles qu'il était sûr de posséder et de faire carrière. Qu'était-ce qu'un officier en temps de paix ? A quoi le héros de Solferino lui-même n'était-il pas parvenu pendant la guerre, grâce à son action d'éclat ?

— Ne va pas te mettre à jouer surtout ! dit Mme von Taussig, tu n'as pas l'air de quelqu'un qui a de la chance au jeu.

Il se sentit froissé. Il fut immédiatement pris du désir de prouver qu'il avait de la chance en tout. Il se mit à méditer de mystérieux desseins, pour aujourd'hui, pour cette nuit, pour tout de suite ! Ses embrassements furent, pour ainsi dire, des embrassements provisoires, des échantillons de l'amour qu'il désirait donner demain, en homme non seulement supérieur, mais puissant. Il pensa à l'heure, regarda sa montre, chercha un prétexte pour ne pas partir trop tard. Ce fut Mme Wally elle-même qui le renvoya :

— Il se fait tard. Il faut t'en aller. A demain matin !

— A demain matin !

Le portier de l'hôtel lui indiqua une maison de jeu dans le voisinage. On accueillit le lieutenant avec une politesse toute commerciale. Il vit quelques officiers supérieurs et se figea devant eux dans la position réglementaire. Ils eurent un geste indolent dans sa direction, ils le dévisagèrent sans comprendre, comme s'il était inconcevable pour eux d'être traités en militaires, comme s'il y avait longtemps qu'ils n'appartenaient plus à l'armée dont ils continuaient seulement à porter négligemment l'uniforme, comme si ce nouveau venu, qui ne se doutait de rien, éveillait en eux un souvenir très lointain du temps très lointain où ils étaient encore officiers. Ils se trouvaient dans un autre et plus secret compartiment de leur existence, leur costume et leurs étoiles étaient seuls à rappeler leur vie de tous les jours, qui allait recommencer demain, au petit matin. Le sous-lieutenant compta ses disponibilités, elles s'élevaient à cent cinquante couronnes. Comme il l'avait vu faire au capitaine Wagner, il mit cinquante couronnes dans sa poche et le reste dans son étui à cigarettes. Il resta un moment assis à l'une des deux roulettes, sans miser, il connaissait trop peu les cartes et ne se risquait pas à y toucher. Il était parfaitement calme et s'en étonnait. Il regardait les petits tas de jetons rouges, blancs, bleus diminuer, augmenter, se déplacer de-ci de-là. Mais il ne s'imaginait pas le moins du monde qu'à proprement parler il était venu pour les voir s'acheminer vers lui. Il se décida enfin à miser, mais uniquement comme par devoir. Il gagna. Il rejoua la moitié de son gain et gagna de nouveau. Il ne regardait ni les couleurs ni les chiffres. Il misait indifféremment n'importe où: Il gagna. Il joua tout ce qu'il avait gagné. Il gagna pour la quatrième fois. Un commandant lui fit signe. Trotta se leva.

— C'est la première fois que vous venez. Vous avez gagné mille couronnes. Il vaut mieux vous en aller tout de suite !

— Oui, mon commandant, dit Trotta et il s'éloigna docilement.

Tout en échangeant ses jetons, il regretta d'avoir obéi au commandant. Il s'en voulut d'être capable d'obéir au premier venu. Pourquoi se laissait-il renvoyer ? Et pourquoi n'avait-il plus le courage de faire demi-tour ? Il partit, mécontent de lui et malheureux de son premier gain.

Il était déjà tard et il régnait un tel silence qu'on entendait résonner les pas de passants solitaires dans des rues éloignées. Dans la bande de ciel surmontant l'étroite rue bordée de hautes maisons, les étoiles avaient un scintillement étrange et paisible. Une forme sombre déboucha à l'angle de la rue et vint à la rencontre du sous-lieutenant. Elle titubait, c'était sans aucun doute un ivrogne. Le sous-lieutenant reconnut immédiatement en lui le peintre Moser. Il faisait, comme à l'accoutumée, sa ronde nocturne dans les rues de la ville, avec son carton et son chapeau mou. Il salua d'un doigt et entreprit d'offrir ses tableaux.

— Rien que des jeunes filles, dans toutes les positions !

Charles-Joseph s'arrêta. Il crut que c'était la destinée elle-même qui lui envoyait le peintre Moser. Il ignorait que, depuis des années, il aurait pu rencontrer le professeur, toutes les nuits, à la même heure, dans le centre de la ville. Il prit dans sa poche les cinquante couronnes mises de côté et les donna au vieillard. Il le fit comme si quelqu'un le lui avait silencieusement commandé, comme on exécute un ordre. « Comme lui, comme lui, se disait-il. Il est tout à fait heureux, il a tout à fait raison ! » Il fut effrayé de cette idée subite. Il chercha pour quels motifs le peintre Moser devait avoir raison, n'en trouva aucun, s'effraya encore davantage, ressentant déjà une envie d'alcool, cette soif de l'alcoolique qui est une soif de l'âme et du corps. Soudain votre vue devient basse comme celle d'un myope, votre ouïe dure comme celle d'un sourd. Il faut que vous buviez un verre tout de suite, sur-le-champ. Le sous-lieutenant fit volte-face, retint le peintre Moser et lui demanda :

— Où peut-on boire ?

Il y avait, non loin de la Wollzeile, un cabaret de nuit. On y servait du sliwowitz qui, malheureusement, faisait vingt-cinq pour cent de moins que le « quatre-vingt-dix degrés ». Le sous-lieutenant et le peintre s'assirent et burent. Peu à peu, Trotta se rendit compte qu'il y avait longtemps qu'il n'était plus maître de son bonheur, que, depuis longtemps, il n'était plus un « homme supérieur », doué de toutes sortes de qualités. Il était plutôt une pauvre et piteuse créature, toute pleine de rancœur pour avoir obéi à un commandant qui l'avait empêché de gagner des mille et des cents. Non ! Il n'était point fait pour le bonheur ! Mme von Taussig, le commandant du tripot et, d'une façon générale, tout le monde, tout le monde se moquait de lui. Un seul être, le peintre Moser (on pouvait tranquillement l'appeler son ami), était sincère, honnête et fidèle. Il fallait se faire connaître de lui. Cet homme supérieur était le plus vieil et l'unique ami de son père. On ne devait pas avoir honte de lui. Il avait peint son grand-père. Le sous-lieutenant Trotta respira profondément pour ranimer son courage et dit :

— Savez-vous bien qu'il y a longtemps que nous nous connaissons ?

Le peintre Moser dressa la tête, fit fulgurer ses yeux noirs sous ses sourcils touffus et demanda :

— Nous... nous... connaissons... depuis longtemps ?... Personnellement ? Car, naturellement, vous me connaissez comme peintre ! Comme peintre, j'ai une grande renommée. Je regrette, je regrette... je crains que vous ne vous trompiez. Ou bien..., Moser s'assombrit, ... serait-il possible qu'on me confonde avec un autre ?

— Je m'appelle Trotta, dit le sous-lieutenant.

Le peintre Moser considéra le sous-lieutenant de ses prunelles vitreuses, sans regard, et avança la main. Puis une tonitruante explosion de joie s'échappa de lui. Il tira le sous-lieutenant à moitié par-dessus la table, se pencha vers lui et ainsi, au milieu de la table, ils s'embrassèrent fraternellement, longuement.

— Et qu'est-ce donc qu'il devient, ton père ? demanda le professeur. Est-il encore en fonctions ? Est-il déjà gouverneur ? Je n'ai plus jamais entendu parler de lui. Il y a quelque temps, je l'ai rencontré ici, au Volksgarten, alors il m'a donné de l'argent, alors il n'était pas seul, alors il était avec son fils, le petit jeune homme... tiens mais, parbleu, c'est justement toi !...

— Oui, c'était moi, en ce temps-là, dit le sous-lieutenant. Il y a déjà longtemps, il y a déjà très, très longtemps.

Il se souvint de la peur qu'il avait ressentie naguère à la vue de la main gluante et rouge sur la cuisse de son père.

— Il faut que je te demande pardon, oui, pardon ! dit le sous-lieutenant. Cette fois-là, je t'ai traité odieusement, odieusement ! Pardonne-moi, mon cher ami !

— Odieusement, oui, confirma Moser. Je te pardonne, plus un mot là-dessus !

— Où demeures-tu ? Je vais t'accompagner...

On fermait le café. Ils s'en allèrent bras dessus, bras dessous, en titubant par les rues silencieuses.

— Voilà où je reste, murmura le peintre. Voilà mon adresse ! Viens me voir demain, mon garçon !

Et il remit au sous-lieutenant l'une des nombreuses cartes qu'il distribuait habituellement dans les cafés.

XIV

Le jour où le sous-lieutenant dut regagner sa garnison fut une triste journée qui se trouva être aussi un jour gris. Il arpenta encore une fois les rues où la procession avait passé deux jours auparavant. Autrefois, songeait Charles-Joseph (autrefois ! songeait-il), il avait eu, un bref instant, l'orgueil de lui-même et de son métier. Mais aujourd'hui, la pensée du retour l'accompagnait comme un geôlier un prisonnier. C'était la première fois que le sous-lieutenant s'insurgeait contre la loi militaire qui régissait sa vie. Il obéissait depuis sa plus tendre adolescence et il ne voulait plus obéir. Il est vrai qu'il ignorait tout à fait ce que signifiait la liberté, mais il sentait qu'elle devait différer d'une permission comme la guerre diffère des manœuvres. Ce fut cette comparaison-là qui lui vint à l'esprit, parce qu'il était soldat. Il eut aussi l'idée que les munitions dont on avait besoin pour la liberté, c'était l'argent. Or, la somme qu'il portait sur lui ressemblait, pour ainsi dire, aux cartouches chargées à blanc qu'on tirait aux manœuvres. Possédait-il même quoi que ce fût ? Pouvait-il se payer le luxe de la liberté ? Son grand-père, le héros de Solferino, avait-il laissé de la fortune ? L'hériterait-il un jour de son père ? Il n'avait jamais connu autrefois ce genre de réflexions. A présent, elles venaient à lui comme un vol d'oiseaux étranges, se nichaient dans son cerveau et y voltigeaient, turbulentes. Il percevait maintenant les appels troublants du grand monde. Il savait depuis hier que Chojnicki allait quitter le pays plus tôt que de coutume, qu'il avait l'intention de partir pour le Midi, cette semaine même, avec son amie. Il connut ce que c'était qu'être jaloux d'un ami et cette jalousie lui fit éprouver une double honte. Il partait, lui, pour la frontière du nord-est. Mais la femme et l'ami partaient pour le « Midi ». Et ce Midi, qui avait été jusqu'à présent une expression géographique, brillait de toutes les ensorcelantes couleurs d'un paradis inconnu. Le Midi était situé dans un pays étranger. Tiens ! Il y avait donc des pays étrangers ? Des pays étrangers non soumis à François-Joseph, qui avaient leurs propres armées, avec des milliers

217

et des milliers de sous-lieutenants dans des garnisons, grandes ou petites ! Dans ces autres pays, le nom du héros de Solferino n'avait pas la moindre signification. Là-bas aussi, il y avait des monarques et ces monarques avaient leurs sauveteurs personnels. S'abandonner à de telles pensées était extrêmement troublant. Pour un sous-lieutenant de la monarchie, c'était tout aussi troublant que l'est, pour nous autres, l'idée que la terre n'est que l'un des millions et des millions de corps célestes, qu'il y a encore d'innombrables soleils dans la voie lactée, que chacun de ces soleils a ses propres planètes et que, par conséquent, on n'est soi-même qu'une bien misérable individualité, pour ne pas dire, d'une façon trop triviale, un petit tas de crotte.

Le sous-lieutenant Trotta possédait encore sur son gain sept cents couronnes. Il n'avait pas osé retourner dans un tripot et cela non seulement dans la crainte de rencontrer derechef ce commandant inconnu, préposé peut-être par la place à la surveillance des jeunes officiers, mais aussi parce que l'angoissait le souvenir de sa lamentable fuite. Hélas ! il savait bien que, cent fois encore, il quitterait immédiatement une maison de jeu, pour obéir au désir, au simple signe d'un supérieur ! Et, comme un enfant, il éprouvait de la volupté à se perdre dans la cruelle constatation de son impuissance à forcer la chance. Il avait grande pitié de lui-même. Et, en ce moment, se plaindre lui faisait du bien. Il prit quelques petits verres et se sentit aussitôt à l'aise dans son impuissance. Et l'argent qu'il portait sur lui parut aussi accablant et aussi superflu au sous-lieutenant qu'à un homme qui va se constituer prisonnier ou se faire moine. Il décida de le dépenser d'un seul coup, se rendit au magasin où son père lui avait acheté son porte-cigarettes d'argent et fit l'acquisition d'un collier de perles pour son amie. Des fleurs à la main, les perles dans la poche de son pantalon, avec une figure pitoyable, il se présenta à Mme von Taussig.

— Je t'ai apporté quelque chose, avoua-t-il, du ton dont il aurait dit : J'ai volé quelque chose pour toi !

Il avait l'impression de jouer mal à propos un rôle étranger, le rôle d'un homme du monde. Et ce fut seulement quand il tint son cadeau à la main qu'il se rendit compte de ce que ce cadeau avait de ridiculement exagéré, d'humiliant pour lui-même et peut-être de blessant pour la femme qu'il aimait.

— Je te prie de m'excuser, dit-il, je voulais t'acheter une petite chose et...

Et il ne sut qu'ajouter. Et il rougit. Et il baissa les yeux.

Ah ! il ne connaissait pas les femmes qui voient l'âge approcher, le sous-lieutenant Trotta ! Il ne savait pas que tout présent est accueilli par elles comme un don magique qui les rajeunit et que leurs yeux assagis et nostalgiques ont une tout autre manière d'apprécier. Au reste, Mme von Taussig aimait cette gaucherie et plus la jeunesse de Trotta s'accusait, plus elle devenait jeune elle-même. Et elle lui sauta au cou, fine et impétueuse, l'embrassa comme son propre enfant, pleurant à l'idée de le quitter, riant parce qu'elle le tenait encore, un peu aussi parce que les perles étaient jolies, et déclarant à travers un violent et merveilleux torrent de larmes :

— Tu es gentil, très gentil, mon petit !

Elle regretta immédiatement son propos, et surtout les mots « mon petit », car ils la vieillissaient indûment. Par bonheur, elle put constater aussitôt qu'il en était fier comme d'une distinction honorifique accordée par le commandant en chef lui-même. Il est bien trop jeune pour savoir à quel point je suis vieille, se dit-elle.

Mais pour anéantir, extirper son âge véritable, pour l'engloutir dans l'océan de sa passion, elle prit le sous-lieutenant par les épaules, dont la tendre et chaude ossature suffit à lui émouvoir les mains, et elle l'attira sur le sofa. Elle l'assaillit de toute la force de son véhément désir de rajeunissement. La passion jaillissait d'elle en violentes flammes, enchaînait, subjuguait le sous-lieutenant. Ses prunelles fixaient avec gratitude et délices le jeune visage d'homme penché sur le sien. Le voir suffisait à la rajeunir. Et la volupté de demeurer une femme éternellement jeune était aussi grande chez elle que la volupté d'aimer. Elle crut un moment qu'elle ne pourrait jamais quitter le sous-lieutenant. Il est vrai qu'elle déclarait l'instant d'après :

— Dommage que tu partes déjà aujourd'hui...

— Ne te reverrai-je plus jamais ? demanda-t-il dévotement, en jeune amoureux.

— Attends-moi, je reviendrai...

Puis, en femme vieillissante qui craint l'infidélité et la jeunesse d'autrui, elle ajouta bien vite :

— Ne me trompe pas surtout !

— Je n'aime que toi, répondit, par la bouche de Trotta, l'honnête voix d'un jeune homme pour qui il n'est rien de plus important que la fidélité.

Tels furent leurs adieux.

Le sous-lieutenant Trotta se fit conduire à la gare, arriva trop tôt, fut obligé d'attendre. Mais il lui semblait qu'il était déjà en route. Toute minute passée en ville aurait été pénible et peut-être même humiliante. Il adoucissait la contrainte qu'il subissait en se donnant les apparences de partir un peu plus tôt qu'il n'y était forcé. Il put enfin monter dans le train. Il sombra dans un heureux sommeil, rarement interrompu, et ne s'éveilla que peu avant la frontière.

Onufrij, son ordonnance, l'attendait et lui apprit que la ville était en révolution. Les ouvriers de la fabrique manifestaient et la garnison était consignée.

Le sous-lieutenant Trotta comprenait maintenant pourquoi Chojnicki avait quitté si tôt le pays. Il roulait vers le sud avec Mme von Taussig. Et l'on était un faible prisonnier, et l'on ne pouvait pas faire immédiatement demi-tour, monter dans le train et repartir !

Aucune voiture ne stationnait ce jour-là devant la gare. Le sous-lieutenant Trotta s'en alla donc à pied. Onufrij le suivit, son sac à la main. Les petites boutiques de la ville étaient fermées. Des barres de fer barricadaient les portes de bois et les volets des maisons basses. Des gendarmes patrouillaient, baïonnette au canon. On n'entendait d'autre bruit que le coassement coutumier des grenouilles dans les marais. La poussière, produite inlassablement par cette terre sablonneuse, avait été répandue à pleines mains par le vent sur les toits, les murs, les barrières, le pavage de bois et les rares saules. C'était une poussière séculaire qui semblait poudrer ce monde oublié. On ne voyait pas un habitant dans les rues et l'on pouvait croire qu'une mort subite les avait terrassés derrière leurs portes et leurs fenêtres verrouillées. On avait mis double faction devant la caserne. Tous les officiers y logeaient depuis la veille. L'hôtel Brodnitzer était vide.

Le sous-lieutenant Trotta annonça son retour au commandant Zoglauer. Il apprit de son supérieur que son voyage lui avait fait du bien. Selon les conceptions d'un homme servant à la frontière depuis plus de dix ans, un voyage ne pouvait que faire du bien. Et, comme s'il s'agissait d'un événement des plus quotidiens, le commandant annonça au sous-lieutenant qu'une section de chasseurs se mettrait en route, le lendemain matin, pour se poster en face de la manufacture et intervenir, le cas échéant en faisant usage de ses armes, contre les « agissements dangereux pour l'État » des ouvriers grévistes. C'était le sous-lieutenant Trotta qui prendrait la tête de la section. A proprement parler, il ne s'agissait que d'une bagatelle et l'on avait tout lieu de croire que la gendarmerie suffirait à tenir ces gens en respect, il n'y avait donc qu'à conserver son sang-froid et à se garder d'intervenir trop tôt. Toutefois, ce serait l'autorité civile qui déciderait si l'intervention devrait avoir lieu ou non. Certes, il n'était pas agréable pour un officier d'en arriver finalement à se laisser conduire par un sous-préfet ! Mais, à tout prendre, cette mission délicate était une sorte de distinction pour le plus jeune sous-lieutenant du bataillon, enfin les autres officiers, eux, n'avaient pas eu de congé, la plus simple camaraderie exigeait donc... etc..., etc...

— Oui, mon commandant, dit Charles-Joseph et il s'éloigna.

On ne pouvait rien objecter au commandant Zoglauer. Il avait presque prié le petit-fils du héros de Solferino au lieu de lui donner un ordre. D'autre part, le petit-fils du héros de Solferino n'avait-il pas eu un congé magnifique et inattendu ? Il traversa la cour pour aller à la cantine. C'était pour lui que la destinée avait préparé cette manifestation politique. C'était pour cela aussi qu'il était venu à la frontière. Maintenant, il croyait savoir précisément qu'un sort malin et calculateur, d'une espèce toute particulière, l'avait tout d'abord gratifié de sa permission pour l'anéantir après coup. Les autres, installés à la cantine, le saluèrent d'une ovation exagérée, due plutôt à leur curiosité « d'apprendre quelque chose » qu'à leur affection pour celui qui revenait et ils lui demandèrent, tous à la fois, comment « ça s'était passé ». Seul le capitaine Wagner déclara :

— Il pourra nous le dire demain, quand ce sera fini !

Et tous se turent subitement.

— Et si je suis tué demain ? dit le sous-lieutenant Trotta au capitaine Wagner.

— Pouah ! répondit le capitaine. Mort dégoûtante ! Affaire bien dégoûtante au surplus ! Et ce sont de pauvres diables avec ça ! Et qui ont peut-être raison, en fin de compte !

Il n'était pas encore venu à l'esprit du sous-lieutenant Trotta que c'étaient de pauvres diables et qu'ils pouvaient avoir raison. La remarque du capitaine lui parut judicieuse et il ne douta plus que ce fussent de pauvres diables. Il prit donc deux « quatre-vingt-dix degrés » et déclara :

— Alors je ne ferai pas tirer, c'est bien simple, ni charger à la baïonnette... Que la gendarmerie se débrouille toute seule !

— Tu feras ce qu'il faudra. Tu le sais bien toi-même.

Non, Charles-Joseph ne le savait pas à ce moment-là. Il but et tomba rapidement dans cet état où il se croyait capable de toutes les choses imaginables : refuser l'obéissance, quitter l'armée, gagner une quantité d'argent à des jeux de hasard. Il n'y aurait plus de morts sur son chemin.

— Quitte cette armée, avait dit le docteur Max Demant.

Voilà bien trop longtemps que le sous-lieutenant était une poule mouillée. Au lieu de quitter l'armée, il s'était fait transférer à la frontière. Tout cela allait finir à présent. Il ne se laisserait pas avilir, le lendemain, au point de n'être plus qu'une espèce d'agent de police supérieur. Qui sait si, après-demain, on ne lui fera pas faire le service de rue et donner des renseignements aux étrangers ! Ridicule de jouer les soldats en temps de paix ! Jamais il n'y aura plus de guerre ! On va pourrir dans les cantines ! Mais qui sait si lui, le sous-lieutenant Trotta, ne sera pas déjà « dans le Midi », dès la semaine prochaine, à cette même heure !

Il racontait tout cela au capitaine Wagner, en s'échauffant, à haute voix. Un certain nombre de camarades faisaient cercle et l'écoutaient. Quelques-uns ne trouvaient pas la guerre à leur goût. La plupart se seraient estimés heureux d'avoir une solde un peu plus élevée, des garnisons un peu plus commodes et un avancement un peu rapide. A plusieurs d'entre eux, le sous-lieutenant Trotta avait paru étrange, un peu inquiétant même. Il était pistonné. Il revenait précisément d'une magnifique excursion. Et quoi ? Est-ce qu'il lui déplaisait, par hasard, de prendre le commandement le lendemain ?

Charles-Joseph se sentait environné d'un silence hostile. Pour la première fois depuis qu'il était à l'armée, il résolut de provoquer ses camarades et, comme il savait ce qui les blesserait le plus amèrement, il déclara :

— Peut-être me ferai-je envoyer à l'école de guerre.

« Certainement, et pourquoi pas ? » se disaient les officiers. Il est

LA MARCHE DE RADETZKY

venu de la cavalerie. Pourquoi n'irait-il pas à l'école de guerre ? Il passerait inévitablement ses examens et serait même général, grâce à un tour de faveur, à un âge où les gens de leur espèce devenaient tout juste capitaine et pouvaient mettre des éperons. Ça ne lui ferait donc pas de mal de partir demain pour la bagarre.

Le lendemain, il dut se mettre en route très tôt. Car c'était l'armée elle-même qui réglait la marche des heures. Elle s'emparait du temps et le mettait à la place qui lui revenait d'après une estimation militaire. Bien que « les agissements dangereux pour l'État » ne fussent attendus que vers midi, dès huit heures du matin, le sous-lieutenant Trotta se mit en marche, avec ses hommes, sur la large route empoussiérée. Derrière les fusils dressés en faisceaux réguliers, qui avaient l'air pacifique et dangereux tout à la fois, les soldats se tenaient debout ou déambulaient. Les alouettes chantaient, les grillons stridulaient, les moucherons bourdonnaient. On pouvait voir briller, dans les champs lointains, les fichus multicolores des paysannes. Elles chantaient et parfois les soldats, nés dans le pays, leur répondaient par les mêmes chansons. Ils auraient bien su quoi faire, là-bas, dans les champs ! Mais ce qu'ils attendaient ici, ils ne le comprenaient pas. Était-ce déjà la guerre ? Est-ce qu'ils devraient mourir, dès aujourd'hui, à midi ?

Il y avait tout près de là un petit cabaret de village. Le sous-lieutenant Trotta alla y boire un « quatre-vingt-dix degrés ». La salle de café, basse de plafond, était bondée. Le sous-lieutenant y constata la présence des ouvriers qui devaient se rassembler à midi devant la fabrique. Tout le monde se tut quand il entra, cliquetant, sanglé dans son uniforme. Il resta debout au comptoir. Lentement, par trop lentement, le cafetier prit la bouteille et le petit verre. Derrière le dos de Trotta, le silence se dressait, une montagne de silence. Il vida son verre d'un trait. Il sentait qu'ils attendaient tous qu'il fût ressorti. Il aurait aimé leur dire qu'il n'y était pour rien. Mais il n'était en état ni de leur dire quoi que ce fût ni de s'en aller tout de suite. Il ne voulait pas avoir l'air intimidé et il vida encore, coup sur coup, plusieurs petits verres. Ils se taisaient toujours. Peut-être se faisaient-ils des signes derrière son dos. Il ne se retournait pas. Il finit par quitter le cabaret et il lui sembla qu'il se forçait à longer un dur rocher de silence. Et des centaines d'yeux se fichaient dans sa nuque comme des lances.

Quand il eut rejoint sa section, il lui parut indiqué de donner l'ordre de rassemblement, bien qu'il ne fût que dix heures du matin. Il s'ennuyait, il avait appris que l'ennui démoralise la troupe et que le maniement du fusil élève sa moralité. En un clin d'œil, sa section se trouva en rang devant lui, sur les deux files réglementaires et, pour la première fois de sa vie de soldat, il lui sembla que les membres exactement alignés de ses hommes étaient les parties inertes de machines inertes et totalement improductives. Toute sa section était immobile et tous les hommes retenaient leur souffle. Mais le sous-lieutenant qui venait de sentir derrière son dos, au cabaret, le sombre et pesant silence des ouvriers découvrit tout à coup qu'il y a plusieurs espèces de silences comme il y a de multiples espèces de bruits. Personne n'avait donné aux ouvriers l'ordre du rassemblement, quand il était entré au café, et pourtant, ils s'étaient subitement tus. Et de leur silence émanait une haine obscure et taciturne, comme émane parfois des lourdes nuées, dans un silence infini, la chaleur moite, chargée d'électricité, de l'orage encore muet.

Le sous-lieutenant Trotta restait aux écoutes. Mais il n'émanait rien de sa section immobile. Un visage de pierre s'alignait à côté d'un autre visage de pierre. Ils rappelaient, pour la plupart, son ordonnance Onufrij. Ils avaient de larges bouches, de lourdes lèvres qui pouvaient à peine se joindre et de petits yeux clairs sans regard. Et comme il se tenait devant eux, le sous-lieutenant Trotta, sous la voûte bleu vif de cette journée d'été à son début, environné du grisolement des alouettes, de la stridulation des grillons, parmi le bourdonnement des mouches, il crut pourtant entendre le silence de ses soldats plus fortement que les voix du jour, et il eut brusquement la certitude de n'être pas à sa place. « Mais alors, où est-elle, ma place ? » se demanda-t-il, tandis que ses hommes attendaient ses autres commandements. En quel autre lieu serais-je à ma place ? Non pas parmi ceux qui sont installés, là-bas, au café ! A Sipolje peut-être ? Auprès des pères de mes pères ! C'est la charrue qui convient à ma main et non l'épée. Et le lieutenant laissait ses soldats au garde-à-vous.

— Repos ! ordonna-t-il enfin. Arme au pied ! Rompez !

Et ce fut comme avant. Les soldats restaient étendus derrière les faisceaux de fusils. La chanson des paysannes venait des champs éloignés et les soldats leur répondaient par les mêmes chansons. Les gendarmes arrivaient de la ville. Trois postes renforcés accompagnés du commissaire de district Horak. Le sous-lieutenant Trotta le connaissait. C'était un bon danseur, Polonais de Silésie, frivole et honnête à la fois, qui faisait songer à son père que personne ne connaissait d'ailleurs. Or, son père avait été facteur à Bielitz. Aujourd'hui, comme il était de rigueur quand on était de service, il portait l'uniforme vert à parements violets et l'épée. Sa courte moustache blonde avait des reflets de blé doré et l'on sentait, de loin, le parfum de poudre de ses joues roses et pleines. Il était gai comme un dimanche et comme une parade :

— J'ai mission, dit-il au sous-lieutenant Trotta, de disperser immédiatement le rassemblement, alors vous aurez à vous tenir prêt, mon lieutenant !

Il disposa les gendarmes en face de la fabrique, autour du terrain vague où le meeting devait se tenir.

— Entendu, fit le lieutenant Trotta et il lui tourna le dos.

Il attendait. Il aurait volontiers repris un petit verre de « quatre-vingt-dix degrés », mais il ne pouvait retourner au café. Il vit le sergent, le caporal, le simple soldat, disparaître dans le cabaret puis en ressortir. Il s'étendit au bord du chemin, dans l'herbe, et attendit. La journée s'avançait de plus en plus, le soleil montait et les chansons des paysannes se taisaient au loin, dans les champs. Il semblait au sous-lieutenant qu'il s'était écoulé un temps infini depuis son retour de Vienne. De ces jours lointains, il ne voyait plus que la femme qui, aujourd'hui, devait déjà être dans le Midi, qui l'avait abandonné, « trahi », se disait-il. Et lui, il était dans sa garnison frontalière, au bord du chemin, à attendre... non pas l'ennemi... mais les manifestants.

Ils venaient. Ils venaient du cabaret. Leur chant les précédait, un chant que le sous-lieutenant n'avait jamais entendu encore, qu'on avait à peine entendu jusque-là dans la contrée. C'était l'*Internationale* chantée en trois langues. Le commissaire de district Horak la connaissait de par son métier. Le sous-lieutenant Trotta n'en comprenait pas un mot. Mais il lui sembla que la mélodie était, transformé en musique, ce silence qu'il avait senti tout à l'heure dans son dos. Une solennelle émotion s'empara du frivole commissaire de district. Il courait de gendarme en gendarme, son calepin et son crayon à la main.

— Rassemblement ! commanda Trotta une fois encore.

Et, comme un nuage tombé sur terre, le groupe compact des manifestants défila devant la double haie figée des deux files de chasseurs. Le sous-lieutenant éprouva un vague pressentiment de la fin du monde. Il se rappela les brillantes couleurs de la procession de la Fête-Dieu et, un instant, il lui sembla que le sombre nuage des rebelles déferlait à la rencontre du cortège impérial. Un seul et furtif instant, le sous-lieutenant reçut le sublime pouvoir de penser en images, il vit les temps rouler l'un contre l'autre comme deux blocs de rocher, et lui-même, le sous-lieutenant, était broyé entre les deux.

Sa section épaulait tandis que là-bas, soulevés par des mains invisibles, la tête et le buste d'un homme apparaissaient au-dessus du cercle dense et noir, perpétuellement agité, de la foule. Bientôt le corps qui planait ainsi forma presque exactement le centre du cercle. Ses mains s'élevaient en l'air. Des sons incompréhensibles s'échappaient de sa bouche. La foule vociférait. A côté du sous-lieutenant, Horak, le commissaire de district, se tenait, calepin et crayon à la main. Tout à coup, il ferma son carnet et marcha vers la foule de l'autre côté de la route, lentement, entre deux gendarmes étincelants.

— Au nom de la loi ! cria-t-il.

Sa voix aiguë couvrit celle de l'orateur. La réunion était dissoute.

Il y eut une seconde de silence. Puis un unique cri éclata, s'échappa de toute cette masse. Les poings blancs des hommes surgirent de chaque côté de leurs faces, chaque face flanquée de deux poings blancs. Les gendarmes formèrent la chaîne. Dès l'instant suivant, le demi-cercle de la foule s'ébranlait. Tous, en hurlant, se précipitaient sur les gendarmes.

— Abaissez la baïonnette ! commanda Trotta.

Il mit sabre au clair. Il ne pouvait pas voir sa lame fulgurer au soleil, ni jeter sur le côté ombragé de la route, où se trouvait la foule, un reflet rapide, joueur, provocant. Les boutons de casque des gendarmes et les pointes de leurs baïonnettes avaient soudain sombré dans la foule :

— Direction la fabrique ! ordonna Trotta. En avant, marche !

Les chasseurs avancèrent et de sombres objets de fer, des lattes brunes et des pierres blanches volèrent à leur rencontre, sifflant, mugissant, ronronnant, soufflant. Vif comme un furet, Horak accourut vers le sous-lieutenant et lui murmura à l'oreille :

— Faites tirer, mon lieutenant, pour l'amour de Dieu !

— Halte ! ordonna Trotta, puis : Feu !

Conformément aux instructions du commandant Zoglauer, les chasseurs tirèrent la première salve en l'air. Un complet silence la suivit. L'espace d'une seconde, on put discerner les voix pacifiques de ce midi d'été. A travers la poussière soulevée par les soldats et par la foule, à travers la légère odeur de poudre que dégageaient les cartouches tirées, on perçut la bienfaisante chaleur du soleil couvrant la terre. Soudain, le hurlement aigu d'une voix de femme déchira la quiétude de midi. Or quelques-uns, croyant de toute évidence que la femme avait reçu un coup de fusil, recommencèrent à bombarder les militaires avec tout ce qui leur tombait sous la main. Ceux-ci furent aussitôt imités par d'autres, puis finalement par tous. Déjà, certains chasseurs de la première ligne s'écroulaient et, tandis que le sous-lieutenant Trotta restait en proie à une grande perplexité, son sabre à la main droite, tâtant de la gauche sa poche à revolver, il entendit, à côté de lui, la voix étouffée d'Horak :

— Tirez ! Faites tirer pour l'amour de Dieu !

En l'espace d'une seconde, des centaines de pensées et d'images incohérentes roulèrent dans le cerveau surexcité de Trotta, quelques-unes sur le même plan, simultanément, et, dans son cœur, des voix confuses lui ordonnaient qui la pitié, qui la cruauté, lui représentaient ce que son grand-père aurait fait dans la même situation, le menaçaient lui-même de la mort pour la minute d'après, tout en lui faisant apparaître sa propre mort comme la seule issue possible, voire souhaitable, du combat. Il lui sembla qu'un autre levait sa main, qu'une voix étrangère, issue de lui, commandait pour la seconde fois :

— Feu !

Et il put encore voir que, cette fois, les canons des fusils étaient braqués sur la foule. Une seconde après, il ne savait plus rien du tout. Car une partie de la foule qui, tout d'abord, avait paru s'enfuir ou avait simulé la fuite, faisant seulement un détour, réapparaissait au pas de course derrière les chasseurs, si bien que la section de Trotta fut prise entre les deux groupes. Tandis que les soldats tiraient la deuxième salve, des pierres et des lattes à clous leur tombaient sur le dos et sur la nuque. Atteint à la tête par l'un de ces projectiles, le sous-lieutenant Trotta s'affaissa sans connaissance. On lança encore toutes sortes de choses sur l'homme terrassé. Maintenant, les chasseurs faisaient feu sur les assaillants, sans commandement, au petit bonheur, de tous les côtés, les contraignant ainsi à la fuite. Le tout avait à peine duré trois minutes. Quand les chasseurs se reformèrent en double file, à la voix de leur sous-officier, des soldats et des ouvriers blessés gisaient dans la poussière de la route et les ambulances se faisaient attendre. On transporta le sous-lieutenant Trotta dans le petit hôpital de la garnison. On constata une fracture du crâne et de la clavicule gauche. Une commotion cérébrale était à craindre. Un hasard, évidemment absurde, avait gratifié le petit-fils du héros de Solferino d'une fracture à la clavicule. (Au reste, pas un homme vivant, à l'exception de l'Empereur peut-être, n'aurait pu savoir que les Trotta devaient leur ascension à une lésion claviculaire du héros de Solferino !)

Une congestion cérébrale se déclara effectivement dans les trois jours. Et l'on aurait certainement averti le préfet si, dès le jour de son hospitalisation et après être revenu à lui, le sous-lieutenant n'avait instamment supplié le major de n'informer en aucun cas son père de l'événement. Il est vrai que, maintenant, le sous-lieutenant avait de nouveau perdu conscience et qu'on avait des raisons de craindre pour sa vie, mais le commandant décida d'attendre quand même. C'est ainsi que le préfet n'apprit que deux semaines plus tard l'émeute de la frontière et le rôle malheureux joué par son fils. Il fut mis tout d'abord au courant par les journaux où les politiciens de l'opposition publièrent la nouvelle. Car l'opposition était résolue à rendre l'armée, le bataillon de chasseurs et singulièrement le sous-lieutenant Trotta, qui avait donné l'ordre de faire feu, responsables des morts, des veuves et des orphelins. En fait, le sous-lieutenant était menacé d'une sorte d'enquête, c'est-à-dire d'une enquête pour la forme, introduite pour calmer les hommes politiques, conduite par l'autorité militaire et destinée à réhabiliter l'accusé, peut-être même à le distinguer en quelque manière.

Toutefois, le préfet ne fut nullement tranquillisé. Il télégraphia deux fois à son fils et une fois au commandant Zoglauer. Le sous-lieutenant allait déjà mieux. Il ne pouvait pas encore remuer dans son lit, mais sa vie n'était plus en danger. Il écrivit à son père un bref compte rendu. Du reste, ce n'était pas sa santé qui le préoccupait... Il pensait que de nouveaux morts gisaient sur son chemin et il était décidé à prendre son congé. En proie à des réflexions de ce genre, il lui aurait été impossible de voir son père et de lui parler, bien qu'il s'ennuyât de lui. Son père lui inspirait une sorte de mal du pays et il se rendait compte en même temps que son père n'était plus son pays. Il n'avait plus la vocation militaire. Autant la cause de son entrée à l'hôpital lui faisait horreur, autant sa maladie lui était la bienvenue, car elle reculait la nécessité d'exécuter des résolutions. Il s'abandonnait à la triste odeur phéniquée, au blanc désertique des murs et de sa couche, à la douleur, aux changements de pansement, à la sévère et maternelle douceur des infirmiers et aux ennuyeuses visites de ses camarades perpétuellement réjouis. Il reprit quelques-uns des livres — il n'avait plus rien lu depuis l'école des cadets — que son père lui avait indiqués comme lecture personnelle, chaque ligne lui rappelait son père et les tranquilles matinées dominicales de l'été, et Jacques, et Nechwal, le chef de musique, et la *Marche de Radetzky*.

Un jour, le capitaine Wagner vint le voir, il resta longtemps assis à son chevet, laissant tomber un mot par-ci, par-là, se levant, se rasseyant. Puis, tout en soupirant, il finit par tirer un billet de sa poche et pria Trotta de signer. Trotta signa. Le billet était de quinze cents couronnes. Le capitaine Wagner s'anima beaucoup, raconta une histoire circonstanciée de cheval de course qu'il pensait acheter pas cher et faire courir à Baden, ajouta encore quelques anecdotes et s'en alla fort brusquement.

Deux jours après, le médecin-chef apparut, pâle et soucieux, au chevet de Trotta et lui dit que Wagner était mort. Il s'était tiré un coup de revolver dans la forêt-frontière. Il laissait une lettre d'adieux à tous ses camarades et un cordial souvenir au sous-lieutenant Trotta.

Le sous-lieutenant ne songea nullement à ses billets, ni aux conséquences de sa signature. La fièvre s'empara de lui. Il rêvait — et disait aussi — que les morts l'appelaient et qu'il était temps pour lui de quitter cette terre. Le vieux Jacques, Max Demant, le capitaine Wagner et les ouvriers inconnus, qu'il avait fait fusiller, se tenaient en rang et l'appelaient. Entre lui et les morts se dressait une table de roulette où la bille, qu'aucune main ne lançait, virait indéfiniment. Sa fièvre dura quinze jours. Prétexte bienvenu pour l'autorité militaire à remettre l'enquête à plus tard et à faire savoir aux milieux politiques que l'armée, elle aussi, avait des victimes à déplorer, que la responsabilité en incombait à l'autorité civile de la localité frontière et que la gendarmerie aurait dû recevoir des renforts en temps utile. Il surgit d'énormes dossiers sur l'affaire Trotta, et les dossiers grossissaient, et chaque bureau les aspergeait d'un peu d'encre, comme on arrose les fleurs pour les faire pousser, et l'affaire tout entière finit par être soumise au cabinet militaire de l'Empereur, parce qu'un auditeur particulièrement perspicace du Conseil d'État avait découvert que, le sous-lieutenant étant le petit-fils du héros de Solferino, tombé dans l'oubli, mais dont les rapports avec le chef suprême de l'armée, pour oubliés qu'ils fussent, n'en avaient pas moins été étroits, son cas devait intéresser les hautes sphères et que, par conséquent, il valait mieux attendre avant de commencer une enquête.

Et c'est ainsi que l'Empereur, rentré tout juste d'Ischl, dut s'occuper un beau matin, à sept heures, d'un certain Charles-Joseph, baron von Trotta et Sipolje. Or, parce que l'Empereur était déjà vieux et bien qu'il fût reposé par son séjour à Ischl, il ne pouvait s'expliquer pourquoi, en lisant ce nom, il était hanté par la pensée de la bataille de Solferino. Il quitta sa table de travail et se mit à aller et venir dans son cabinet, à pas menus de vieillard, si bien que le vieux laquais attaché à sa personne en fut étonné et que, d'inquiétude, il alla frapper à la porte.

— Entrez ! dit l'Empereur. Et, quand il aperçut son serviteur : — Quand donc arrive Montenuovo ?

— A huit heures, Sire.

Il y avait encore une demi-heure jusque-là. Et l'Empereur croyait ne plus pouvoir supporter cet état. Pourquoi, pourquoi le nom de Trotta lui rappelait-il Solferino ? Et pourquoi ne pouvait-il retrouver l'enchaînement de ces deux idées ? Était-il donc déjà si vieux ? Depuis son retour d'Ischl, la question de son âge véritable le préoccupait, car il lui semblait soudain curieux que, pour connaître son âge, il fallût soustraire l'année de sa naissance de l'année en cours, alors que l'année du calendrier partait du Ier janvier et que son anniversaire était le 18 août. Si les années avaient commencé au mois d'août, ou si, par exemple, il était né le 18 janvier, alors l'opération n'aurait été qu'une vétille. Mais ainsi, on ne pouvait savoir exactement si on avait quatre-vingt-deux ans et se trouvait dans sa quatre-vingt-troisième année, ou bien si on avait quatre-vingt-trois ans et se trouvait dans sa quatre-vingt-quatrième année. Et il n'aimait pas à questionner, l'Empereur ! Tout le monde d'ailleurs avait déjà tant à faire, d'une manière ou d'une autre, un an de plus ou de moins n'avait pas une telle importance non plus, enfin peut-être que, plus jeune, on ne se serait pas davantage rappelé pourquoi ce sacré Trotta vous faisait penser à Solferino. Le grand maître de sa maison n'arrivait qu'à huit heures, mais peut-être que son domestique le savait aussi ?

Et l'Empereur interrompit son trottinement et interrogea son serviteur.

— Dites-moi un peu, connaissez-vous le nom de Trotta ?

A vrai dire, l'Empereur avait voulu tutoyer son serviteur, comme il le faisait souvent, mais c'était d'histoire universelle qu'il s'agissait en ce moment et il éprouvait du respect même pour ceux qu'il interrogeait sur des faits historiques.

— Trotta ! fit le domestique attitré de l'Empereur, Trotta !

Il était vieux aussi, le serviteur, et il avait la très obscure réminiscence d'un morceau de lecture intitulé : *la Bataille de Solferino*. Or soudain, le souvenir rayonna sur son visage, comme un soleil :

— Trotta ! s'écria-t-il, Trotta ! C'est celui qui a sauvé la vie de Votre Majesté !

L'Empereur retourna à sa table de travail. Par la fenêtre ouverte de son bureau pénétrait l'allégresse matinale des oiseaux de Schönbrunn. Il semblait à l'Empereur qu'il était jeune de nouveau, il entendait la déflagration des fusils et il se sentait empoigné par les épaules, jeté par terre. Et le nom de Trotta lui fut tout à coup très familier, exactement comme le nom de Solferino.

— Bien, bien, fit l'Empereur, qui congédia d'un geste le domestique, et nota en marge du dossier Trotta : « A conclure favorablement ».

Puis il se leva derechef, alla à la fenêtre. Les oiseaux exultaient et le vieillard leur sourit, comme s'il les voyait.

XV

L'Empereur était un vieil homme. C'était le plus vieil empereur du monde. Autour de lui, la mort traçait des cercles, des cercles, elle fauchait, fauchait. Déjà le champ était entièrement vide et, seul, l'Empereur s'y dressait encore, telle une tige oubliée, attendant. Depuis de nombreuses années, le regard vague de ses prunelles claires et dures se perdait en un vague lointain. Son crâne était chauve comme un désert bombé. Ses favoris étaient blancs comme deux ailes de neige. Les rides de son visage étaient une inextricable broussaille où les années nichaient par dizaines. Son corps était maigre, son dos légèrement fléchi. Dans sa maison, il trottinait à pas menus. Mais aussitôt qu'il foulait le sol de la rue, il essayait de rendre ses cuisses dures, ses genoux élastiques, ses pieds légers, son dos droit. Il emplissait ses yeux d'une artificielle bonté, véritable qualité des yeux d'un empereur. Alors ses yeux semblaient regarder tous ceux qui le regardaient et saluer tous ceux qui le saluaient. Mais en réalité, les visages ne faisaient que passer devant eux, planant, volant, sans les effleurer, et ils restaient braqués sur cette ligne délicate et fine qui marque la limite entre la vie et la mort, au bord de cet horizon que les vieillards ne cessent pas de voir, même quand il leur est caché par des maisons, des forêts, des montagnes. Les gens croyaient François-Joseph moins renseigné qu'eux, mais peut-être en savait-il plus long que beaucoup. Il voyait le soleil décliner sur son empire, mais il n'en disait rien. Quelquefois, il prenait un air candide et se réjouissait, quand on lui expliquait par le menu des chose qu'il savait très bien. Car, avec la ruse des enfants et des vieillards, il aimait à égarer les hommes et il s'amusait de la vanité qu'ils éprouvaient à se démontrer à eux-mêmes qu'ils étaient plus fins que lui. Il cachait son intelligence sous les dehors de la simplicité, car il savait qu'il ne convient pas à un monarque d'être aussi intelligent que ses conseillers. Mieux vaut avoir l'air simple que sagace. Quand il allait à la chasse, il savait parfaitement qu'on amenait le gibier à portée de son fusil et, bien qu'il eût pu en abattre davantage, il ne tirait que celui qu'on avait lâché devant le canon de son arme. Car il ne convient pas à un vieux monarque de montrer qu'il perce une ruse à jour et qu'il tire mieux qu'un garde-chasse. Quand on lui contait une fable, il se donnait l'air d'y croire, car il ne convient pas qu'un monarque prenne quelqu'un en flagrant délit de mensonge. Quand on souriait derrière son dos, il n'avait pas l'air de s'en apercevoir, car il ne convient pas qu'un monarque sache qu'on sourit de lui ; d'ailleurs, ce sourire reste vain tant qu'on n'en veut rien savoir. Quand il avait de la fièvre, que son entourage tremblait, et que son médecin ordinaire déclarait faussement devant lui qu'il n'en avait pas, l'Empereur disait : « Alors, tout est pour le mieux », bien qu'il n'ignorât pas sa fièvre, car un monarque n'accuse point son médecin de tromperie.

En outre, il savait que l'heure de sa mort n'était pas encore venue. Il connaissait aussi de nombreuses nuits où la fièvre le tourmentait alors que ses médecins n'en savaient rien, car il lui arrivait d'être malade sans que personne ne s'en doutât. Mais, d'autres fois, lorsqu'il se portait bien et qu'on le disait malade, il faisait comme s'il était malade. Quand on le croyait bienveillant, il était indifférent et quand on le disait froid, il souffrait en son cœur. Il avait vécu assez longtemps pour savoir qu'il est vain de dire la vérité. Il permettait aux gens de se tromper et croyait encore moins à la pérennité de son monde que les farceurs qui répandaient des anecdotes sur son compte dans son vaste empire. Mais il ne convient pas à un monarque de se mesurer avec les mauvais plaisants et les malins. L'Empereur se taisait donc.

Bien qu'il se fût reposé, que son médecin se déclarât content de son pouls, de ses poumons, de sa respiration, il avait un rhume de cerveau depuis la veille. Il ne se souciait pas de laisser voir ce rhume de cerveau. On aurait pu l'empêcher d'assister aux manœuvres d'automne à la frontière orientale. Or, une fois encore, un jour tout au moins, il voulait voir des manœuvres. L'acte de ce sauveur, dont le nom lui échappait de nouveau, lui avait rappelé Solferino. Il n'aimait pas les guerres (il savait qu'on les perd), mais il aimait l'armée, le jeu de la guerre, l'uniforme, le maniement des armes, la parade, le défilé et les exercices des compagnies. Quelquefois, il se

LA MARCHE DE RADETZKY

sentait blessé parce que les officiers avaient des képis plus hauts que le sien, un pli à leur pantalon, des souliers vernis et des cols démesurés à leurs tuniques. Il y en avait même beaucoup qui étaient complètement rasés ! Dans la rue, dernièrement, il avait rencontré un officier de la Landwehr tout à fait glabre, son cœur en avait été chagriné toute la journée. Mais, quand il allait les voir personnellement, les gens savaient à nouveau ce qui était règlement et ce qui était fantaisie. On pouvait les tancer vertement l'un ou l'autre car, chez les militaires, tout convenait à l'Empereur ; chez les militaires, même l'Empereur était soldat. Ah ! qu'il aimait les sonneries de trompettes, bien qu'il se donnât les apparences de ne s'intéresser qu'aux plans stratégiques ! Et, bien qu'il sût que c'était Dieu lui-même qui l'avait mis sur le trône, quelquefois, en certaines heures de faiblesse, il était blessé de n'être point un simple officier du front et il nourrissait de la rancœur contre les officiers de l'état-major. Il se rappelait qu'après la bataille de Solferino, pendant la retraite, il avait « engueulé », comme un adjudant, les troupes indisciplinées et y avait rétabli l'ordre. Il était convaincu — mais à qui aurait-il pu le dire ? — que dix bons adjudants font plus de besogne que vingt généraux d'état-major. Il désirait ardemment aller aux manœuvres !

Il résolut donc de dissimuler son coryza et de tirer son mouchoir le plus rarement possible. Personne ne serait informé à l'avance de son projet. Il voulait surprendre, par sa décision, et les manœuvres et tout son entourage. Il se divertissait du désespoir des autorités civiles qui n'auraient pas pris assez de mesures de police. Il n'éprouvait aucune crainte. Il savait pertinemment que l'heure de sa mort n'était pas encore venue. Il effraya tout le monde. On essaya de le dissuader. Il demeura ferme. Un jour, il prit le train impérial et roula vers l'est.

Au village de Z., à dix milles tout au plus de la frontière russe, on lui prépara ses quartiers dans un vieux château. L'Empereur aurait mieux aimé habiter l'une des masures où étaient logés les officiers, mais, depuis des années, on ne lui permettait pas de mener la vraie vie militaire. Une seule fois, par exemple, précisément au cours de la malheureuse campagne d'Italie, il avait vu une vraie puce vivante dans son lit, mais il n'en avait rien dit à personne. Car il était

234

l'Empereur et l'Empereur ne parle pas d'insectes. C'était déjà son avis à l'époque.

On ferma les fenêtres de sa chambre à coucher. La nuit (il ne pouvait dormir, mais tout ce qui avait charge de le garder dormait autour de lui), l'Empereur sortit de son lit dans sa longue chemise plissée et, doucement, doucement, pour n'éveiller personne, il fit tourner la poignée de la fenêtre. Il resta un moment à respirer la fraîche haleine de la nuit automnale, il vit les étoiles dans le ciel bleu et les feux de camp qui rougeoyaient. Un jour, il avait lu un livre sur lui-même où se trouvait cette phrase : « François-Joseph Ier n'est pas un romantique. » « Ils disent de moi que je ne suis pas un romantique, songeait le vieillard, pourtant j'aime les feux de bivouac. » Il aurait voulu être simple lieutenant et jeune. « Peut-être ne suis-je pas du tout romantique, pensait-il, mais je désirerais être jeune. Si je ne me trompe pas, poursuivait-il, j'avais dix-huit ans quand je suis monté sur le trône. » « Quand je suis monté sur le trône », l'expression paraissait bien hardie à l'Empereur, il lui était difficile en ce moment de se prendre lui-même pour l'Empereur. Cela se trouvait, certes, dans le livre qu'on lui avait offert avec l'une des respectueuses dédicaces qui sont de rigueur. Il était François-Joseph Ier, il n'y avait pas de doute. Devant sa fenêtre, la nuit infinie s'arrondissait, bleu sombre, étoilée. Le pays était plat et vaste. On lui avait dit que ces fenêtres donnaient au nord-est. On regardait donc dans la direction de la Russie. Mais naturellement, on ne pouvait pas distinguer la frontière. Or, à ce moment-là, l'Empereur François-Joseph aurait aimé voir la limite de son empire. Son empire ! Il sourit. La nuit était bleue, ronde, vaste et constellée d'étoiles. L'Empereur se tenait à la fenêtre, maigre et vieux, en chemise de nuit blanche, il se sentait tout petit en face de l'immensité nocturne. Le dernier de ses troupiers, en patrouille devant les tentes, avait plus de pouvoir que lui. Le dernier de ses troupiers ! Et il était le chef suprême de la guerre ! Tous les soldats prêtaient serment de fidélité à François-Joseph Ier par le Dieu tout-puissant. Il était Majesté par la grâce du Seigneur et il croyait au Dieu tout-puissant. Et le Tout-Puissant se cachait derrière le bleu étoilé d'or du ciel... Inconcevable ! C'étaient Ses étoiles qui scintillaient là, dans le ciel, c'était Son ciel qui s'arrondissait au-dessus de la terre et Il avait attribué à François-Joseph Ier une part de cette terre : la monarchie austro-hongroise. Et François-Joseph Ier était un maigre vieillard. Il se tenait debout à sa fenêtre, redoutant à tout instant d'être surpris par ses gardiens. Les grillons stridulaient. Leur chant, infini comme la nuit, suscitait en l'Empereur le même respect que les étoiles. Parfois, il semblait à l'Empereur que c'étaient les étoiles elles-mêmes qui chantaient. Il frissonnait légèrement. Mais il avait encore peur de fermer la fenêtre, peut-être n'y réussirait-il pas aussi facilement que tout à l'heure. Ses mains tremblaient. Il se rappelait avoir dû déjà assister à des manœuvres dans la région, il y avait longtemps. Il voyait aussi cette même chambre à coucher émerger des temps oubliés. Mais il ne savait si c'était dix, vingt, trente années qui s'étaient écoulées depuis. Il avait l'impression de nager sur l'océan du temps, non en se dirigeant vers un but, mais en divaguant sans règle, à la surface, souvent repoussé par des écueils qu'il devait avoir déjà rencontrés. Un jour, il sombrerait quelque part... Un éternuement le surprit. Oui, son rhume de cerveau ! Pourvu qu'il n'ait réveillé personne ! Il prêta l'oreille. Rien ne bougeait dans l'antichambre. Il referma prudemment la fenêtre, regagna son lit, avançant à tâtons sur ses maigres pieds nus. Il emportait en lui l'image du cercle bleu, étoilé, du ciel. Ses yeux clos la conservaient encore. Et c'est ainsi qu'il s'endormait sous la voûte de la nuit, comme à la belle étoile.

Il se réveilla ponctuellement, à quatre heures du matin, comme d'habitude quand il était en campagne (ainsi qu'il disait des manœuvres). Son domestique était déjà dans sa chambre. Et, derrière la porte, il le savait, ses aides de camp attendaient déjà. Oui, il fallait commencer la journée. Et, durant toute la journée, c'est à peine si l'on pourrait être une heure tout seul. En revanche, il les avait tous bernés cette nuit, il était resté un bon quart d'heure auprès de la fenêtre ouverte ! Il pensait maintenant à ce plaisir astucieusement volé et il souriait. C'est avec un sourire satisfait qu'il regarda son domestique, ainsi que son ordonnance, qui entrait précisément et s'immobilisait, figée, inerte, effrayée du sourire de Sa Majesté, des bretelles de Sa Majesté, qu'il voyait pour la première fois de sa vie, de ses favoris, encore en désordre, qui formaient des sortes de petits pelotons entre lesquels, muet comme un vieil oiselet fatigué, le sourire satisfait de l'Empereur passait et repassait furtivement. L'Empereur avec son teint jaune et son crâne chauve qui pelait ! On ne savait pas si l'on devait sourire avec le vieillard ou attendre passivement. Tout à coup, l'Empereur se mit à siffler. C'est qu'en vérité, il pointait les lèvres, les ailes de ses favoris se rapprochèrent un petit peu et le monarque siffla un air connu, bien que légèrement déformé. C'était comme un tout petit flûteau de berger. Et l'Empereur dit :

— Hojas le siffle toujours, cet air-là. J'aimerais savoir ce que c'est.

Mais du domestique et de l'ordonnance, aucun ne le savait et, un moment après, en se lavant, l'Empereur avait déjà oublié la chanson.

La journée allait être chargée. François-Joseph regarda le papier où son emploi du temps était noté, heure par heure. Il n'y avait qu'une église grecque dans la localité. La messe serait dite d'abord par un prêtre catholique romain, puis par un prêtre orthodoxe. Les cérémonies religieuses le fatiguaient plus que tout le reste. Il se sentait le devoir de prendre, devant Dieu, la position qu'on prend devant son supérieur. Et il était déjà vieux ! « Il aurait pu me dispenser de bien des choses, se disait l'Empereur. Mais Dieu est encore plus âgé que moi et il se peut que ses décrets me paraissent aussi obscurs que les miens aux soldats de mon armée ! Où en arriverait-on si chaque subordonné voulait critiquer son supérieur ? » Par la haute fenêtre cintrée, l'Empereur vit s'élever le soleil du Bon Dieu. Il se signa et fléchit le genou. Depuis des temps immémoriaux, il avait vu le soleil se lever chaque matin. Toute sa vie, il s'était presque toujours levé avant lui, comme un soldat se lève plus tôt que son supérieur. Il connaissait tous les levers de soleil, ceux de l'été qui sont embrasés et joyeux, ceux de l'hiver qui sont tardifs, nébuleux et troubles. S'il ne se rappelait vraiment plus les dates, les noms des jours et des mois où des événements funestes ou heureux avaient fondu sur lui, il se rappelait exactement les matins qui avaient prélude à tous les jours importants de sa vie. Il savait que tel matin avait été gris, tel autre chair. Et chaque matin, il s'était signé et avait fléchi le genou, comme certains arbres ouvrent, chaque matin, leurs feuilles au soleil sans s'inquiéter de savoir si la journée qui vient amènera l'orage, la hache du bûcheron, la mortelle gelée blanche du printemps, ou si elle sera pleine de paix, et de chaleur, et de vie.

L'Empereur se leva. Son coiffeur arrivait. Tous les matins, régulièrement, il présentait son menton, on lui taillait les favoris, les lui brossait proprement. Le froid métal des ciseaux lui chatouillait le pavillon de l'oreille et le devant des narines. L'Empereur était parfois pris d'éternuement. Assis aujourd'hui devant un petit miroir ovale, il suivait, d'un air intéressé et amusé, le mouvement des maigres mains du coiffeur. Après chaque petit poil qui tombait, après chaque caresse du rasoir, chaque coup de peigne ou de brosse, le coiffeur faisait un bond en arrière, exhalant : « Sire ! » de ses lèvres frémissantes. L'Empereur n'entendait pas le mot balbutié, il voyait seulement le mouvement perpétuel des lèvres du barbier, n'osait l'interroger et finit par penser que l'homme était un peu nerveux.

— Comment donc vous appelez-vous ? demanda l'Empereur.

Le coiffeur — il avait rang de caporal bien qu'il ne fût soldat de la Landwehr que depuis un an, mais il servait son colonel d'une façon irréprochable et jouissait de la faveur de tous ses supérieurs — atteignit la porte d'un bond élégant — ainsi que l'exigeait son métier, mais qui n'en était pas moins militaire pour cela —, il sauta, s'inclina et s'immobilisa tout en même temps, et l'Empereur eut un hochement de tête complaisant.

— Hartenstein ! s'écria le coiffeur.

— Qu'avez-vous à sauter comme ça ? demanda François-Joseph, mais il n'obtint pas de réponse.

Le caporal revint timidement auprès de lui et acheva son œuvre de ses mains rapides. Il se souhaitait loin de là, de retour au camp.

— Restez encore, dit l'Empereur. Ah ! vous êtes caporal. Il y a longtemps que vous êtes au service ?

— Six mois, Sire ! exhalèrent les lèvres du coiffeur.

— Ah ! ah ! et déjà caporal ? De mon temps, dit l'Empereur du ton qu'aurait pu avoir un vétéran, on n'allait pas si vite que ça ! Mais aussi, c'est que vous êtes un chic soldat ! Vous voulez restez dans l'armée ?

Le coiffeur Hartenstein avait femme et enfant, une bonne boutique à Olmüz et il avait déjà essayé plusieurs fois de simuler un rhumatisme articulaire pour être libéré le plus vite possible. Mais il ne pouvait dire non à l'Empereur.

— Oui, Sire, répondit-il et il se rendit compte au même moment qu'il avait gâché sa vie.

— Bon, alors ça va ! Vous voilà donc sergent-major ! Mais ne soyez pas si nerveux !

Allons, l'Empereur venait de faire un heureux ! Il était content, content, content ! C'est une œuvre grandiose qu'il avait accomplie en la personne de ce Hartenstein. Sa journée pouvait commencer maintenant. Sa voiture l'attendait déjà. On se dirigea lentement vers l'église grecque, en gravissant la colline dont elle occupait le sommet. Sa double croix dorée étincelait au soleil du matin. Les musiques militaires jouaient le *Dieu garde*. L'Empereur descendit et entra dans l'église. Il s'agenouilla devant l'autel, remua les lèvres, mais ne pria pas. La pensée du coiffeur ne le quittait pas. Le Tout-Puissant ne pouvait octroyer à l'Empereur d'aussi soudains témoignages de sa faveur que l'Empereur à un caporal et c'était dommage. Le titre de Roi de Jérusalem était la plus grande distinction que Dieu pût accorder à une Majesté. Et François-Joseph était déjà Roi de Jérusalem... « Dommage ! » songeait l'Empereur... Quelqu'un vint lui dire à l'oreille que les Juifs l'attendaient au village. « Ah, encore ces Juifs ! pensa l'Empereur, ennuyé. Soit ! Qu'ils viennent ! » Mais il fallait se dépêcher, sans quoi on arriverait trop tard à la bataille.

Le prêtre grec expédia sa messe en toute hâte. Les musiques militaires attaquèrent une fois de plus le *Dieu garde*... Le combat commençait à neuf heures vingt. François-Joseph décida de monter tout de suite à cheval et de ne plus prendre la voiture. On pouvait bien les recevoir à cheval, ces Juifs ! Il renvoya sa voiture et chevaucha au-devant des Juifs. A la sortie du village où commençait la grand-route qui conduisait à ses quartiers, en même temps qu'au lieu du combat, ils voguaient à sa rencontre, telle une nuée ténébreuse. Tel un champ couvert d'étranges épis noirs sous la rafale, la communauté juive s'inclinait devant l'Empereur. Du haut de sa selle, il voyait leurs dos courbés. Puis il s'approcha et put distinguer les longues barbes flottantes, d'argent, de jais ou de feu, agitées par la brise d'automne et les longs nez osseux qui avaient l'air de chercher quelque chose par terre. L'Empereur était en manteau bleu sur son cheval blanc. Ses favoris brillaient au soleil argenté de l'arrière-saison. Des voiles blancs s'élevaient des champs environnants. Le chef de la communauté, vieil homme enveloppé dans le manteau de prière blanc à rayures noires des Juifs, s'avançait, la barbe flottante. François-Joseph allait au pas. Les pieds du vieux Juif ralentissaient de plus en plus. Il finit par s'immobiliser tout en ayant l'air de bouger. François-Joseph frissonnait un peu. Il mit pied à terre. Sa suite aussi. Il marcha. Ses bottes reluisantes se recouvrirent de la poussière de la route et leurs bords étroits de lourde boue grise. La troupe noire des Juifs ondulait à sa rencontre. Leurs échines s'élevaient et s'abaissaient. Leurs barbes d'argent, de jais et de feu, flottaient au vent léger. A trois pas de l'Empereur, le vieillard s'arrêta. Il portait dans ses bras une grande Thora pourpre, enroulée, ornée d'une couronne d'or dont les clochettes tintaient doucement. Puis le Juif leva la Thora vers l'Empereur. Et sa bouche embroussaillée, édentée, balbutia en une langue incompréhensible la bénédiction que doivent prononcer les Juifs à la vue d'un empereur. François-Joseph inclina la tête. Un été de la Saint-Martin, délicat, argenté, passait au-dessus de son képi noir, les oies sauvages criaient dans les airs, la fanfare d'un coq éclatait dans une ferme lointaine. A part cela, tout était silencieux. De la troupe des Juifs s'élevait un sombre murmure. Leurs échines se courbèrent encore plus profondément. Sans nuages, la grisaille argentée du ciel s'étendait à l'infini au-dessus de la terre.

— Tu es béni ! disait le Juif à l'Empereur. Tu n'assisteras pas au naufrage du monde.

« Je le sais ! » songea François-Joseph.

Il tendit la main au vieillard. Il fit demi-tour. Il monta sur son cheval blanc.

Il trotta vers la gauche, sur les dures mottes des champs d'automne, sa suite derrière lui. Le vent lui apportait les paroles que le capitaine de cavalerie Kaunitz adressait à son ami chevauchant à côté de lui.

— Je n'ai pas compris une syllabe de ce qu'a dit ce Juif !

L'Empereur se retourna sur sa selle :

— Aussi est-ce à moi seul qu'il a parlé, mon cher Kaunitz.

Il repartit.

Il ne comprit rien au sens des manœuvres. Il savait seulement que les « bleus » luttaient contre les « rouges ». Il se fit tout expliquer. « Bien ! Bien ! » répétait-il sans cesse. Il s'amusait parce que les gens croyaient qu'il voulait comprendre et ne pouvait pas. « Crétins ! » se disait-il, hochant la tête. Mais les gens pensaient que sa tête branlait, parce que c'était un vieillard. « Bien ! Bien ! » répétait sans cesse l'Empereur. Les opérations étaient déjà assez avancées. L'aile gauche des bleus, qui se trouvait actuellement à environ un mille et demi en arrière du village de Z, battait en retraite sans relâche, depuis deux jours, sous la pression de la cavalerie rouge. Le centre cernait le terrain autour de P., région accidentée, difficile à attaquer, facile à défendre, mais exposée aussi au danger d'encerclement si l'on réussissait — et c'est là-dessus que se concentrait pour l'heure toute l'attention des rouges — à couper du centre l'aile gauche et l'aile droite des bleus. Mais, si l'aile gauche était en train de céder, la droite, elle, ne fléchissait pas, au contraire, elle avançait encore lentement tout en manifestant une tendance à s'allonger en même temps, si bien qu'on pouvait admettre qu'elle voulait envelopper le flanc ennemi. C'était, de l'avis de l'Empereur, une situation des plus banales. Et s'il avait été à la tête des rouges, par une retraite continue, il aurait attiré l'aile des bleus, dans son élan, loin de sa base et tenté d'occuper ses forces d'assaut à une distance telle, à l'extrémité, qu'il se serait finalement trouvé un point à découvert entre elles et le centre. Mais il ne disait rien, l'Empereur. Il était préoccupé du fait considérable que le colonel Lugatti, trentin et fat comme seuls pouvaient l'être les Italiens — c'était une conviction inébranlable chez François-Joseph — avait un col de manteau dont la hauteur excessive n'était même pas autorisée pour les dolmans et que, de plus, pour laisser voir son grade, il portait, coquettement ouvert, ce col affreusement haut.

— Dites-moi, mon colonel, demanda l'Empereur, où faites-vous faire vos manteaux ? A Milan ? Malheureusement, j'ai tout à fait oublié les tailleurs de là-bas.

Le colonel d'état-major Lugatti rectifia la position et ferma son col.

— On pourrait vous prendre pour un lieutenant à présent, dit François-Joseph. Comme vous avez l'air jeune !

Il donna de l'éperon à son cheval blanc et galopa vers la colline où l'état-major était dans la nécessité de se tenir pour se conformer en tout point au modèle des anciennes batailles. Il avait résolu d'interrompre les « opérations », si elles devaient se prolonger, car il désirait passionnément assister au défilé. Certes, François-Ferdinand se comportait autrement. Il prenait parti, se mettait d'un côté quelconque, commençait à commander et, naturellement, il triomphait toujours. Où y avait-il encore un général capable de battre le prince héritier ? L'Empereur laissait errer sur les visages le regard bleu pâle de ses yeux de vieillard. « Tous des fats ! » se disait-il. Il y a quelques années, il se serait encore fâché. Mais plus aujourd'hui, plus aujourd'hui ! Il ne savait pas très exactement quel âge il avait, mais, quand les autres l'entouraient, il sentait qu'il devait être bien vieux. Il lui semblait parfois qu'il s'éloignait littéralement de la terre et des humains. Plus il les regardait, tous, plus ils rapetissaient et c'est de très loin que leurs paroles venaient frapper son oreille, pour s'en détacher de nouveau, comme un bruit indifférent. Et, quand il arrivait malheur à quelqu'un d'entre eux, il se rendait bien compte qu'on se donnait toute la peine du monde pour le prévenir avec précaution. Hélas ! ils ignoraient qu'il était capable de tout supporter. Les grandes douleurs étaient déjà chez elles dans son âme et les nouvelles douleurs ne faisaient que venir retrouver les anciennes, comme des sœurs depuis longtemps attendues. Il ne se fâchait plus avec la même violence. Il ne se réjouissait plus avec la même force. Il ne souffrait plus aussi intensément.

Et maintenant, il faisait effectivement interrompre les « opérations de combat ». Le défilé devait commencer. Dans les champs, à perte de vue, les régiments de toutes armes s'alignèrent, en « feldgrau » malheureusement (encore une de ces inventions modernes qui n'étaient pas chères à son cœur !). Néanmoins, le rouge sanglant des culottes de la cavalerie continuait de flamber sur le jaune desséché des chaumes et jaillissait de la grisaille des fantassins comme le feu jaillit des nuées. Les éclairs blafards des épées fulguraient devant les rangs et doubles rangs en marche, les croix rouges se détachaient sur leur fond blanc, en arrière des sections de mitrailleuses. Comme d'antiques dieux de la guerre sur leurs chars pesants, les artilleurs s'avançaient et les beaux chevaux bais et aubères se cabraient avec vigueur, fierté et souplesse. A l'aide de ses jumelles, François-Joseph distinguait les évolutions de chaque groupe, il ressentit, quelques minutes, l'orgueil de son armée et, quelques minutes aussi, le regret de sa perte. Car il la voyait déjà mise en pièces, dispersée, morcelée entre les multiples nations de son vaste empire. Il voyait le grand soleil des Habsbourg descendre, fracassé, dans l'infini où s'élaborent les mondes, se dissocier en plusieurs petits globes solaires qui avaient à éclairer, en tant qu'astres indépendants, des nations indépendantes... « Puisqu'il ne leur convient plus d'être gouvernés par moi », songeait le vieillard. Et, à part lui, il ajoutait : « Rien à y faire ! » car il était autrichien.

Donc, au grand effroi de tous les chefs, il redescendit sa colline et se mit à passer ses régiments en revue, presque section par section. Et, à l'occasion, il circulait parmi les rangs, examinait les nouveaux sacs et les panetières, en extrayait une boîte de conserve par-ci par-là, s'informait de ce qu'elle contenait, considérait de-ci de-là un visage inexpressif, l'interrogeait sur son pays, sa famille, son métier, entendait à peine telle ou telle réponse, avançait parfois sa vieille main pour taper sur l'épaule d'un lieutenant. Et c'est ainsi qu'il atteignit le bataillon de chasseurs où servait Trotta.

Il y avait quatre semaines que Trotta avait quitté l'hôpital. Il se tenait devant sa section, pâle, maigre, indifférent. Mais quand il vit l'Empereur s'approcher de lui, il commença à constater et à regretter son indifférence. Il eut le sentiment de négliger un devoir. L'armée lui était devenue étrangère. Le chef suprême de la guerre lui était étranger. Le sous-lieutenant Trotta ressemblait à quelqu'un qui n'a pas seulement perdu son pays, mais aussi la nostalgie de son pays. Il avait pitié du vieillard à favoris blancs qui s'approchait de lui, en tâtant avec curiosité les sacs, les panetières et les conserves. Le sous-lieutenant aurait souhaité éprouver à nouveau la griserie qui l'avait envahi à toutes les heures solennelles de sa carrière militaire : chez lui, les dimanches d'été sur le balcon de la maison paternelle, pendant toutes les parades, à la cérémonie de sortie et, il y avait peu de mois encore, devant la procession de la Fête-Dieu, à Vienne. Rien ne s'émut dans le sous-lieutenant Trotta quand il se trouva à cinq pas de l'Empereur, rien ne s'émut dans son thorax qu'il bombait, si ce n'est de la pitié pour le vieillard. Le commandant Zoglauer nasilla la formule consacrée. Pour une raison quelconque, il ne plut pas à l'Empereur. François-Joseph soupçonna que tout n'était pas pour le mieux dans le bataillon que commandait cet homme et il décida de l'examiner de près. Il considéra attentivement les visages immobiles, désigna Charles-Joseph et demanda :

— Est-ce qu'il est malade ?

Le commandant Zoglauer exposa ce qui était arrivé au lieutenant Trotta. Le nom vint frapper l'oreille de François-Joseph comme quelque chose de familier et de contrariant en même temps, l'incident surgit dans son souvenir sous la forme où il était relaté dans le dossier et, en arrière de cet incident, se réveillait aussi l'événement depuis longtemps endormi de la bataille de Solferino. Il entendait encore nettement le capitaine le prier avec obstination, au cours d'une audience ridicule, de supprimer un morceau de lecture patriotique. C'était l'exercice n° 15. L'Empereur se rappela ce nombre avec le plaisir que lui donnaient ces insignifiantes preuves de sa « bonne mémoire ». Son humeur s'améliorait à vue d'œil. Le commandant Zoglauer lui-même lui paraissait moins déplaisant.

— Je me souviens encore très bien de votre père, dit l'Empereur à Trotta, c'était un modeste que le héros de Solferino !

— C'était mon grand-père, Sire, répondit le lieutenant.

L'Empereur recula d'un pas, comme renvoyé en arrière par la puissance du temps qui s'était brusquement interposé entre lui et le jeune homme. Oui, oui, il pouvait encore se rappeler le numéro d'un exercice de lecture, mais non l'énorme quantité d'années qu'il avait parcourues.

— Ah ! fit-il, c'était votre grand-père. Bon, bon. Et votre père est colonel, n'est-ce pas ?

— Préfet à W.

— Bon, bon ! j'y penserai ! ajouta-t-il s'excusant en quelque manière de la faute qu'il venait de commettre.

Il resta encore un moment devant le sous-lieutenant, toutefois il ne voyait ni Trotta ni les autres. Il n'avait plus aucune envie de passer le long des rangs, mais il fallait bien le faire pour qu'on ne s'aperçut pas qu'il avait eu peur de sa propre vieillesse. Son regard se perdit de nouveau, comme d'habitude, dans le lointain où émergeaient déjà les bords de l'éternité. Il ne s'apercevait pas qu'en même temps, une goutte limpide comme du verre se montrait au bout de son nez et que tout le monde gardait les yeux fixés dessus, jusqu'au moment où elle tomba enfin dans son épaisse moustache d'argent et s'y blottit, invisible.

Puis tous se sentirent le cœur léger et le défilé put commencer.

Troisième partie

XVI

Il s'était produit, dans la maison du préfet, divers changements importants. M. von Trotta les constatait avec stupeur et irritation. A de petits signes, qu'il tenait évidemment pour considérables, il remarquait que le monde se transformait autour de lui et il pensait au naufrage du monde et aux prophéties de Chojnicki. Il se mit en quête d'un nouveau domestique. On lui recommanda un grand nombre de garçons assez jeunes, de toute évidence de braves garçons, qui avaient fait leurs trois ans de service militaire et qui étaient même devenus caporaux. Le préfet avait pris un tel ou un tel chez lui « à titre d'essai ». Mais il n'en avait pas gardé un seul. Ils se nommaient Charles, François, Alexandre, Joseph, Aloys, Christophe ou autrement encore. Toutefois, le préfet les appelait tous Jacques. Est-ce que Jacques en personne, le Jacques authentique, n'avait pas eu, lui aussi, un autre prénom ? Et s'il avait accepté ce nom et l'avait porté fièrement durant toute une longue vie, c'était uniquement à la façon dont un poète célèbre, par exemple, porte le pseudonyme littéraire sous lequel il écrit des chants et des poèmes éternels. Mais il suffisait de quelques jours pour s'apercevoir que les Aloys, les Alexandre, les Joseph et autres faisaient la sourde oreille au nom de Jacques et cette indocilité n'était pas uniquement ressentie par le préfet comme un manquement à l'obéissance ainsi qu'à l'ordre universel, il y voyait aussi un manque d'égard envers l'irremplaçable mort. Comment ? Il ne leur convenait pas de se nommer Jacques, à ces propres-à-rien sans ancienneté, sans mérite, sans intelligence, sans discipline ? Car le vieux Jacques continuait à vivre dans la mémoire du préfet, comme un serviteur aux qualités modèles et, d'une façon générale, comme le modèle des serviteurs. Or, plus encore que l'indocilité des successeurs de Jacques, ce qui étonnait M. von Trotta c'était la légèreté des patrons et des autorités qui avaient donné de bons certificats à d'aussi piètres sujets. S'il se pouvait seulement qu'un individu du nom d'Alexandre Caz — individu dont il tenait à ne pas oublier le nom et nom qui se prêtait assez bien à être dit d'un ton haineux, si bien qu'on eût pu croire que le préfet fusillait Caz, alors qu'il ne faisait que prononcer son nom — s'il était possible donc que ce Caz appartînt au parti social-démocrate et n'en fût pas moins parvenu, dans son régiment, au grade de caporal, alors c'était à désespérer, non seulement du régiment en question, mais de l'armée tout entière ! Et, de l'avis du préfet, l'armée était la seule puissance de la monarchie à laquelle on pût encore se fier. Il semblait à M. von Trotta que, tout à coup, le monde ne se composait plus que de Tchèques, nation qu'il tenait pour indocile, entêtée, stupide, et qui, après tout, avait inventé le « concept de nation ». Il pouvait bien y avoir une multitude de peuples, mais en aucun cas des nations. Et, avec cela, il vous arrivait de la Statthalterei toute espèce de décrets et d'ordonnances hermétiques vous recommandant plus de douceur dans le traitement des « minorités nationales » (une des expressions que le préfet détestait le plus). Les minorités nationales, en effet, n'étaient pas autre chose, à ses yeux, que d'importantes communautés « d'individus révolutionnaires ». Oui, il n'était environné que « d'individus révolutionnaires ». Il croyait même observer que leur pullulement avait quelque chose d'antinaturel, quelque chose d'inconciliable avec l'existence de l'homme. Le préfet avait très nettement constaté que les « éléments fidèles à l'État » se stérilisaient de plus en plus, avaient de moins en moins d'enfants, ainsi que le prouvaient les statistiques de recensement qu'il feuilletait parfois. Il ne pouvait plus se dissimuler l'affreuse pensée que c'était la Providence elle-même qui était mécontente de la monarchie, et, bien qu'il fût, au sens ordinaire du terme, chrétien pratiquant, mais peu croyant, il inclinait encore à admettre que c'était Dieu en personne qui châtiait l'Empereur. Il en arrivait d'ailleurs peu à peu à toutes sortes d'étranges pensées. Au reste, la dignité qu'il avait revêtue dès le jour de sa nomination comme préfet de W. l'avait instantanément vieilli. Même au temps où ses favoris étaient encore tout noirs, il ne serait venu à l'esprit de personne de prendre M. von Trotta pour un homme jeune. Toutefois, les habitants de sa petite ville commençaient seulement à dire que le préfet se faisait vieux. Il avait dû renoncer à toutes sortes d'habitudes qui lui avaient été longtemps familières. Depuis la mort du vieux Jacques, par exemple, et depuis qu'il était revenu de la garnison-frontière, M. von Trotta ne faisait plus sa promenade matinale avant son petit déjeuner, parce qu'il craignait que l'un des individus suspects qui servaient chez lui, et changeaient si fréquemment, eût oublié de mettre le courrier sur la table de son petit déjeuner ou même d'ouvrir la fenêtre. Il haïssait sa gouvernante. Il l'avait toujours haïe, mais tout en lui adressant la parole par-ci par-là. Depuis que le service n'était plus fait par le vieux Jacques, le préfet se gardait de toute réflexion à table. Car, en réalité, ses paroles insidieuses avaient toujours été destinées à Jacques dont elles quêtaient l'approbation. Or depuis que le vieillard était mort, M. von Trotta se rendait compte qu'il n'avait parlé que pour lui, tel un acteur qui connaît la présence au parterre d'un vieil admirateur de son talent. Et s'il était vrai que le préfet eût toujours mangé vite, maintenant il s'efforçait de quitter la table dès après les premières bouchées. Il lui semblait sacrilège de savourer le *Tafelspitz* pendant que les vers dévoraient le vieux Jacques dans sa fosse. Et, s'il arrivait de temps en temps au préfet de lever les yeux, poussé par l'espoir et aussi par l'instinctive croyance que le défunt était au ciel d'où il pouvait le voir, il n'apercevait rien d'autre que le plafond de la pièce, car il s'était évadé de la foi toute simple et ses sens n'obéissaient plus aux injonctions de son cœur.

De temps en temps aussi, le préfet oubliait même d'aller dans son bureau les jours de semaine. Et il pouvait lui arriver, un jeudi matin par exemple, de mettre sa redingote noire pour se rendre à l'église. Une fois dehors, il s'apercevait à d'incontestables signes, que ce n'était pas dimanche. Alors il rebroussait chemin et remettait son costume ordinaire. Inversement, certains dimanches, il oubliait d'aller à l'église, restait néanmoins au lit plus longtemps que de coutume et ne s'apercevait de sa méprise qu'au moment où Nechwal, le chef de musique, faisait son apparition avec son orchestre. On servait le *Tafelspitz* dominical garni de légumes. Et le chef de musique Nechwal arrivait pour le café. On le prenait au fumoir. On fumait un Virginia. Le chef de musique, lui aussi, avait vieilli. Il allait bientôt être à la retraite. Il ne se rendait plus aussi souvent à Vienne et le préfet lui-même croyait connaître depuis de longues années les mots d'esprit qu'il répétait. Non qu'il eût fini par les comprendre, mais il les reconnaissait au passage, comme certaines personnes qu'il rencontrait fréquemment et dont pourtant il ignorait les noms.

— Comment va-t-on chez vous ? demandait M. von Trotta.

— Merveilleusement, merci, répondait Nechwal.

— Madame votre épouse ?

— Se porte bien.

— Les enfants ? (Car le préfet ne savait pas encore si le chef de musique avait des fils ou des filles et, depuis vingt ans, il demandait prudemment des nouvelles des « enfants »).

— L'aîné est sous-lieutenant, répondait Nechwal.

— D'infanterie, naturellement ? demandait par habitude le préfet, tout en se souvenant, l'instant d'après, que son propre fils était maintenant dans les chasseurs à pied et non plus dans la cavalerie.

— Dans l'infanterie, oui. Il va venir nous voir prochainement. Je me permettrai de vous le présenter.

— Mais oui, mais oui, ça me fera grand plaisir, disait le préfet.

Un jour, le jeune Nechwal arriva. Il servait dans les « Deutschmeister », était sorti de l'école de cadets depuis un an et, de l'avis du préfet, il avait l'air « d'un musicien ».

— Tout à fait son père. Vous vous ressemblez comme deux gouttes d'eau, dit M. von Trotta, bien que le jeune Nechwal ressemblât plutôt à sa mère.

« Un musicien », pour le préfet, cela signifiait une certaine insouciance enjouée du visage, une minuscule moustache blonde aux pointes retroussées, posée comme une accolade horizontale sous un nez court et large, des oreilles bien réussies, jolies de forme, petites comme celles d'une poupée en porcelaine et une brave chevelure de soleil blond partagée par la raie du milieu.

— Il a l'air d'un joyeux garçon ! dit le préfet à M. Nechwal.

— Êtes-vous satisfait ? demanda-t-il ensuite au jeune homme.

— A parler franchement, répondit le fils du chef de musique, c'est un peu ennuyeux.

— Ennuyeux ? demanda le préfet. A Vienne ?

— Oui, dit le jeune Nechwal. C'est que, voyez-vous, monsieur le préfet, quand on est dans une petite garnison, on ne se rend pas compte qu'on n'a pas d'argent !

Le préfet se sentait froissé. Il trouvait qu'il n'était pas convenable de parler d'argent et craignait que le sous-lieutenant n'eût voulu faire allusion à la situation pécuniaire plus brillante de Charles-Joseph.

— Il est vrai que mon fils est à la frontière, dit M. von Trotta, mais il s'est toujours bien tiré d'affaire, même dans la cavalerie.

Il accentua le dernier mot. Pour la première fois, il lui était pénible que Charles-Joseph eût quitté les uhlans. Cette sorte de Nechwal ne se rencontrait pas dans la cavalerie ! Et la pensée que le fils de ce chef de musique s'imaginait peut-être avoir quelque ressemblance avec le jeune Trotta causait au préfet une souffrance presque physique. Il décida d'accabler le musicien. C'est un véritable traître à la patrie qu'il flairait en ce jouvenceau qui lui paraissait avoir un « nez tchèque ».

— Aimez-vous la profession militaire ? demanda le préfet.

— Franchement, je pourrais m'imaginer un meilleur métier.

— Meilleur ? Comment cela ?

— Un métier plus pratique, dit le jeune Nechwal.

— Il n'est donc pas « pratique » de se battre pour sa patrie, à supposer toutefois qu'on ait des dispositions « pratiques » ?

— Mais c'est qu'on ne se bat pas du tout, riposta le sous-lieutenant. Et si on en vient à se battre un jour, alors ce ne sera peut-être pas tellement « pratique ».

— Pourquoi donc ?

— Parce que nous perdrons sûrement la guerre, dit Nechwal, le sous-lieutenant, et, non sans méchanceté, comme le nota le préfet, il ajouta : Les temps ont changé !

Il contractait ses petits yeux au point de les faire presque disparaître et, d'une façon qui semblait tout à fait insupportable au préfet, sa lèvre supérieure mettait ses gencives à nu et sa moustache entrait en contact avec ce nez qui, de l'avis de M. von Trotta, rappelait les naseaux de certain animal.

« Garçon totalement répugnant ! » se disait le préfet.

— Les temps ont changé, réitérait le jeune Nechwal. Tous ces peuples ne resteront pas longtemps unis.

— Ah ! fit le préfet. Et qui vous a si bien renseigné, mon lieutenant ?

Mais, tout en posant cette question, M. von Trotta se rendait compte que sa raillerie était émoussée, il se faisait à lui-même l'effet de quelque vétéran, dégainant contre l'ennemi un sabre inoffensif et impuissant.

— Mais tout le monde le sait, répondait le jeune homme, tout le monde le dit !

— Le dit ? répéta M. von Trotta. Ce sont vos amis qui le disent ?

— Ils le disent, oui.

Le préfet n'ajouta plus rien. Il eut l'impression brusque de se trouver sur une haute montagne, avec le sous-lieutenant Nechwal vis-à-vis de lui dans une vallée profonde. Le sous-lieutenant Nechwal était tout petit. Mais bien qu'il fût petit et placé très bas, il n'en avait pas moins raison. Le monde n'était plus le monde d'autrefois. Il sombrait. Et il était dans l'ordre des choses qu'une heure avant le naufrage les vallées eussent raison contre les montagnes, les jeunes contre les vieux, les imbéciles contre les gens sensés. Le préfet se taisait. C'était un dimanche après-midi d'été. Les jalousies jaunes du fumoir laissaient filtrer un soleil d'or. L'horloge faisait tic tac. Les mouches bourdonnaient. Le préfet se rappelait le dimanche où Charles-Joseph, son fils, était arrivé en uniforme de sous-lieutenant de cavalerie. Combien s'était-il écoulé de temps depuis ? Quelques années ? Mais il semblait au préfet qu'en ces années-là, les événements étaient plus tassés. C'était comme si le soleil s'était levé et couché deux fois par jour, comme si chaque semaine avait eu deux dimanches et chaque mois soixante jours, comme si les années avaient été des années doubles. M. von Trotta se sentait, pour ainsi dire, trompé par le temps, bien que le temps lui eût fait double mesure ; il lui semblait que l'éternité lui avait offert de fausses doubles années au lieu de simples années de bon aloi. Tout en éprouvant du dédain pour ce sous-lieutenant debout, face à lui, dans sa vallée si profonde, il se méfiait de la montagne où il se dressait lui-même. Ah ! On lui faisait tort ! Tort ! Tort ! C'était la première fois de sa vie que le préfet croyait qu'on lui faisait tort.

252

Il fut pris du vif désir de voir le docteur Skowronnek, avec lequel il jouait aux échecs tous les après-midi. Car jouer régulièrement aux échecs faisait aussi partie des changements survenus dans la vie du préfet. Le docteur Skowronnek était connu de lui depuis longtemps, comme d'autres habitués du café, ni plus ni moins. Un après-midi, ils s'étaient trouvés face à face, à moitié cachés, l'un et l'autre, derrière le journal qu'ils tenaient déplié devant eux. Comme obéissant à un commandement, d'un commun accord, ils avaient posé leurs journaux et leurs regards s'étaient rencontrés. Simultanément, d'un seul coup, ils s'étaient aperçus qu'ils venaient de lire le même article. C'était le compte rendu d'une fête estivale à Hietzing où, grâce à sa voracité surnaturelle, un patron boucher répondant au nom d'Aloys Schinagl était sorti vainqueur du championnat des consommateurs de jambonneaux et avait obtenu la médaille d'or du « Club hietzingois des gros mangeurs ». Et les yeux des deux lecteurs disaient en même temps :

— Nous aussi, nous aimons le jambonneau, mais décerner une médaille d'or pour une chose pareille, voilà bien une de ces idées saugrenues à la nouvelle mode. Les personnes informées contestent avec raison l'existence de l'amour-coup de foudre. Mais qu'il existe une amitié-coup de foudre, une amitié entre gens âgés, c'est incontestable. Le docteur Skowronnek considéra le préfet par-dessus les verres ovales, sans monture, de ses lunettes, au moment même où le préfet retirait son lorgnon. Le préfet leva son pince-nez comme on lève son chapeau et le docteur Skowronnek vint à sa table.

— Jouez-vous aux échecs ? demanda le docteur.

— Avec plaisir ! dit le préfet.

Ils n'avaient pas besoin de prendre rendez-vous. Ils se retrouvaient tous les après-midi à la même heure. Ils arrivaient en même temps. Leurs habitudes quotidiennes paraissaient gouvernées par une entente préalable. Pendant leur partie d'échecs, ils échangeaient à peine une parole. Ils n'éprouvaient pas non plus le besoin de causer. Parfois, sur le plat échiquier, leurs doigts se heurtaient comme des passants sur une place, ils se retiraient vivement, rentraient chez eux. Mais si fugitives que fussent ces rencontres, leurs doigts, comme pourvus d'yeux et d'oreilles, percevaient tout ce qui les concernait et tout ce qui concernait les deux hommes auxquels ils appartenaient. Et, quand le préfet et le docteur se furent rencontrés plusieurs fois, sur l'échiquier, par le contact de leurs mains, ils eurent tous les deux l'impression de se connaître de longue date et de n'avoir point de secret l'un pour l'autre. C'est ainsi qu'un jour, leur jeu commença à s'agrémenter de douces causeries et les deux joueurs, dont les mains se connaissaient depuis longtemps déjà, se mirent à échanger des remarques sur le temps, le monde, la politique et les hommes. « Homme bien estimable ! » pensait le préfet du docteur Skowronnek. « Homme d'une distinction peu commune ! » pensait le docteur du préfet.

Pendant la plus grande partie de l'année, le docteur Skowronnek n'avait rien à faire. Il ne travaillait que trois mois par an, comme médecin de ville d'eaux, à Franzenbad, et toute sa connaissance du monde reposait sur les confidences de ses clientes, car les femmes lui racontaient tout ce dont elles se croyaient affligées et il n'y avait rien au monde qui ne les affligeât. Leur santé souffrait de la profession, ainsi que du manque d'affection de leurs maris, de la « misère générale des temps », de la vie chère, des crises politiques et de la constante menace de guerre, des journaux de leurs époux, de leur désœuvrement personnel, de l'infidélité de leurs amants, de l'indifférence, mais aussi de la jalousie masculine. C'est de cette façon que le docteur Skowronnek s'instruisait sur les différentes classes sociales, leur vie domestique, les cuisines et les chambres à coucher, les inclinations, les passions et les sottises. Comme il ne croyait pas tout ce que lui racontaient ses clientes, mais les trois quarts seulement, il acquérait avec le temps une science du monde plus précieuse que sa science médicale. Même quand il parlait avec des hommes, il avait sur les lèvres le sourire sceptique et pourtant complaisant de quelqu'un qui s'attend à tout entendre. C'est qu'en fait son amour des hommes égalait son mépris pour eux.

L'âme simple de M. von Trotta soupçonna-t-elle quelque chose de la bienveillante subtilité du docteur Skowronnek ? En tout cas, après Moser, l'ami de sa jeunesse, le docteur fut le premier être humain pour qui le préfet commençât à ressentir une confiance doublée d'estime.

— Y a-t-il longtemps que vous habitez notre ville, docteur ? demanda-t-il.

— Depuis que je suis au monde, répondit Skowronnek.

— Quel dommage de faire connaissance si tard !

— Il y a longtemps que je vous connais, monsieur le préfet.

— Je vous ai observé à l'occasion, riposta M. von Trotta.

— Monsieur votre fils est venu une fois ici, dit Skowronnek, il y a quelques années de cela.

— Oui, oui, je m'en souviens ! déclara le préfet.

Il songea à l'après-midi où Charles-Joseph était arrivé avec les lettres de Mme Slama. C'était l'été. Il avait plu. Le petit avait pris un mauvais cognac au comptoir.

— Il a demandé son transfert, poursuivit M. von Trotta. Maintenant il est à B., dans les chasseurs, à la frontière.

— Et il vous donne... de la satisfaction ? demanda le docteur Skowronnek, mais c'est « du souci » qu'il avait voulu dire.

— A la vérité... oui, certes oui, répondit le préfet.

Il se leva rapidement et quitta le docteur.

Voilà déjà longtemps qu'il méditait de raconter tous ses tracas au docteur Skowronnek. Il se faisait vieux, il avait besoin d'un confident. Tous les après-midi, le préfet prenait la résolution de parler au docteur, mais il ne parvenait pas à prononcer le mot propre à servir d'introduction à une conversation intime. Le docteur Skowronnek l'attendait de jour en jour. Il pressentait que le moment des confidences était venu pour le préfet.

Depuis plusieurs semaines, le préfet avait sur lui, dans sa poche, sur sa poitrine, une lettre de son fils. Il fallait lui répondre, mais M. von Trotta ne pouvait pas. Cependant, la lettre s'alourdissait de plus en plus, elle devenait un véritable fardeau dans sa poche. Ce fut bientôt comme si le préfet portait la lettre à même son vieux cœur. Charles-Joseph écrivait en effet qu'il songeait à quitter l'armée. Il le disait même dès la première phrase de sa lettre : « Je nourris l'intention de quitter l'armée. » Quand le préfet avait lu ces mots, il s'était interrompu immédiatement et avait jeté un coup d'œil sur la signature, pour se persuader que c'était bien Charles-Joseph et non un autre qui avait écrit la lettre. Puis M. von Trotta avait rangé le lorgnon dont il s'était servi pour lire, il avait rangé la lettre. Il s'était reposé. Cela se passait dans son cabinet, le courrier officiel n'était pas encore décacheté, peut-être contenait-il ce jour-là des choses importantes, des affaires à expédier d'urgence. Mais les considérants de Charles-Joseph semblaient donner d'ores et déjà à toutes les affaires du service la plus défavorable des conclusions. C'était la première fois que le préfet faisait dépendre les devoirs de sa charge de ses affaires personnelles. Et, bien que M. von Trotta fût un modeste, voire un humble serviteur de l'État, l'idée qu'avait son fils d'abandonner l'armée faisait à peu près le même effet sur lui que si l'armée impériale et royale l'avait informé qu'elle était décidée à procéder elle-même à sa dissolution. Tout, absolument tout au monde, lui semblait avoir perdu sa signification. Le naufrage du monde paraissait commencé. Et quand le préfet se décida à lire enfin le courrier officiel, il eut l'impression de remplir un devoir sans nom, vain, héroïque, à peu près comme le téléphoniste d'un navire en train de sombrer.

Il ne continua la lecture de la lettre de son fils qu'une bonne heure plus tard. Charles-Joseph le priait de lui donner son autorisation. Et le préfet répondit ce qui suit :

« Mon cher fils,
Ta lettre m'a ébranlé. Je t'informerai dans quelque temps de ma décision définitive.

Ton père. »

Charles-Joseph n'avait pas répondu à cette lettre de M. von Trotta. Il avait même interrompu la série de ses comptes rendus habituels, si bien que, depuis un certain temps, le préfet ne savait plus rien de son fils. Il attendait chaque matin, le vieil homme, tout en sachant bien qu'il attendait vainement. Ce n'était pas la missive attendue qui faisait défaut chaque matin, c'était comme s'il voyait arriver, chaque matin, le terrible silence auquel il s'attendait. Le fils se taisait, mais le père l'entendait se taire. Et c'était comme si, chaque matin, le fils renouvelait son refus d'obéissance à son père. Et plus le silence de Charles-Joseph se prolongeait, plus il devenait difficile au préfet d'écrire la lettre annoncée. Or, si au début il lui avait paru tout naturel d'interdire purement et simplement à son fils de quitter l'armée, à présent M. von Trotta commençait à penser qu'il n'avait plus le droit de défendre quoi que ce fût. Il était bien découragé, M. le préfet. Ses favoris s'argentaient de plus en plus. Ses tempes étaient déjà toutes blanches. Sa tête s'affaissait parfois sur sa poitrine, son menton et les deux ailes de ses favoris reposaient sur sa chemise empesée. Il s'endormait ainsi tout à coup, dans son fauteuil, se redressait brusquement au bout de quelques minutes et croyait avoir dormi pendant une éternité. D'une façon générale, sa notion si minutieusement précise de la marche des heures lui échappait depuis qu'il avait renoncé à telle ou telle de ses anciennes habitudes. Car c'est précisément à contenir ces habitudes que les heures et les jours avaient été destinés et ils ressemblaient maintenant à des vases vides qu'on ne pouvait plus remplir et dont on n'avait plus besoin de se soucier. Le préfet n'apportait plus de ponctualité qu'à se rendre l'après-midi à sa partie d'échecs avec le docteur Skowronnek.

Un jour, il reçut une surprenante visite. Il était à la préfecture, dans son cabinet, plongé dans ses papiers, quand il perçut dehors la voix tonitruante et bien connue de Moser, son ami de jeunesse, ainsi que les vains efforts de l'huissier pour renvoyer le professeur. Le préfet sonna et fit introduire le peintre :

— Bonjour, monsieur le gouverneur, dit Moser.

Avec son chapeau mou et son carton, sans pardessus, Moser n'avait pas l'air de quelqu'un qui avait fait un voyage et qui venait de descendre du train, il semblait sortir de la maison d'en face. Et le préfet fut effrayé à la terrible pensée que Moser pouvait être venu s'établir à W. pour toujours. Le professeur retourna d'abord à la porte, donna un tour de clé et dit :

— Pour qu'on ne vienne pas nous surprendre, mon cher. Ça pourrait nuire à ta carrière !

Puis il s'approcha du bureau, à grands pas silencieux, prit le préfet dans ses bras et mit un baiser sonore sur son crâne chauve. Après quoi il s'installa dans le fauteuil auprès du bureau, posa son carton et son chapeau par terre, à ses pieds, gardant le silence.

M. von Trotta se taisait aussi. Il savait maintenant pourquoi Moser était venu. Voilà trois mois qu'il ne lui avait pas envoyé d'argent.

— Excuse-moi, dit-il, je vais te donner immédiatement l'arriéré ! Il faut me pardonner. J'ai eu beaucoup de tracas ces derniers temps.

— Je m'en doute bien, répondit Moser. Monsieur ton fils est fort coûteux ! Je le vois à Vienne tous les quinze jours. Il n'a pas l'air de s'embêter, M. le lieutenant !

Le préfet se leva. Il porta la main à sa poitrine. Il sentit la lettre de Charles-Joseph dans sa poche. Il alla à la fenêtre. Tournant le dos à Moser, le regard fixé droit devant lui sur les vieux marronniers du parc, il demanda :

— Lui as-tu parlé ?

— Nous prenons toujours un petit verre chaque fois que nous nous rencontrons, dit Moser, c'est qu'il est généreux, ton fils !

— Ah, il est généreux ! répéta le préfet.

Il retourna rapidement à son bureau, ouvrit brusquement un tiroir, palpa des billets de banque, en tira quelques-uns et les donna au peintre. Moser glissa l'argent entre la doublure déchirée et le feutre de son chapeau et se remit debout.

— Un instant ! dit le préfet.

Il alla à la porte, l'ouvrit et dit à l'huissier :

— Accompagnez M. le professeur à la gare. Il part pour Vienne. Il a un train dans une heure.

— Dévoué serviteur ! fit Moser en s'inclinant.

Le préfet attendit quelques minutes, puis il prit son chapeau et sa canne et se rendit au café.

Il s'était mis un peu en retard. Le docteur Skowronnek était déjà installé devant l'échiquier dont il avait disposé les pièces. M. von Trotta s'assit :

— Les noirs ou les blancs, monsieur le préfet ? demanda Skowronnek.

— Je ne jouerai pas aujourd'hui, dit M. von Trotta.

Il commanda un cognac, le but et dit :

— Monsieur le docteur, je vais vous ennuyer.

— Je vous en prie, répondit Skowronnek.

— C'est de mon fils qu'il s'agit, commença le préfet.

Et, dans son langage administratif, lent, quelque peu nasillard, il fit le compte rendu de ses soucis, comme s'il parlait des affaires du service à un conseiller de la Statthalterei. Il répartit en quelque sorte ses soucis en préoccupations principales et préoccupations secondaires. Point par point, en petits paragraphes, il exposa au docteur Skowronnek l'histoire de son père, la sienne propre et celle de son fils. Lorsqu'il eut terminé, tous les consommateurs avaient disparu, les lumières verdâtres étaient déjà allumées dans la salle, et leur chanson monotone bourdonnait au-dessus des tables vides.

— Oui, voilà de quoi il retourne ! conclut le préfet.

Le silence se prolongeait entre les deux hommes. Le préfet n'osait pas regarder le docteur Skowronnek et le docteur Skowronnek n'osait pas regarder le préfet. Ils baissaient les yeux, l'un en face de l'autre, comme s'ils s'étaient pris mutuellement en flagrant délit d'acte blâmable. Enfin Skowronnek dit :

— Peut-être y a-t-il une femme là-dessous ? Quelle raison votre fils aurait-il d'être si souvent à Vienne ?

De fait, le préfet n'aurait jamais pensé à une femme. Il lui parut incompréhensible à lui-même de n'avoir pas eu tout de suite cette idée toute naturelle. Car soudain tout — et ce n'était certes pas grand-chose — ce qu'il avait jamais entendu dire de la néfaste influence que les femmes étaient en état d'exercer sur de tout jeunes gens, se précipita avec force dans son cerveau, lui libérant le cœur. Si ce qui avait fait naître en Charles-Joseph la résolution de quitter l'armée n'était pas autre chose qu'une femme, alors, même si on ne pouvait rien réparer, on voyait tout au moins la cause du malheur et le naufrage du monde ne dépendait plus d'obscures puissances indiscernables et secrètes, contre lesquelles on ne pouvait pas se défendre. « Une femme ? » songeait-il. Non ! il ne savait rien à ce sujet. Et il s'exprima dans son style administratif.

— Il n'a été fait mention devant moi d'aucun bruit relatif à une créature !

— Une créature ! répéta le docteur Skowronnek en souriant. Il se pourrait aussi, par hasard, que ce fût une femme du monde.

— Vous êtes donc d'avis, dit M. von Trotta, que mon fils puisse avoir la sérieuse intention de conclure un mariage.

— Que non pas ! Il n'est pas obligatoire non plus d'épouser les femmes du monde.

Il se rendait compte que le préfet était au nombre de ces âmes candides qu'il faudrait pour ainsi dire, renvoyer une seconde fois à l'école. Et il résolut de traiter M. von Trotta comme un enfant tout juste en âge d'apprendre sa langue maternelle. Il déclara donc :

— Laissons les femmes du monde, monsieur le préfet ! Aussi bien n'est-ce pas cela qui importe ! Pour une raison ou pour une autre, votre fils désirerait quitter l'armée. Et je le comprends !

— Vous le comprenez, vous ?

— Certainement, monsieur le préfet. Un jeune officier de notre armée ne peut être satisfait de son métier, quand il réfléchit. Il doit aspirer à la guerre, mais il sait que la guerre, c'est la fin de la monarchie.

— La fin de la monarchie ?

— Sa fin, monsieur le préfet. C'est pénible à dire. Laissez donc votre fils faire ce qui lui plaît. Peut-être est-il plus apte à quelque autre profession.

— A quelque autre profession, reprit M. von Trotta. A quelque autre profession ! répéta-t-il.

Ils gardèrent le silence un bon moment. Puis, pour la troisième fois, le préfet dit :

— A quelque autre profession !

Il s'efforçait de se familiariser avec ces mots, mais ils lui restaient étrangers, comme les mots « révolutionnaire » ou « minorités nationales », par exemple. Il semblait au préfet qu'il n'aurait plus à attendre longtemps le naufrage du monde. Il frappa la table de son maigre poing, la manchette frotta contre sa main et le bec de gaz vacilla un peu au-dessus de la petite table, puis il demanda :

— Quelle profession, docteur ?

— Peut-être pourrait-il se caser dans les chemins de fer, déclara le docteur Skowronnek.

Instantanément, le préfet vit son fils en uniforme de contrôleur, une pince à poinçonner les billets à la main. Le mot « se caser » fit passer un frisson dans son vieux cœur. Il était glacé.

— Ah ! vous croyez ?

— Je n'envisage pas d'autre solution, dit le docteur.

Et comme le préfet se mettait debout, le docteur Skowronnek se leva aussi et dit :

— Je vais vous accompagner.

Ils traversèrent le parc. Il pleuvait. Le préfet n'ouvrit pas son parapluie. Des cimes touffues, de larges gouttes tombaient de temps à autre sur ses épaules ou sur son chapeau melon. Il faisait sombre et silencieux. Toutes les fois qu'ils passaient auprès de l'un des rares réverbères, qui dissimulaient leur flamme argentée dans l'obscurité du feuillage, les deux hommes baissaient la tête. Et quand ils furent à la sortie du jardin public, ils eurent encore un instant d'hésitation. Puis le docteur Skowronnek dit brusquement :

— Au revoir, monsieur le préfet.

Et M. von Trotta traversa la rue et se dirigea tout seul vers le portail voûté de la préfecture.

Il rencontra sa gouvernante dans l'escalier, dit :

— Je ne dînerai pas ce soir, mademoiselle, et s'éloigna rapidement.

Il allait monter deux marches à la fois, mais il eut honte et, de son air digne habituel, il se rendit tout droit aux bureaux. C'était la première fois, depuis qu'il dirigeait cette préfecture, qu'il se trouvait le soir dans son cabinet officiel. Il alluma la lampe verte sur sa table de travail, qui ne brûlait d'ordinaire que les après-midi d'hiver. Ses fenêtres étaient ouvertes. La pluie frappait violemment contre la bordure en zinc. M. von Trotta prit dans son tiroir une feuille de papier officiel, puis il écrivit :

« Cher fils,

Après mûre réflexion, je me suis décidé à te laisser, à toi seul, la responsabilité de ton avenir. Je te demande seulement de m'informer de tes décisions.

Ton père. »

M. von Trotta resta longtemps assis devant sa lettre. Il relut plusieurs fois les quelques mots qu'il avait tracés. Ils lui firent l'effet d'un testament. Jadis, il ne lui serait jamais venu à l'idée de tenir sa qualité de père pour plus importante que sa qualité de préfet. Mais en abdiquant, par cette lettre, son pouvoir de commandement sur son fils, il lui semblait que sa vie tout entière n'avait plus beaucoup de sens et qu'il devait cesser en même temps d'être fonctionnaire. Ce qu'il entreprenait n'était pas déshonorant. Mais il avait l'impression de se faire injure à lui-même. Il quitta son cabinet, alla au fumoir. Il alluma toutes les lumières, le lampadaire de l'encoignure, la suspension du plafond, et se plaça debout devant le portrait du héros de Solferino. Il ne pouvait pas voir distinctement le visage de son père. Le tableau se dissociait en cent petites taches de lumière et moucheture huileuses, la bouche était un trait rose pâle et les yeux semblaient deux noires paillettes de charbon. Le préfet se hissa sur un fauteuil (ce qu'il n'avait plus fait depuis son adolescence), se redressa, se mit sur la pointe des pieds, tint son lorgnon devant ses yeux et put tout juste arriver à déchiffrer la signature de Moser dans l'angle du portrait, à droite. Il redescendit assez péniblement, étouffa un soupir, battit en retraite, à reculons, jusqu'au mur d'en face, se cogna douloureusement contre l'arête de la table et se mit à étudier le portrait de loin. Il éteignit le plafonnier. Dans la profonde pénombre, il crut voir le visage de son père briller de l'éclat de la vie. Tantôt le visage se rapprochait de lui, tantôt il s'éloignait, paraissait s'échapper derrière la cloison et regarder dans la pièce, d'une distance infinie, par une fenêtre ouverte. M. von Trotta ressentit une grande fatigue. Il s'assit dans le fauteuil, le disposa de façon à être juste en face du portrait et ouvrit son gilet. La pluie se calmait. Le crépitement sec des gouttes sur les vitres devenait irrégulier. Par moments, le vent faisait frémir les marronniers d'en face. M. von Trotta ferma les yeux. Et s'endormit, la lettre à la main, la main immobile sur l'accoudoir de son fauteuil.

Quand il se réveilla, le jour entrait déjà à flots par les trois grandes fenêtres cintrées. Le préfet aperçut tout d'abord le portrait du héros de Solferino, puis il sentit la lettre dans sa main, vit l'adresse, lut le nom de son fils et se mit debout en soupirant... Son plastron était froissé, sa large cravate grenat à pois blancs avait glissé à gauche et, sur son pantalon à rayures, M. de Trotta aperçut, pour la première fois depuis qu'il portait des pantalons, d'affreux plis transversaux. Il se considéra un moment dans la glace. Il vit que ses favoris étaient ébouriffés, que quelques pauvres petits cheveux gris se tortillaient sur son crâne et que ses sourcils épineux, tout emmêlés, pointaient à tort et à travers comme si une tempête avait passé dessus. Le préfet regarda sa montre. Le coiffeur devant bientôt arriver, il se hâta de retirer ses vêtements et de se glisser au plus vite dans son lit pour donner au barbier l'illusion d'un matin ordinaire. Mais il garda sa lettre à la main. Il la tint pendant qu'on le savonnait et le rasait. Plus tard, il se lava en gardant la lettre sur le bord de la petite table où était posée la cuvette. M. von Trotta ne remit la lettre à l'huissier que lorsqu'il s'assit pour son premier déjeuner et lui recommanda de la faire partir avec le prochain courrier officiel.

Il alla à son travail comme tous les jours. Personne n'eût pu s'apercevoir que M. von Trotta avait perdu la foi. Car le soin qu'il apporta, ce jour-là, à expédier les affaires ne fut nullement inférieur à celui des autres jours. Seulement, ce soin était tout à fait différent. C'était uniquement celui des mains, des yeux et même du lorgnon. M. von Trotta ressemblait à un virtuose dont la flamme s'est éteinte, dont l'âme est devenue sourde et vide et dont les doigts, avec la froide obligeance acquise par de longues années de service, produisent des sons justes grâce à leurs propres automatismes.

Mais, comme nous l'avons déjà dit, personne ne s'en aperçut. L'après-midi, le maréchal des logis-chef Slama vint comme de coutume. M. von Trotta lui demanda :

— Dites-moi, mon cher Slama, est-ce que vous vous êtes jamais remarié ?

Il ignorait lui-même pourquoi il posait cette question, en quoi la vie privée du gendarme l'intéressait tout à coup.

— Non, monsieur le baron, dit Slama, et je ne me remarierai plus.

— Vous avez bien raison, Slama !

Mais il ignorait en quoi le maréchal des logis-chef avait raison d'avoir pris cette résolution.

C'était l'heure où, d'habitude, il faisait son apparition au café. Il s'y rendit donc aussi ce jour-là. L'échiquier était déjà sur la table. Le docteur Skowronnek arriva en même temps que lui, ils s'assirent.

— Les noirs ou les blancs, monsieur le préfet ? demanda comme toujours le docteur.

— Comme il vous plaira ! répondit le préfet et ils se mirent à jouer.

Le jeu de M. von Trotta fut méticuleux, presque recueilli, et il gagna.

— Mais c'est que vous devenez petit à petit un vrai maître ! dit Skowronnek.

Le préfet se sentit véritablement flatté.

— Peut-être aurais-je pu le devenir, répondit-il.

Et il songea que cela aurait mieux valu... que tout aurait mieux valu.

— A propos, j'ai écrit à mon fils, commença-t-il un moment après... Qu'il fasse ce qu'il voudra !

— C'est le bon parti, il me semble, dit le docteur Skowronnek. Il n'est pas possible de prendre de telles responsabilités. Aucun être ne peut prendre la responsabilité d'un autre.

— Mon père l'a bien prise pour moi, dit le préfet, et mon grand-père pour mon père.

— Autrefois, c'était différent, répondit Skowronnek. Aujourd'hui, l'Empereur lui-même ne porte plus la responsabilité de sa monarchie. On dirait même que Dieu en personne ne veut plus porter la responsabilité du monde. Jadis, c'était plus facile. Tout était assuré. Chaque pierre était à sa place. Les rues de la vie étaient bien pavées. Les toits des maisons reposaient en sécurité sur les murs. Mais actuellement, monsieur le préfet, actuellement les pavés sont posés de travers, en tas, dans un désordre dangereux, les toits ont des trous, il pleut dans les maisons et chacun doit savoir quelle rue prendre et dans quelle maison emménager. Quand votre père a dit que vous ne feriez pas un cultivateur, mais un fonctionnaire, il a eu raison. Vous êtes devenu un fonctionnaire modèle. Mais quand vous avez dit à votre fils d'être soldat, vous avez eu tort... Ce n'est pas un soldat modèle !

— Oui, oui, confirma M. von Trotta.

— Et voilà pourquoi il faut laisser chacun aller son propre chemin ! Lorsque mes enfants ne m'obéissent pas, je m'efforce uniquement de conserver ma dignité. C'est tout ce qu'on peut faire. Je les observe parfois pendant leur sommeil. Alors, leurs visages me paraissent complètement étrangers, à peine reconnaissables, je vois que ce sont des êtres étrangers, d'une époque à venir, que je ne verrai pas. Ils sont encore tout petits, mes enfants ! L'un a huit ans, l'autre dix ; quand ils dorment, ils ont des figures rondes et roses. Pourtant, il y a beaucoup de cruauté en eux, lorsqu'ils sont endormis. Il me semble parfois que c'est déjà la cruauté de leur époque, de l'avenir, qui s'abat sur mes enfants pendant leur sommeil. Je ne voudrais pas la vivre, cette époque-là !

— Oui, oui ! dit le préfet.

Ils firent encore une partie, mais cette fois M. von Trotta perdit.

— Je ne deviendrai pas un grand maître, dit-il doucement, réconcilié pour ainsi dire avec ses insuffisances.

Ce jour-là aussi, il se faisait tard, les becs de gaz, voix du silence, bourdonnaient déjà et le café était désert. Ils rentrèrent chez eux. Le soir était serein et ils rencontrèrent de joyeux promeneurs. Ils parlèrent des pluies fréquentes de cet été, de la sécheresse de l'été passé et des froids rigoureux prévisibles pour le prochain hiver. Skowronnek alla jusqu'à la porte de la préfecture.

— Vous avez bien fait d'écrire cette lettre, monsieur le préfet, dit-il.

— Oui, oui, confirma le préfet.

Il se mit à table, mangea hâtivement, sans un mot, son demi-poulet avec de la salade. Sa gouvernante lui jetait en tapinois des regards anxieux. C'était elle qui servait depuis que Jacques était décédé. Elle quitta la pièce avant le préfet, avec cette demi-révérence manquée qu'elle exécutait déjà, trente ans plus tôt, en présence du directeur de son école. Tandis qu'elle s'éloignait, le préfet fit dans son dos ce geste de la main dont on éloigne les mouches. Puis il se leva et alla se coucher. Il se sentait fatigué et presque malade, la dernière nuit n'était plus dans son souvenir qu'un mauvais rêve, mais il en ressentait encore, dans ses membres, la frayeur toute proche.

Il s'endormit paisiblement, croyant que le plus dur était passé. Il ne savait pas, le vieux M. von Trotta, que la destinée tramait pour lui de cruels soucis pendant qu'il dormait. Il était vieux et las, la mort l'attendait déjà, mais la vie ne le lâchait pas encore. Ainsi qu'une hôtesse impitoyable, elle le retenait à table parce que son convive n'avait pas encore goûté à tous les plats amers qu'elle lui avait préparés.

XVII

Non, le préfet n'avait pas encore goûté à toute l'amertume de la vie. Charles-Joseph reçut la lettre de son père trop tard, c'est-à-dire à un moment où il avait résolu, depuis longtemps, de ne plus ouvrir de lettres et de ne plus en écrire. Quant à Mme von Taussig, elle télégraphiait. Vives comme de petites hirondelles, ses dépêches venaient appeler le sous-lieutenant tous les quinze jours. Charles-Joseph se précipitait sur son armoire, en sortait avec son costume civil gris, sa vie secrète, la meilleure part, et la plus importante, de sa vie tout court, et changeait de vêtements. Il se sentait aussitôt à l'aise dans le monde où il devait se rendre, il oubliait la vie militaire. Le capitaine Wagner avait été remplacé par le capitaine Jedlicek du Iᵉʳ Chasseurs, un « brave type » aux proportions énormes, carré, gai et doux comme tous les géants et accessible à toute bonne parole. Quel homme ! Dès son arrivée, chacun se rendit compte qu'il était de taille à tenir tête au marais et qu'il était plus fort que la frontière. On pouvait se fier à lui. Il contrevenait à tous les ordres militaires, mais c'était comme s'il les eût renversés. Il vous avait un air à pouvoir inventer, introduire et imposer un nouveau règlement. Il lui fallait beaucoup d'argent, mais il lui en arrivait à flots et de tous les côtés. Les camarades lui en prêtaient. Pour lui, ils signaient des billets, engageaient leurs bagues et leurs montres, écrivaient à leur père et à leur tante. Non qu'on l'aimât à proprement parler. L'affection les aurait trop rapprochés de lui et il ne semblait pas désirer qu'on l'approchât de trop près, ce qui d'ailleurs n'eût pas été non plus tellement facile et tout d'abord pour des raisons matérielles : sa haute taille, sa largeur, son poids le défendaient contre tous.

— Pars donc bien tranquillement, disait-il au sous-lieutenant Trotta, j'en prends la responsabilité.

Il en prenait la responsabilité et il était capable de la porter. Chaque semaine, il avait des besoins d'argent. Le sous-lieutenant Trotta en recevait de Kapturak. Lui aussi, Trotta, avait des besoins pécuniaires. Il lui aurait semblé lamentable d'arriver sans argent chez Mme von Taussig. Il se serait rendu sans défense dans un camp armé ? Quelle légèreté ! Or, ses besoins s'accroissaient, il augmentait peu à peu les sommes qu'il emportait et, comme il revenait régulièrement de ses escapades avec sa toute dernière couronne en poche, il décidait d'en prendre davantage la fois suivante. Ses petits calepins auraient pu faire foi de ses efforts désespérés pour mettre de l'ordre dans ses affaires. Sur toutes les pages s'alignaient d'interminables colonnes de chiffres. Mais elles s'embrouillaient, s'enchevêtraient, elles lui échappaient pour ainsi dire des mains, s'additionnaient d'elles-mêmes, l'induisaient en erreur par de faux résultats, s'échappaient au galop sous ses yeux grands ouverts pour revenir, la minute d'après, métamorphosées et méconnaissables. Il n'arrivait même pas à faire le compte de ses dettes. Il n'entendait rien non plus aux intérêts. Ce qu'il avait emprunté disparaissait derrière ce qu'il devait comme une colline derrière une montagne. Et il ne comprenait goutte aux calculs de Kapturak. Toutefois, s'il se méfiait de la probité de Kapturak, il avait encore moins confiance dans ses propres capacités de comptable. Tout chiffre finit par l'ennuyer et, une fois pour toutes, il renonça à la moindre tentation de calcul, avec le courage qui naît de l'impuissance et du désespoir.

C'était six mille couronnes qu'il devait à Kapturak et à Brodnitzer, somme énorme, même pour un homme aussi peu capable de se représenter la valeur des chiffres, quand il la comparait avec sa solde mensuelle (dont on lui retenait habituellement un tiers). Pourtant, il s'était peu à peu familiarisé avec le nombre 6 000, comme avec un ami extrêmement puissant, mais très ancien. Dans ses bons moments, il pouvait même lui sembler que le nombre diminuait et perdait de ses forces. Mais dans ses mauvais moments, il lui semblait qu'il augmentait et qu'il regagnait des forces.

Il rejoignait Mme von Taussig. Il y avait des semaines qu'il faisait ces petits voyages clandestins comme des pèlerinages légèrement sacrilèges. Semblable à ces naïfs dévots pour lesquels un pèlerinage est une sorte de plaisir, de distraction, parfois même un événement sensationnel, Trotta associait le but de son pèlerinage au milieu dans lequel il vivait, à l'idée qu'il se faisait de cette liberté dont il avait l'éternelle nostalgie, au costume civil qu'il revêtait et à l'attrait du fruit défendu. Il aimait ses voyages. Il aimait les dix minutes de trajet dans la voiture fermée qui l'emmenait à la gare, et pendant lesquelles il s'imaginait n'être reconnu de personne. Il aimait les quelques billets empruntés qu'il portait dans son portefeuille. Ils lui appartenaient, à lui tout seul, pour aujourd'hui et pour demain ; à les voir, aucun ne se doutait que c'étaient des billets prêtés et que, déjà, ils commençaient à croître et à gonfler dans les calepins de Kapturak. Il aimait cet anonymat civil sous lequel il traversait et quittait la gare de Vienne. Personne ne le reconnaissait. Il croisait des officiers, des soldats. Il ne saluait pas et on ne le saluait pas. Quelquefois, son bras se levait automatiquement pour faire le salut militaire. Mais il se rappelait qu'il était en civil et le laissait retomber. Son gilet, par exemple, faisait éprouver à Trotta un plaisir d'enfant. Il mettait ses mains dans toutes les poches dont il ne savait pas se servir. Ses doigts infatués caressaient son nœud de cravate dans l'échancrure du gilet. Cette cravate — cadeau de Mme von Taussig — était la seule qu'il possédât et il ne savait pas la nouer malgré d'innombrables efforts. Le moins malin des détectives eût reconnu à première vue un officier en civil dans le lieutenant Trotta.

Mme von Taussig l'attendait sur le quai de la gare du Nord. Il y avait vingt ans — mais elle pensait qu'il n'y en avait que quinze, car elle avait caché son âge si longtemps qu'elle était elle-même persuadée que les années suspendaient leur cours et n'arrivaient pas à leur fin — il y avait vingt ans donc, elle attendait aussi un sous-lieutenant à la gare du Nord, mais c'était, à la vérité, un sous-lieutenant de cavalerie. Elle montait sur le quai comme dans un bain de jouvence. Elle plongeait dans les émanations corrosives du charbon, dans les sifflets et les vapeurs des locomotives qui manœuvraient, dans le crépitement nourri des signaux. Elle portait une courte voilette. Elle s'imaginait qu'elle avait été à la mode quinze ans auparavant, en fait, il ne s'agissait même pas de vingt, mais de vingt-cinq ans ! Elle aimait attendre sur le quai. Elle aimait l'instant où le train entrait sous le hall et où elle apercevait à la portière le ridicule petit chapeau vert de Trotta et sa charmante figure, embarrassée et juvénile. Car elle rajeunissait Trotta, comme elle se rajeunissait elle-même, elle le voyait, tout comme elle-même, plus embarrassé et plus jeune qu'il ne l'était. Au moment où le sous-lieutenant quittait le marchepied, elle ouvrait les bras comme vingt ans auparavant, ou plutôt quinze. Et du visage qu'elle montrait alors, émergeait ce visage rose et lisse qu'elle montrait vingt ou plutôt quinze ans auparavant, un doux visage de jeune fille, légèrement échauffé. Autour de son cou où deux sillons se creusaient déjà, elle portait ingénument cette mince chaîne d'or qui, vingt ans auparavant, ou plutôt quinze, avait été sa seule parure. Et, comme vingt ans auparavant, ou plutôt quinze, elle se faisait conduire avec le sous-lieutenant à l'un de ces petits hôtels où l'amour clandestin fleurissait contre paiement, dans des lits misérables, grinçants et délicieux, le paradis. Les promenades commençaient. Les quarts d'heure passionnés parmi la jeune verdure du Wiener- wald, les petits orages soudains du sang. Les soirées à l'Opéra dans la rouge pénombre de la loge aux rideaux tirés. Les caresses, des caresses familières et pourtant surprenantes, attendues par la chair expérimentée et pourtant ignorante. Les oreilles connaissaient la musique souvent entendue, mais les yeux ne connaissaient les scènes que fragmentairement. A l'Opéra, Mme von Taussig se tenait toujours derrière les rideaux tirés, ou les yeux clos. Les tendresses, nées de la musique et confiées pour ainsi dire à l'orchestre aux mains masculines, vous arrivaient sur la peau, fraîches et brûlantes tout ensemble, telles des sœurs depuis longtemps familières et éternellement jeunes, des présents souvent reçus, mais toujours oubliés, dont on croyait seulement avoir rêvé. Les restaurants silencieux s'ouvraient. Les soupers silencieux commençaient, dans des encoignures où le vin que l'on buvait semblait être un cru local, mûri par l'amour qui brillait perpétuellement dans leur obscurité. Puis venaient les adieux, la dernière étreinte de l'après-midi, accompagnée en permanence du tic-tac de la montre posée sur la table de nuit, déjà toute pleine de la joie de la prochaine rencontre, la course pressée vers le train, l'ultime baiser sur le marchepied et la renonciation de dernière minute à l'espoir qu'on nourrissait de partir ensemble.

Las, mais saturé de toutes les douceurs du monde et de l'amour, le sous-lieutenant Trotta rentrait dans sa garnison. Onufrij, son domestique, tenait déjà son uniforme prêt. Trotta se changeait dans une pièce, derrière le buffet de la gare, et retournait à la caserne en voiture. Il allait au bureau de la compagnie. Tout était en règle, pas d'incident, le capitaine Jedlicek était satisfait, serein, pesant et bien portant comme toujours. Le sous-lieutenant Trotta se sentait soulagé et désillusionné en même temps. Dans un coin secret de son cœur se dissimulait l'espoir d'une catastrophe qui lui aurait rendu impossible de continuer son service à l'armée. Alors il aurait rebroussé chemin immédiatement. Mais il ne s'était rien passé. Il allait falloir attendre de nouveau douze jours ici, enfermé entre les quatre murs de la caserne qu'entouraient les ruelles désolées de la petite ville. Il jetait un coup d'œil sur les mannequins de tir disposés autour de la cour de la caserne, le long des murs. Petits bonhommes bleus, lacérés par les coups de feu et repeints ensuite, ils semblaient au sous-lieutenant de malicieux lutins, dieux de la caserne, qui la menaçaient elle-même avec les armes dont on les blessait, non plus cibles, mais dangereux tireurs. Dès qu'il arrivait à l'hôtel Brodnitzer, qu'il entrait dans sa chambre et se jetait sur son lit de fer, il prenait la résolution de ne pas revenir de son prochain voyage.

Il n'était pas capable d'exécuter cette résolution. Il le savait bien. Il attendait en réalité quelque chance singulière qui lui tomberait un

LA MARCHE DE RADETZKY

jour du ciel et le délivrerait pour toujours de l'armée, ainsi que de la nécessité de la quitter de son propre chef. Tout ce qu'il pouvait faire, lui, c'était de cesser d'écrire à son père et c'était de laisser non décachetées quelques lettres du préfet, avec l'intention de les ouvrir plus tard, un jour... plus tard... un jour...

Les douze jours suivants s'étaient écoulés. Il ouvrit son armoire, considéra son costume civil et attendit la dépêche. Elle arrivait régulièrement à cette heure-là, au crépuscule, peu avant la tombée de la nuit, comme un oiseau qui rentre au nid. Mais, cette fois, elle ne vint pas, même pas lorsque la nuit fut tombée. Le sous-lieutenant n'alluma pas la lumière, pour ignorer la nuit. Il restait étendu tout habillé sur son lit, les yeux ouverts. Toutes les voix familières du printemps entraient par la fenêtre ouverte : le timbre profond des grenouilles, dominé par le timbre doux et clair de son frère, le chant des grillons, avec, par intervalles, le lointain appel du geai nocturne et les chansons des garçons et des filles du village frontalier. Enfin le télégramme arriva. Il informait le lieutenant que Mme von Taussig avait rejoint son mari. Elle reviendrait bientôt, seulement elle ne savait pas quand... Le texte se terminait par « mille baisers ». Leur nombre froissa le lieutenant. Elle n'aurait pas dû lésiner, se disait-il. Elle aurait aussi bien pu télégraphier « dix mille ». Il lui passa par l'esprit qu'il devait six mille couronnes. Mille baisers étaient un piètre chiffre en comparaison ! Il se leva pour refermer la porte béante de son armoire. Un cadavre y pendait, propre, droit, repassé : le costume civil de l'homme libre. L'armoire se referma sur lui. Un cercueil... Enterré ! Enterré !

Le sous-lieutenant ouvrit la porte du couloir. Onufrij s'y tenait toujours, assis, silencieux ou fredonnant doucement, ou encore son harmonica aux lèvres, les mains enveloppant l'instrument pour en amortir les sons. Quelquefois, Onufrij était sur une chaise, quelquefois il était accroupi sur le seuil. Il y avait un an déjà qu'il aurait dû quitter l'armée. Il y restait volontairement. Burdlaki, son village, était tout près. Chaque fois que le sous-lieutenant s'en allait, il s'y rendait. Il prenait un gourdin de merisier, un foulard blanc à ramages bleus, il enveloppait dans ce foulard des choses mystérieuses, accrochait le balluchon à son bâton, mettait le bâton sur son épaule, accompagnait le lieutenant à la gare, attendait jusqu'au départ du train, gardant la position sur le quai, fixe et saluant

270

militairement, même quand Trotta ne regardait pas par la portière, et s'en allait ensuite pour Burdlaki par l'étroit sentier bordé de saules, entre les marais, seule voie sûre où l'on ne courût point le risque de s'enliser. Onufrij revenait à temps pour attendre Trotta. Et il s'asseyait devant la porte du lieutenant, silencieux, fredonnant, ou jouant de l'harmonica sous la voûte de ses mains.

Le sous-lieutenant ouvrit la porte du corridor.

— Cette fois, tu ne pourras pas aller à Burdlaki. Je ne pars pas...

— Oui, mon lieutenant !

Onufrij se tenait en position, fixe, saluant militairement dans le corridor, trait droit, bleu foncé.

— Tu vas rester ici, répétait Trotta croyant que son ordonnance n'avait pas compris.

Mais Onufrij dit une fois encore :

— Oui, mon lieutenant.

Et, pour prouver qu'il en comprenait même plus qu'on ne lui en disait, il descendit et revint avec une bouteille de « quatre-vingt-dix degrés ».

Trotta buvait. La chambre nue devenait plus intime. L'ampoule électrique sans abat-jour, au bout de son fil tressé, environnée de phalènes, se balançait au vent de la nuit, éveillant sur la surface polie de la table de fugitifs et rassurants reflets. Peu à peu, la désillusion de Trotta se transformait en une agréable souffrance. Il concluait une sorte d'alliance avec son chagrin. Aujourd'hui, toutes les choses du monde étaient tristes au plus haut point et Trotta était le centre de ce pitoyable univers. C'est à cause de lui que les grenouilles faisaient, ce soir, un bruit si lamentable et que gémissaient les grillons accablés de douleur. C'est à cause de lui que la nuit printanière s'emplissait d'un mal si léger et si doux, à cause de lui que les étoiles du ciel se tenaient à une hauteur tellement inaccessible et c'est à lui seul que leur lumière adressait en vain son scintillement nostalgique. L'infinie souffrance du monde était en parfaite harmonie avec le malheur de Trotta. Il souffrait en parfait accord avec la souffrance du grand tout. Par-delà le bleu profond de la sphère céleste, Dieu lui-même abaissait sur lui son regard compatissant. Trotta ouvrit de nouveau son armoire. L'homme libre y pendait, mort à jamais. A côté de lui étincelait le sabre de Max Demant, l'ami disparu. Dans sa

271

malle, la racine dure comme pierre, souvenir du vieux Jacques, voisinait avec les lettres de la pauvre Mme Slama. Et, sur le rebord de la fenêtre, non décachetées, il n'y avait pas moins de trois missives de son père qui, lui aussi, était peut-être mort. Ah ! le sous-lieutenant n'était pas seulement triste et malheureux, il était mauvais : caractère foncièrement mauvais. Charles-Joseph revint à sa table, se versa un nouveau verre et le vida d'un trait. Dans le corridor, devant sa porte, Onufrij attaquait à présent sur son harmonica, la chanson bien connue : *Oh ! notre Empereur...* Trotta n'en connaissait même pas les premières paroles ukrainiennes : *Oj nash cisar, cisarewa...* Il n'avait pas réussi à apprendre la langue du pays. Il n'avait pas seulement un caractère foncièrement mauvais, il avait aussi un cerveau fatigué et stupide. En un mot, toute sa vie était ratée ! Son cœur se serra, il sentait déjà les larmes lui couler dans la gorge, elles allaient bientôt lui monter aux yeux. Il but encore une rasade pour leur faciliter le chemin. Enfin, elles jaillirent. Il étendit les bras sur la table, coucha sa tête dans ses bras et se mit à sangloter lamentablement. Il pleura bien ainsi un quart d'heure. Il n'entendit pas qu'Onufrij avait interrompu sa musique et qu'il frappait à la porte. Il ne releva la tête qu'au moment où elle se refermait. Et il aperçut Kapturak.

Il parvint à refouler ses larmes et à demander d'un ton tranchant :

— Comment êtes-vous arrivé ici ?

Kapturak, sa casquette à la main, se tenait tout contre la porte, il dépassait à peine la poignée. Sa face d'un gris jaunâtre souriait. Il était habillé de gris. Il portait des chaussures de toile grise. Leurs bords montraient la fange printanière, grise, fraîche et brillante, des routes du pays. Sur son tout petit crâne, quelques boucles grises se tortillaient en anneaux bien visibles.

— Bonsoir ! dit-il avec une courbette, tandis que son ombre s'élevait comme une flèche le long de la porte blanche pour s'affaisser aussi vite.

— Où est mon ordonnance ? demanda Trotta. Et que désirez-vous ?

— Cette fois-ci, vous n'êtes pas parti pour Vienne ! commença Kapturak.

— Je ne vais pas du tout à Vienne, dit Trotta.

— Vous n'avez pas eu besoin d'argent cette semaine, dit Kapturak. J'attendais votre visite aujourd'hui. Je venais aux nouvelles. J'arrive justement de chez M. le capitaine Jedlicek. Il n'y était pas.

— Il n'y était pas, répéta Trotta d'un ton indifférent.

— Non, dit Kapturak. Il n'est pas chez lui. Il lui est arrivé quelque chose.

Trotta entendait bien qu'il avait dû arriver quelque chose au capitaine Jedlicek. Mais il ne demanda rien. Primo, il n'était pas curieux (pas curieux aujourd'hui). Secundo, il lui semblait qu'il lui était arrivé à lui-même énormément de choses, trop de choses, et qu'il n'avait guère à s'inquiéter d'autrui ; tertio, il n'avait nulle envie de se faire raconter quoi que ce fût par Kapturak. La présence de Kapturak l'irritait. Seulement, il n'avait pas la force d'entreprendre quelque chose contre lui. Le très vague souvenir des six mille couronnes qu'il devait à cet homme affleurait sans cesse à la surface de sa mémoire, souvenir pénible, qu'il essayait de refouler.

« L'argent, essayait-il de se persuader à part lui, n'a rien à faire avec sa visite. Ce sont deux personnages différents. Le premier, à qui je dois de l'argent, n'est pas ici, l'autre, celui qui est dans cette chambre, veut seulement me dire quelque chose sur Jedlicek et cela m'indiffère. »

Il regarda fixement Kapturak. Pendant quelques instants, il sembla au sous-lieutenant que son hôte se liquéfiait puis se reformait en un brouillard de taches grises. Trotta attendit que Kapturak fût tout à fait reconstitué. Utiliser rapidement cet instant coûtait un peu de peine, car il y avait danger que le petit homme gris recommançât aussitôt à se dissocier et à fondre. Kapturak se rapprocha d'un pas, comme s'il savait qu'il n'était pas nettement visible pour le lieutenant, et il répéta un peu plus haut :

— Il est arrivé quelque chose au capitaine !

— Qu'est-ce qui lui est arrivé à la fin ? demanda Trotta d'une voix endormie, comme s'il parlait en rêve.

Kapturak fit un pas de plus vers la table et, abritant sa bouche sous ses mains, de telle manière que son chuchotement devînt un murmure, il chuchota :

— On l'a arrêté et expédié. Présomption d'espionnage.

A ces mots, le sous-lieutenant se leva. Il se tint debout, appuyé des deux mains sur la table. Il sentait à peine ses jambes. Il avait l'impression de se tenir exclusivement sur les mains. Il les enfonçait presque dans le plateau de la table.

— Je souhaite ne rien entendre de vous sur ce sujet, déclara-t-il. Allez-vous-en !

— Pas possible, malheureusement ! Pas possible, dit Kapturak.

Il était maintenant tout près de la table, à côté de Trotta. Il baissa la tête comme pour confesser une chose infamante et dit :

— Je me vois dans l'obligation d'exiger un acompte.

— Demain ! fit Trotta.

— Demain ! répéta Kapturak. Demain, ce sera peut-être impossible, vous voyez quelles surprises nous arrivent tous les jours. Le capitaine me fait perdre une fortune. Qui sait si on le reverra jamais... Vous êtes son ami...

— Que dites-vous ? demanda Trotta.

Il retira ses mains de la table et se retrouva soudain ferme sur ses pieds. Il comprit brusquement que Kapturak avait dit, bien que ce fût la vérité, quelque chose de monstrueux, qui ne paraissait monstrueux que parce que c'était la vérité. En même temps, le sous-lieutenant se rappela la seule heure de sa vie où il avait été dangereux pour d'autres. En ce moment, il aurait souhaité être aussi bien armé qu'alors, de son sabre et de son pistolet, avec sa section derrière lui. Aujourd'hui, le petit homme gris était beaucoup plus dangereux que la foule d'alors. Pour remédier à son manque d'armes, Trotta chercha à remplir son cœur d'une colère qui lui était étrangère. Il serra les poings, il ne l'avait jamais fait et se rendait compte qu'il ne pouvait être réellement menaçant, qu'il pouvait tout au plus s'en donner l'apparence. Une veine bleue se gonfla sur son front, sa face rougit, ses yeux s'injectèrent aussi et son regard devint fixe. Il réussit à se donner l'air très dangereux. Kapturak recula.

— Que dites-vous ? répéta le sous-lieutenant.

— Rien ! dit Kapturak.

— Répétez ce que vous avez dit ! ordonna Trotta.

— Rien ! répondit Kapturak.

Il se fondit de nouveau, l'espace d'un instant, en d'indistinctes taches grises. Le sous-lieutenant Trotta fut pris d'une peur panique à l'idée que le petit homme avait la fantastique propriété de se mettre en morceaux et de se reformer en un tout. L'irrésistible désir d'examiner expérimentalement la substance de Kapturak envahissait le lieutenant Trotta, telle l'invincible passion d'un savant. Derrière lui, au montant de son lit, était accroché son sabre, son arme, objet de son honneur militaire et personnel, et aussi, fait étrange, en cet instant, instrument magique propre à dévoiler la loi régissant les sinistres fantômes. Il sentait dans son dos la présence du sabre étincelant et la sorte de pouvoir magnétique qui émanait de l'arme. Pour ainsi dire attiré par elle, il bondit en arrière, le regard dirigé sur Kapturak qui se dissociait et se reconstituait sans cesse, il saisit l'arme de la main gauche, dégaina de la droite avec la rapidité de l'éclair et, tandis que Kapturak faisait un saut vers la porte, que sa casquette lui échappait des mains et s'écrasait devant ses chaussures de toile grise, Trotta le suivit en brandissant la lame. Puis, sans savoir ce qu'il faisait, le sous-lieutenant appuya la pointe de son sabre contre la poitrine du fantôme gris, il sentit se propager tout le long de l'acier la résistance des vêtements et du corps et poussa un soupir de soulagement... sans pouvoir néanmoins rabaisser sa lame. Cela ne dura qu'un instant, mais pendant cet instant, par l'ouïe, la vue, l'odorat, le sous-lieutenant Trotta perçut tout ce qui vivait dans le monde : les voix de la nuit, les étoiles du ciel, la lumière de la lampe, les objets de sa chambre et sa propre personne — non comme s'il la portait lui-même, mais comme si elle était devant lui —, la danse des moucherons autour de la lumière, l'humidité vaporeuse des marais et la froide haleine du vent nocturne. Tout à coup, Kapturak écarta les bras, ses petites mains maigres agrippèrent les montants droit et gauche de la porte. Sa tête, aux rares cheveux gris bouclés, lui retomba sur l'épaule. En même temps, il mit un pied devant l'autre et fit un nœud de ses ridicules souliers de toile grise. Et derrière lui, sur la porte, devant les yeux hagards du sous-lieutenant Trotta, se dressa soudain l'ombre noire et vacillante d'une croix.

La main de Trotta trembla et lâcha la lame. Elle s'abattit avec un léger gémissement. Au même instant, les bras de Kapturak retombèrent. La tête lui glissa de l'épaule et s'affaissa sur sa poitrine. Il avait fermé les yeux. Ses lèvres tremblaient. Tout son corps tremblait... Le silence régnait. On entendait les mouches voltiger autour de la lampe et, par la fenêtre ouverte, les grenouilles, les grillons, avec, par intervalles, les aboiements d'un chien. Le sous-lieutenant Trotta chancela. Il se détourna.

— Asseyez-vous ! fit-il, en désignant l'unique chaise de la pièce.

— Oui, dit Kapturak, je vais m'asseoir !

Il s'approcha allégrement de la table. Allégrement, comme s'il ne s'était rien passé, semblait-il à Trotta. La pointe de son pied vint heurter le sabre, par terre. Il se baissa, le ramassa. Comme s'il était chargé de mettre de l'ordre dans la pièce, tenant le fer entre deux doigts de sa main levée, il se dirigea vers la table où était le fourreau et, sans regarder le sous-lieutenant, il rangea le sabre qu'il raccrocha au montant du lit. Puis il fit le tour de la table et s'assit en face de Trotta debout. C'est alors seulement qu'il eut l'air de l'apercevoir.

— Je ne reste qu'un instant, dit-il, pour me remettre.

Le sous-lieutenant garda le silence.

— Je vous demande la somme tout entière pour la semaine prochaine, à cette heure-ci exactement, poursuivit Kapturak. Je ne voudrais pas faire d'affaires avec vous. Ça fait un total de sept mille deux cent cinquante couronnes. Je tiens, de plus, à vous informer que Brodnitzer est derrière la porte et qu'il a tout entendu. Comme vous le savez, cette année, M. le comte Chojnicki ne viendra au pays qu'assez tard ou pas du tout. Je désirerais me retirer, monsieur le lieutenant.

Il se leva, alla à la porte, se baissa, ramassa sa casquette et regarda encore une fois autour de lui. La porte se referma.

Le sous-lieutenant était totalement dégrisé. Il lui semblait pourtant avoir tout rêvé. Il ouvrit la porte. Onufrij était assis sur sa chaise, comme toujours, bien qu'il dût être déjà fort tard. Trotta consulta sa montre. Il était neuf heures et demie.

— Pourquoi n'es-tu pas encore couché ? demanda-t-il.

— A cause de visite, répondit Onufrij.

— Tu as tout entendu ?

— Tout, dit Onufrij.

— Est-ce que Brodnitzer était là ?

— Oui, fit Onufrij.

Plus de doute, les choses s'étaient bien passées comme les avait vues le sous-lieutenant. Il faudrait donc raconter toute l'histoire, demain matin, au rapport. Les camarades n'étaient pas encore rentrés. Il alla de porte en porte. Leurs chambres étaient vides. En ce moment, ils étaient au mess, à parler de l'affaire Jedlicek, de l'épouvantable affaire du capitaine Jedlicek. On le ferait passer en conseil de guerre, on le dégraderait, on le fusillerait. Trotta ceignit son sabre, prit son képi, descendit. Il fallait attendre les camarades en bas. Il fit les cent pas devant l'hôtel. Chose étrange, l'affaire du capitaine avait plus d'importance pour lui en ce moment que ce qui venait de lui arriver avec Kapturak. Il croyait découvrir les perfides manœuvres d'une puissance ténébreuse. Le hasard qui avait fait partir Mme von Taussig chez son mari juste ce jour-là lui paraissait troublant, il voyait tous les événements de sa vie se réunir peu à peu en un sombre enchaînement, dépendant de quelque machiniste puissant, haineux, invisible, dont le but était l'anéantissement du lieutenant. Il était clair, il crevait les yeux, comme on dit vulgairement, que le sous-lieutenant Trotta, petit-fils du héros de Solferino, ou bien causait la perte des autres, ou bien était entraîné par ceux qui sombraient, qu'il faisait partie, en tout cas, de ces êtres malchanceux sur lesquels une puissance maligne a jeté son mauvais œil. Il allait et venait. Ses pas résonnaient dans la rue silencieuse qu'éclairaient, malgré leurs rideaux, les fenêtres du café où la musique jouait, où les cartes claquaient sur les tables, où quelque nouveau rossignol chantait et dansait, à la place de l'ancien, les anciens couplets et les anciennes danses. Aucun camarade n'y était certainement ce soir. En tout cas, Trotta n'irait pas y voir. Car il sentait qu'il avait part à la honte du capitaine Jedlicek, bien qu'il eût depuis longtemps le métier militaire en horreur. Le bataillon tout entier avait part à la honte du capitaine. Le sous-lieutenant Trotta avait reçu une éducation militaire suffisamment solide pour trouver peu admissible que les officiers du bataillon osassent se montrer encore en uniforme dans les rues de la garnison après cette affaire Jedlicek. Ah ! ce Jedlicek : grand, fort et gai, c'était un bon camarade et il lui fallait beaucoup d'argent. Il prenait tout sur ses larges épaules. Zoglauer l'aimait, ses hommes l'aimaient. Il leur était apparu à tous comme plus fort que le marais et que la frontière. Et c'était un espion ! Du café sortaient le bruit de la musique, le brouhaha des voix et le tintement des tasses, pour se noyer sans cesse dans le chœur nocturne des inlassables grenouilles. Le printemps était venu. Mais Chojnicki, lui, le seul qui eût pu l'aider de son argent, n'arrivait pas. Il y avait longtemps qu'il ne s'agissait plus de six mille, mais de sept mille deux cent cinquante couronnes. Payables la semaine prochaine, à cette heure-ci exactement. S'il ne payait pas, on établirait sûrement une complicité quelconque entre lui et le capitaine Jedlicek. Il avait été son ami. Mais ,en fin de compte, ils avaient tous été ses amis. Toutefois, c'est précisément avec ce malheureux sous-lieutenant Trotta qu'on pouvait s'attendre à tout... La destinée, sa destinée ! ... A cette heure-là, il y avait quinze jours, il était encore libre et gai, un jeune homme en civil. A cette heure-là, il avait rencontré le peintre Moser et ils avaient pris un verre. Et aujourd'hui... il enviait le peintre Moser.

Il entendit des pas connus à l'angle de la rue. C'étaient les camarades qui rentraient. Ils revenaient tous, tous ceux qui logeaient à l'hôtel Brodnitzer. Ils avançaient en une bande silencieuse. Il alla au-devant d'eux.

— Ah ! tu n'es pas parti, dit Winter.

— Tu sais donc déjà ?

— Effrayant ! Épouvantable !

Ils montèrent l'escalier, l'un suivant l'autre, sans un mot, chacun s'efforçant de faire le moins de bruit possible. C'était comme s'ils montaient l'escalier à la dérobée !

— Tous au 9, commanda Hruba, le lieutenant.

C'était lui qui habitait le n° 9, la plus grande chambre de l'hôtel. Tous entrèrent, tête basse, dans la chambre de Hruba.

— Il faut faire quelque chose, commença Hruba. Vous avez vu Zoglauer ? Il est désespéré. Il va se suicider. Il faut faire quelque chose.

— Sottise, lieutenant ! déclara le sous-lieutenant Lippowitz.

Hruba était entré tard dans l'active après deux semestres à la faculté de droit, et il n'avait jamais réussi à dépouiller « le pékin ». Et l'on s'adressait à lui avec ce respect un peu timide, mais aussi un peu narquois, dont on usait à l'égard des officiers de réserve.

— Nous ne pouvons rien ici, disait Lippowitz. Nous taire et continuer de servir ! Ce n'est pas le premier cas de ce genre ! Malheureusement, ce ne sera pas non plus le dernier !

Personne ne répondit. Ils se rendaient bien compte qu'il n'y avait absolument rien à faire. Et pourtant chacun d'eux avait espéré que, réunis dans une chambre, ils trouveraient toutes sortes de moyens d'aviser. Toutefois, maintenant, ils découvraient soudain que ce qui les avait poussés les uns vers les autres, c'était uniquement la peur de rester seul entre quatre murs avec la peur... Mais ils découvraient aussi qu'il ne leur servait à rien de se réunir et que chacun d'eux n'en restait pas moins isolé, avec sa peur, parmi les autres. Ils relevaient la tête, se regardaient et laissaient retomber la tête. Ils s'étaient déjà rassemblés une fois ainsi, après le suicide du capitaine Wagner. Chacun d'eux pensait au prédécesseur du capitaine Jedlicek, le capitaine Wagner, et aujourd'hui chacun d'eux souhaitait que Jedlicek se fût tué, lui aussi. Et chacun eut soudain le soupçon que le capitaine Wagner ne s'était peut-être tué que pour échapper à une arrestation.

— Je vais y aller, j'arriverai bien à passer, dit le sous-lieutenant Habermann, et je l'abattrai !

— Premièrement, tu ne passeras pas, riposta Lippowitz. Deuxièmement, on s'est déjà arrangé pour qu'il se tue lui-même. Sitôt qu'on aura tout appris de lui, on lui donnera un pistolet et on l'enfermera.

— Oui, c'est exact, c'est comme ça ! crièrent quelques voix.

Ils étaient soulagés. Ils commençaient à espérer qu'à cette heure le capitaine s'était déjà tué. Et il leur semblait que, grâce à leur propre intelligence, ils venaient d'instaurer cet usage de juridiction militaire.

— Il s'en est fallu d'un cheveu que je ne tue un homme aujourd'hui, dit le lieutenant Trotta.

— Qui ? Comment ? Pourquoi ? demandèrent-ils tous, pêle-mêle.

— C'est Kapturak que vous connaissez tous, commença Trotta.

Il fit son récit lentement, cherchant ses mots, pâlissant et, quand il eut fini, il lui fut impossible d'expliquer pourquoi il n'avait pas enfoncé sa lame. Il sentait qu'il ne serait pas compris. Il n'était déjà plus compris.

— Je l'aurais assommé, criait l'un.

— Moi aussi !

— Et moi ! criaient un deuxième, un troisième.

— Ce n'est pas si facile que ça ! s'écria à son tour Lippowitz.

— Cette espèce de sangsue, ce youpin ! s'exclama quelqu'un, et tous se figèrent, ils se rappelaient que le père de Lippowitz était juif.

— C'est que, tout à coup, reprenait Trotta — et il était extrêmement étonné de penser en même temps à Max Demant et à son grand-père, le roi à barbe blanche des cabaretiers juifs — tout à coup, j'ai vu une croix derrière lui !

Quelqu'un rit. Un autre dit froidement :

— Tu étais saoul !

— Allons, assez, commanda enfin Hruba. On racontera tout ça demain à Zoglauer.

Trotta considérait les visages l'un après l'autre : visages las, déprimés, surexcités, mais qui, dans leur lassitude ou leur surexcitation, n'en affichaient pas moins un air de gaieté qui l'agaçait : « Si Demant vivait encore, se disait Trotta, il y aurait moyen de parler avec lui, avec le petit-fils du roi à barbe blanche, celui des cabaretiers juifs. » Il tâcha de s'esquiver sans attirer l'attention. Il alla dans sa chambre.

Le lendemain matin, il exposa son affaire. Il l'exposa dans le langage de l'armée, dont il était habitué à se servir depuis son adolescence pour ses informations, ses rapports, dans ce langage de l'armée qui était sa langue maternelle.

Mais il sentit bien qu'il n'avait pas tout dit, qu'il n'avait même pas dit le plus important, qu'il y avait entre ce qui lui était arrivé et le compte rendu qu'il en donnait une grande et mystérieuse distance, pour ainsi dire tout un étrange pays. Il n'oublia pas non plus de mentionner l'ombre de la croix qu'il croyait avoir vue. Et le commandant sourit exactement comme Trotta s'y était attendu et demanda :

— Combien en aviez-vous bu ?

— Une demi-bouteille, dit Trotta.

— Oh, alors ! fit Zoglauer.

Il n'avait souri qu'un instant, le soucieux commandant Zoglauer. L'histoire était sérieuse et malheureusement les histoires sérieuses s'accumulaient. En tout cas, affaire bien pénible à transmettre en haut lieu. On pourrait différer.

— Avez-vous l'argent ? demanda le commandant.

— Non, répondit le sous-lieutenant.

Et ils se regardèrent un moment, perplexes, de leurs yeux vides et fixes, les yeux de pauvres gens qui ne pouvaient même pas avouer leur désarroi. Tout n'était pas prévu par le règlement, on avait beau feuilleter les petits livres d'avant en arrière, puis d'arrière en avant, on n'y trouvait pas tout ! Le sous-lieutenant avait-il été dans son droit ? Avait-il pris son sabre trop tôt ? L'homme, qui avait prêté une fortune et qui la réclamait, était-il dans son droit ? Et si le commandant convoquait tous ses officiers et leur demandait conseil, lequel aurait pu lui répondre ? Qui donc pouvait se permettre d'en savoir plus long que le chef du bataillon ? Qu'est-ce qu'il avait dans le corps, ce sous-lieutenant de malheur ? On avait déjà eu de la peine à étouffer cette histoire de grève. Les calamités s'amoncelaient sur la tête du commandant Zoglauer, sur Trotta, sur le bataillon. Il se serait volontiers tordu les mains, le commandant Zoglauer, s'il avait été possible seulement de se tordre les mains dans le service. Et quand bien même tous les officiers du bataillon répondraient pour le sous-lieutenant Trotta, on ne réunirait jamais la somme. Et si la somme n'était pas payée, l'affaire se compliquerait encore davantage.

— Pourquoi vous a-t-il fallu tant d'argent ? demanda Zoglauer, tout en se rappelant aussitôt qu'il savait tout.

Il eut un geste de la main. Il ne désirait point qu'on le renseignât.

— Avant toute chose, il faut écrire à monsieur votre papa, dit Zoglauer.

Il lui sembla qu'il venait d'exprimer une idée de génie. Le rapport était terminé.

Et le sous-lieutenant rentra chez lui, s'assit et se mit à écrire à monsieur son papa. C'était impossible sans alcool. Il descendit donc au café, commanda un « quatre-vingt-dix degrés », de l'encre, une plume, du papier. Il commença. Quelle lettre difficile ! Quelle lettre impossible ! Le sous-lieutenant Trotta s'y reprit à plusieurs fois, détruisant ses débuts, recommençant. Il n'y a rien de plus difficile pour un sous-lieutenant que de rendre compte par écrit d'événements qui le concernent personnellement et même lui font courir des risques. Il s'avéra, en cette occasion, que le sous-lieutenant Trotta, qui détestait le métier militaire depuis longtemps déjà, avait encore assez d'amour-propre soldatesque pour ne pas vouloir être renvoyé de l'armée. Et, tout en essayant d'exposer à son père l'état complexe des choses, il redevenait inopinément l'élève Trotta, pupille de l'école des cadets, qui jadis, sur le balcon de la maison paternelle, avait souhaité mourir pour les Habsbourg et pour l'Autriche, aux accents de la *Marche de Radetzky*. (L'âme humaine est tellement étrange, changeante et compliquée !)

Il fallut plus de deux heures à Trotta pour exposer les faits par écrit. L'après-midi était avancé. Les joueurs de cartes et de roulette se réunissaient déjà dans le café. M. Brodnitzer, l'hôtelier, arriva aussi. Il fut d'une politesse inusitée, effrayante ; il s'inclina si bas devant le sous-lieutenant que celui-ci devina immédiatement que le cafetier voulait lui rappeler la scène avec Kapturak et qu'il en avait été l'authentique témoin. Trotta se leva pour se mettre en quête de son ordonnance. Il alla dans le vestibule et cria à plusieurs reprises le nom d'Onufrij dans l'escalier. Mais Onufrij ne se montra pas. Ce fut Brodnitzer qui apparut en disant :

— Votre domestique est parti ce matin de bonne heure.

Le sous-lieutenant prit donc lui-même le chemin de la gare pour envoyer sa lettre. L'idée qu'Onufrij s'en était allé sans autorisation ne le frappa qu'en route. Son éducation militaire lui dicta de la colère contre son serviteur. Lui-même, le sous-lieutenant, s'était souvent rendu à Vienne... et en civil... et sans permission. Peut-être l'ordonnance n'avait-elle fait que suivre l'exemple de son maître... Peut-être Onufrij a-t-il une bonne amie, et peut-être l'attend-elle, continuait de songer le sous-lieutenant. « Je vais le boucler jusqu'à la saint-Glinglin », se dit-il, mais il se rendit compte, au même moment, que cette phrase n'était pas venue de lui et qu'il ne l'avait pas pensée sérieusement. C'était l'une de ces expressions machinales, toujours prêtes, de son cerveau militaire, qui tiennent lieu d'idées dans les cerveaux militaires et anticipent sur les décisions.

Non, Onufrij, l'ordonnance, n'avait point de bonne amie dans son village ! Il avait hérité de son père un champ de quatre arpents et demi que régissait son beau-frère, ainsi que vingt ducats d'or de dix couronnes, enfouis dans la terre près du troisième saule à gauche, devant la cabane du sentier conduisant chez le voisin Nikofor. Onufrij s'était levé avant le soleil, il avait nettoyé l'uniforme et les bottes du sous-lieutenant, mis les bottes devant la porte, l'uniforme sur le fauteuil. Il s'arma de son gourdin de merisier et se mit en marche pour Burdlaki. Il prit l'étroit sentier où poussaient les saules, le seul endroit où l'on vît du sol sec, parce que les saules absorbaient toute l'humidité du marais. Des deux côtés du chemin s'élevaient les brumes grises du matin, aux formes changeantes et fantomatiques, elles déferlaient à sa rencontre et l'obligeaient à faire le signe de croix. Sans arrêt, ses lèvres frémissantes murmuraient le *Pater*. Pourtant, il était confiant. Les grands hangars du chemin de fer, couverts d'ardoise, surgissaient maintenant sur la gauche et ils le rassuraient dans une certaine mesure, parce qu'ils étaient à la place où il s'attendait à les trouver. Il se signa de nouveau, mais, cette fois, par reconnaissance pour la divine bonté qui avait laissé les hangars du chemin de fer à leur place habituelle. Il atteignit le village de Burdlaki une heure après le lever du soleil. Sa sœur et son beau-frère étaient déjà aux champs. Il entra dans la chaumière paternelle qui leur servait d'habitation. Les enfants dormaient encore dans les berceaux suspendus par de grosses cordes aux crochets de fer fixés au plafond. Il prit une bêche et un râteau dans le petit potager, derrière la maison, et se mit à la recherche du troisième saule à gauche de la cabane. En sortant, il se plaça le dos à la porte, le regard dirigé vers l'horizon. Il lui fallut un moment pour se démontrer que son bras droit était bien le droit, et l'autre le gauche, puis il marcha vers la gauche jusqu'au troisième saule en direction du voisin Nikofor. Arrivé là, il se mit à bêcher. De temps en temps il jetait un regard circulaire pour se persuader que personne ne le voyait. Non ! personne ne voyait ce qu'il faisait. Il bêchait et bêchait. Le soleil montait si vite dans le ciel qu'Onufrij croyait que l'heure de midi était déjà venue. Mais il n'était encore que neuf heures du matin. Enfin, il entendit le fer de la bêche heurter quelque chose de dur, de sonore. Il posa la bêche, commença à caresser délicatement la terre ameublie, avec son râteau dont il se débarrassa aussi, se mit à plat ventre et, de tous ses dix doigts, il entreprit de peigner, en les écartant, les miettes friables de la terre humide. Il sentit tout d'abord un mouchoir de fil, le saisit par le nœud, tira dessus. Son argent y était : vingt ducats d'or de dix couronnes.

Il ne prit pas le temps d'en vérifier le nombre. Il cacha son trésor dans la poche de son pantalon et se rendit chez le carabetier juif du village de Burdlaki, un certain Hirsch Beniower, le seul banquier du monde qu'il connût personnellement.

— Je te connais, lui dit Hirsch Beniower, j'ai aussi connu ton père... Te faut-il du sucre, de la farine, du tabac russe ou de l'argent ?

— De l'argent ! dit Onufrij.

— Combien t'en faut-il ? demanda Beniower.

— Beaucoup ! dit Onufrij, en écartant les bras autant qu'il le pouvait pour montrer combien il lui en fallait.

— Bon, dit Beniower, nous allons regarder ce que tu as.

Et Beniower ouvrit un grand livre. Il était inscrit dans ce livre qu'Onufrij Kolohin possédait quatre arpents et demi de terre. Beniower était disposé à lui prêter trois cents couronnes dessus.

— Allons chez le maire, dit Beniower.

Il appela sa femme, lui confia la boutique et se rendit chez le maire avec Onufrij Kolohin.

Là, il remit les trois cents couronnes à Onufrij qui s'assit à une table brune, vermoulue, et entreprit d'écrire son nom au bas d'un papier. Il retira sa casquette. Le soleil était déjà haut dans le ciel. Ses rayons brûlants pénétraient même à travers les fenêtres minuscules de la maisonnette où le maire de Burdlaki exerçait ses fonctions. Onufrij transpirait. Sur son front bas, les gouttes de sueur surgissaient comme des bosses de cristal transparent. Chacune des lettres tracées par Onufrij faisait naître une bosse de cristal sur son front. Ces bosses lui coulaient le long de la figure comme des larmes pleurées par son cerveau. Enfin, son nom se trouva au bas du reçu. Et, les vingt ducats d'or dans la poche de son pantalon, les trois cents couronnes papier dans la poche de sa veste. Onufrij prit le chemin du retour.

Il fit son apparition à l'hôtel dans l'après-midi, entra au café et s'informa de son maître. Il se postait parmi les joueurs de cartes quand il aperçut Trotta, l'air aussi dégagé que s'il avait été dans la cour de la caserne. Toute sa large face s'éclaira comme un soleil. Trotta le considéra longuement, de la tendresse dans le cœur, de la sévérité dans les yeux.

— Je vais te boucler jusqu'à la saint Glinglin ! dit la bouche du lieutenant, prononçant ce que lui dictait son cerveau militaire.

Puis il ajouta :

— Viens dans ma chambre, et il se leva.

Le sous-lieutenant monta l'escalier. Onufrij le suivit trois marches plus bas. Ils arrivèrent dans la chambre. Onufrij, la face toujours ensoleillée, annonça :

— Mon lieutenant, voilà de l'argent ! et, sortant ce qu'il possédait de la poche de son pantalon et de sa veste, il s'approcha et mit le tout sur la table.

De petits fragments de terre grise adhéraient encore au mouchoir rouge qui avait caché si longtemps, sous la terre, les vingts ducats d'or de dix couronnes. Les billets de banque bleus étaient à côté du mouchoir. Trotta les compta. Il dénoua le mouchoir. Il compta les pièces d'or. Puis il mit les billets dans le mouchoir avec les pièces d'or, refit le nœud et rendit le petit balluchon à Onufrij.

— Il ne m'est malheureusement pas permis d'accepter de l'argent de toi, tu comprends ? dit Trotta. C'est le règlement qui me le défend, tu comprends ? Si j'accepte ton argent, on me renverra de l'armée et l'on me dégradera, tu comprends ?

Onufrij acquiesçait de la tête.

Le sous-lieutenant restait debout, le petit balluchon à la main. Onufrij ne cessait pas d'acquiescer de la tête. Il avança la main, prit le balluchon qui se balança un moment dans les airs.

— Rompez, dit Trotta.

Et Onufrij s'en alla avec son petit balluchon.

Le sous-lieutenant se rappela la nuit d'automne où, dans sa garnison de cavalerie, il avait entendu derrière son dos le pas martelé d'Onufrij. Et il pensa aux récits militaires édifiants qu'il avait lus dans les petits volumes à reliure verte de l'hôpital. Ces histoires fourmillaient de touchantes ordonnances d'officiers, paysans mal dégrossis, au cœur d'or. Or, bien que le sous-lieutenant Trotta n'eût aucun goût littéraire et que le drame, *Zrinyi*, de Théodor Körner fût la seule chose qui se présentât à son esprit quand il entendait par hasard le mot « littérature », il avait toujours éprouvé une sourde irritation contre la douceâtre mélancolie de ces petits livres aux personnages dorés. Il n'était pas assez expérimenté, le sous-lieutenant Trotta, pour savoir qu'il existe aussi, dans la réalité, de jeunes paysans mal dégrossis au noble cœur et qu'on raconte dans de mauvais livres beaucoup de choses vraies empruntées à la vie du monde, qui sont seulement mal copiées.

D'une manière générale, il n'avait pas encore beaucoup d'expérience, le sous-lieutenant Trotta.

XVIII

Par une matinée de printemps fraîche et ensoleillée, le préfet reçut la lettre du sous-lieutenant. M. von Trotta soupesa l'épître dans sa main avant de la décacheter. Elle paraissait plus lourde que toutes celles qu'il avait jamais reçues jusqu'alors de son fils. C'était une lettre de deux feuillets, une lettre d'une longueur inaccoutumée. Le cœur vieilli de M. von Trotta se remplit tout en même temps de chagrin, de paternelle colère, de joie et d'anxieux pressentiments. Sa manchette tremblotait contre sa main pendant qu'il ouvrait l'enveloppe. De sa main gauche, il affermit son lorgnon qui paraissait devenu un peu instable au cours des derniers mois et, de la droite, il amena la missive si près de son visage que le bord de ses favoris frôla le papier. L'écriture, visiblement hâtive, effraya autant M. von Trotta que l'extraordinaire contenu. Puis le préfet chercha encore quels autres sujets d'alarme pouvaient bien se cacher, même entre les lignes, car il lui semblait tout à coup que la lettre ne renfermait pas encore assez d'épouvante et que, depuis longtemps, il n'avait fait qu'attendre l'effrayant message, de jour en jour, en particulier depuis que son fils avait cessé d'écrire. Sans doute fût-ce pour cela qu'il était calme lorsqu'il posa la lettre. C'était un vieil homme d'une vieille époque. Peut-être les vieux hommes de l'époque qui précéda la guerre étaient-ils plus fous que les jeunes gens d'aujourd'hui. Mais dans les circonstances qui leur paraissaient effroyables et qui, selon nos conceptions actuelles, se régleraient vraisemblablement par une simple boutade, ces braves hommes de jadis conservaient un héroïque sang-froid. De nos jours, le sentiment de l'honneur social, familial et individuel, qui était celui de M. von Trotta, nous paraît être le vestige de légendes incroyables et puériles. Mais en ce temps-là, la nouvelle de la mort de son unique enfant aurait moins ébranlé un préfet autrichien de l'espèce de M. von Trotta que la nouvelle d'une malhonnêteté, même purement apparente, de cet unique enfant. Selon les idées de cette époque révolue, et pour ainsi dire ensevelie sous les tombes encore fraîches de ceux qui sont tombés, un officier de l'armée impériale et royale qui n'avait pas tué celui qui insultait à son honneur, apparemment parce qu'il lui devait de l'argent, était une calamité et même plus qu'une calamité, une honte, pour celui qui l'avait engendré, pour l'armée et pour la monarchie. Aussi, au premier moment, ce ne fut pas le cœur de père de M. von Trotta qui s'émut, mais en quelque sorte son cœur de fonctionnaire. Et il se dit : « Démissionne immédiatement. Prends ta retraite avant l'âge. Tu n'as plus rien à faire au service de ton Empereur ! » Mais l'instant d'après, son cœur de père s'écriait : « C'est la faute des temps ! C'est la faute de la garnison-frontière ! C'est ta faute à toi-même ! Ton fils est loyal et noble. Seulement, il est faible, hélas ! Et il faut l'aider. »

Il fallait l'aider ! Il fallait éviter le déshonneur et la honte au nom de Trotta. Et, sur ce point-là, les deux cœurs de M. von Trotta, son cœur de père et son cœur de fonctionnaire, étaient d'accord. Il s'agissait donc avant tout de se procurer l'argent : sept mille deux cent cinquante couronnes. Les cinq mille florins dont l'Empereur avait fait don jadis au fils du héros de Solferino, ainsi que l'argent de l'héritage paternel n'existaient plus depuis longtemps. Ils avaient fondu entre les doigts du préfet, pour une chose ou pour une autre, pour la maison, l'école des cadets de Märisch-Weisskirchen, pour le peintre Moser, le cheval, des œuvres charitables. M. von Trotta s'était toujours ingénié à paraître plus riche qu'il ne l'était. Il avait les instincts d'un vrai grand seigneur. Il n'y avait pas à cette époque-là (il n'y a peut-être pas même à présent) d'instincts plus dispendieux. Ceux qui sont affligés de ce genre de malédiction ne savent ni combien ils possèdent ni combien ils dépensent. Ils puisent à une source invisible. Ils ne comptent pas. Ils sont d'avis que leur fortune ne peut être inférieure à leur munificence.

Pour la première fois de sa vie déjà longue, M. von Trotta se trouvait placé devant l'impossible tâche de fournir sur-le-champ une somme relativement élevée. Il n'avait point d'amis, à l'exception de ses camarades d'école ou de ses compagnons d'études qui occupaient aujourd'hui, comme lui, des fonctions d'État et avec lesquels il n'était plus en rapport depuis des années. La plupart étaient pauvres. Il connaissait l'homme le plus riche du chef-lieu, le vieux M. von Winternigg. Et il entreprit de s'habituer lentement à l'affreuse pensée d'aller trouver M. von Winternigg, le lendemain, le surlendemain ou le jour même, pour solliciter un prêt. Il n'avait pas l'imagination particulièrement vive, M. von Trotta. Pourtant, il réussit à se figurer, avec une obsédante précision, chacun des instants de sa pénible démarche. Et, pour la première fois de sa vie déjà longue, le préfet constata par lui-même combien il est difficile de garder sa dignité, quand on est dans la détresse. Cette constatation le surprit comme la foudre, brisa en un clin d'œil cet orgueil sur lequel il avait si soigneusement veillé, qu'on lui avait légué et qu'il avait décidé de léguer à son tour. Déjà, il se sentait humilié comme celui qui, depuis des années, se plie à d'inutiles sollicitations. Son orgueil avait été jadis le solide compagnon de sa jeunesse, il était devenu plus tard le soutien de ses vieilles années ; or, à présent, son orgueil lui était ravi, au pauvre vieux M. von Trotta. Il décida d'écrire immédiatement une lettre à M. von Winternigg. Mais à peine la plume toucha-t-elle le papier qu'il se rendit compte qu'il n'était pas question d'annoncer une visite, mais en vérité une requête. Il sembla au vieux Trotta qu'il commettait une sorte de tromperie en ne donnant pas, tout au moins, à entendre, dès le commencement, le but de sa visite. Mais il lui était impossible de trouver une tournure de phrase répondant, dans une certaine mesure à son intention. Il resta donc longtemps assis, la plume à la main, réfléchissant, faisant du style, rejetant chacune de ses phrases. On pouvait aussi, évidemment, téléphoner à M. von Winternigg, mais depuis qu'il y avait le téléphone à la préfecture — ce qui ne remontait pas à plus de deux ans — M. von Trotta ne l'avait utilisé que pour les besoins du service. La seule idée de s'approcher de la grande boîte brune, légèrement inquiétante, de déclencher la sonnerie et de commencer par un horrible « Allô ? » (qui était presque offensant pour M. von Trotta parce qu'il lui semblait être l'expression puérile d'une insolence déplacée, dont auraient usé de graves personnages pour préluder à de graves conversations) son entretien avec M. von Winternigg lui paraissait inconcevable. Entre-temps, il lui vint à l'esprit que son fils attendait une réponse, voire une dépêche. Que devait lui télégraphier le préfet ? Peut-être : Vais tout tenter, lettre suit ? Ou bien : Attends patiemment suite ? Ou encore : Cherche autre moyen. Ici impossible ?... Impossible ! Quel long et affreux écho ce mot éveillait ! Qu'est-ce qui était impossible ? Sauver l'honneur de Trotta ? Il fallait bien que ce fût possible. Il n'était pas permis que ce fût impossible. Le préfet arpentait et arpentait son cabinet, comme en ces matins d'été où il interrogeait le petit Charles-Joseph, une main derrière le dos, une manchette frottant légèrement contre l'autre. Puis il descendit dans la cour, poussé par la folle idée que le vieux Jacques pouvait y être assis dans l'ombre de la charpente. La cour était déserte. La fenêtre de la maisonnette, où le vieux Jacques avait habité, était ouverte et le canari vivait encore. Il sifflait, perché sur l'encadrement de la fenêtre. Le préfet fit demi-tour, prit son chapeau et sa canne et quitta la maison. Il s'était résolu à entreprendre une chose extraordinaire : aller voir le docteur Skowronnek chez lui. Il traversa la petite place du marché, prit la Lenaugasse, chercha une plaque sur les maisons, car il ignorait le numéro, et dut enfin s'informer de l'adresse de Skowronnek chez un commerçant, bien qu'il lui parût indiscret d'importuner un étranger en lui demandant un renseignement. Mais M. von Trotta surmonta cette nouvelle épreuve avec force d'âme et assurance. Il entra dans la maison qu'on lui indiquait. Il trouva Skowronnek au-delà du vestibule, dans son jardinet, un livre sous le bras, armé d'une ombrelle gigantesque.

— Dieu du ciel ! s'écria le docteur, car il sentit d'emblée qu'il avait dû se passer quelque chose d'extraordinaire pour que le préfet vînt le voir chez lui.

M. von Trotta présenta cérémonieusement des excuses avant de commencer. Puis il fit son récit, assis sur le banc du petit jardin, la tête baissée, fouillant du bout de sa canne parmi le gravier coloré de l'étroite allée. Ensuite, il remit la lettre de son fils aux mains de Skowronnek. Enfin il se tut, retint un soupir et respira profondément.

— Mes économies, dit Skowronnek, se montent à deux mille couronnes. Je les mets à votre disposition, si vous me le permettez, monsieur le préfet.

Il prononça cette phrase très vite, comme s'il avait peur d'être interrompu et, dans son embarras, il s'empara de la canne de M. von Trotta et se mit à fouiller lui-même dans le gravier, car il lui semblait impossible de rester les mains inoccupées après ces mots.

M. von Trotta dit :

— Merci, docteur, je les accepte, je vais vous donner un reçu. Je vous rembourserai par acomptes si vous m'y autorisez.

— Il ne saurait être question de cela, dit Skowronnek.

— Soit, fit le préfet.

Il lui semblait soudain inutile de prononcer des paroles superflues, de ces paroles dont, par politesse, il avait usé toute sa vie vis-à-vis des étrangers. Le temps pressait tout à coup. Les quelques jours qu'il avait encore devant lui se ratatinaient brusquement, se réduisaient à rien.

— Le reste, continua Skowronnek, le reste ne peut vous être fourni que par M. von Winternigg. Vous le connaissez ?

— Vaguement.

— Il n'y a plus rien d'autre à faire, monsieur le préfet. Mais je crois connaître M. von Winternigg. J'ai traité une fois sa belle-fille. A mon avis, c'est un monstre, comme on dit. Et il se pourrait, monsieur le préfet, il se pourrait que vous alliez essuyer un refus.

Là-dessus, M. Skowronnek resta muet. Le préfet lui reprit sa canne des mains et il se fit un grand silence. On n'entendait plus que le grattement de la canne dans le gravier.

— Un refus ! chuchota le préfet, un refus ne me fait pas peur. Mais que ferai-je ensuite ?

— Ensuite, dit Skowronnek, il ne reste plus que quelque chose de tout à fait singulier, c'est une idée qui me passe comme ça par la tête, mais qui me paraît à moi-même absolument fantastique. Pourtant, je pense, qu'après tout, dans votre cas, elle n'est pas tellement invraisemblable. A votre place, c'est là que j'irais directement... J'irais directement trouver le vieux... c'est l'Empereur que je veux dire. Car il ne s'agit pas uniquement d'argent. Il y a danger, pardonnez-moi de parler si franchement, il y a danger que votre fils ne soit... Skowronnek allait dire : « ne soit chassé de l'armée », mais il dit seulement : « ne soit obligé de démissionner ».

Après avoir prononcé cette parole, Skowronnek en eut immédiatement honte et il ajouta :

— Peut-être n'est-ce qu'une idée d'enfant et, tout en l'exprimant, j'ai l'impression que nous sommes deux petits garçons qui font des réflexions impossibles. Oui, nous avons atteint un âge avancé, nous avons de graves préoccupations, et il n'y en a pas moins dans mon idée quelque chose de présomptueux. Excusez-moi !

Mais l'idée du docteur Skowronnek ne parut pas du tout enfantine à l'âme simple de M. von Trotta. Toujours, à propos de toutes les

LA MARCHE DE RADETZKY

pièces qu'il rédigeait ou qu'il signait, de toutes les instructions sans
importance qu'il donnait au sous-préfet ou seulement au maréchal
des logis-chef Slama, il se sentait placé directement sous le sceptre de
l'Empereur. Et il était tout naturel que l'Empereur eût parlé à
Charles-Joseph. Le héros de Solferino avait versé du sang pour le
monarque. Charles-Joseph aussi, en un certain sens, en luttant
contre les « individus » et les « éléments suspects ». Et, selon ses
conceptions toutes simples, un serviteur de Sa Majesté n'abusait
point de ses bonnes grâces en allant trouver François-Joseph en
toute confiance, comme un enfant en détresse va trouver son père.
Et le docteur Skowronnek fut pris de peur et commença à douter du
bon sens du préfet en entendant le vieillard s'écrier :

— Excellente idée, monsieur le docteur, c'est la chose la plus
simple du monde !

— Ce n'est pas si simple que ça ! dit Skowronnek. Vous n'avez
pas beaucoup de temps. Il n'est pas possible d'obtenir une audience
privée en deux jours.

Le préfet lui donna raison. Et ils décidèrent que M. von Trotta
irait tout d'abord voir M. von Winternigg.

— Même au risque d'un refus ! dit le préfet.

— Même au risque d'un refus, répéta le docteur Skowronnek.

Et le préfet se mit aussitôt en route pour aller trouver M. von
Winternigg. Il prit un fiacre. C'était l'heure du déjeuner. Lui-même
n'avait rien mangé. Il se fit arrêter au café et but un cognac. Il
songeait que son entreprise était extrêmement inconvenante. Il allait
déranger le vieux Winternigg pendant son repas. Mais il n'a pas le
loisir d'attendre. Il faut que la chose soit décidée dès cet après-midi.
Après-demain, il sera chez l'Empereur. Il se fait arrêter encore une
fois. Il descend à la poste et, d'une main ferme, écrit un télégramme
pour Charles-Joseph : « Tout va s'arranger. Amitiés. Père. » Il est
tout à fait sûr que tout va bien marcher. Car s'il est impossible,
peut-être, de réunir la somme, il est moins possible encore que
l'honneur des Trotta soit compromis. Le préfet s'imagine même que
l'esprit de son père, le héros de Solferino, veille sur lui et
l'accompagne. Et le cognac réchauffe son vieux cœur qui bat un peu
plus fort. Mais il est, lui, tout à fait calme. Et il paie son cocher
devant l'entrée de la villa Winternigg, le salue d'un doigt bienveillant, comme il a l'habitude de saluer les petites gens. Il a aussi un

sourire bienveillant pour le domestique. Il attend, son chapeau et sa canne à la main.

M. von Winternigg arriva, tout chétif et jaune. Il tendit au préfet sa petite main sèche, s'affala dans un large fauteuil et disparut presque dans le capitonnage. Il dirigea ses yeux glauques vers les grandes fenêtres. Aucun regard ne vivait dans ses yeux, ou bien ses yeux cachaient son regard, c'étaient de vieux petits miroirs ternis où le préfet ne vit que sa propre et minuscule image. Il commença, avec plus de facilité qu'il ne l'aurait cru, par des excuses bien tournées et il expliqua qu'il lui avait été impossible d'annoncer sa visite. Puis il dit :

— Monsieur von Winternigg, je suis un vieil homme, bien que ces mots n'eussent nullement été dans ses intentions.

Les paupières jaunes et ridées de Winternigg battirent à plusieurs reprises et le préfet eut le sentiment de s'adresser à un vieil oiseau desséché qui ne comprenait pas le langage des hommes.

— Bien regrettable, dit pourtant M. von Winternigg.

Il parlait très bas. Sa voix était sans timbre, comme ses yeux étaient sans regard. Il ahanait en parlant et découvrait alors de façon surprenante une puissante dentition, de larges dents jaunâtres, forte grille protectrice qui gardait ses paroles.

— Bien regrettable, répéta M. von Winternigg, je n'ai pas du tout de disponibilités.

Le préfet se leva aussitôt, tandis que Winternigg se dressait, lui aussi, comme mû par un ressort. Il était debout, tout chétif et jaune devant le préfet, glabre devant des favoris argentés, et M. von Trotta avait l'air de grandir et croyait se sentir grandir lui-même. Son orgueil était-il brisé ? Nullement. Était-il humilié ? Il ne l'était pas. Il avait à sauver l'honneur du héros de Solferino, comme le héros de Solferino avait eu la tâche de sauver la vie à l'Empereur. Solliciter était donc tellement facile ? Pour la première fois, le cœur de M. von Trotta se remplissait de mépris véritable et son mépris était presque aussi grand que son orgueil. Il se retira. Et, de sa vieille voix, hautaine et nasillarde de fonctionnaire, il dit :

— Je me retire, monsieur von Winternigg.

A pied, lentement, bien droit, brillant de toute la dignité de ses favoris d'argent, il parcourut la longue avenue menant de la demeure de M. von Winternigg à la ville. L'avenue était déserte. Les moineaux sautillaient sur la chaussée, les merles sifflaient et les vieux marronniers bordaient le chemin de M. le préfet.

Chez lui, pour la première fois depuis longtemps, il prit la sonnette de table en argent. La frêle voix parcourut prestement toute la maison.

— Mademoiselle, dit M. von Trotta à Mlle Hirschwitz, je voudrais voir ma valise faite dans une demi-heure. Mon uniforme, avec le bicorne et l'épée, le frac et la cravate blanche, s'il vous plaît ! Dans une demi-heure !

Il tira sa montre. On perçut le bruit du couvercle qui s'ouvrait. Il se mit dans son fauteuil et ferma les yeux.

Dans son armoire, son uniforme de gala était suspendu à cinq crochets : frac, gilet, pantalon, bicorne, épée. Pièce par pièce, l'uniforme en sortit comme de sa propre volonté, non porté mais seulement accompagné par les mains précautionneuses de la gouvernante. La grande valise du préfet, dans sa housse de toile brune, ouvrit sa gueule garnie de papier de soie et reçut l'uniforme, pièce à pièce. L'épée entra docilement dans un écrin de cuir, la cravate blanche s'enveloppa d'un délicat voile de papier. Les gants blancs disparurent dans la doublure du gilet. Puis la valise se ferma. Et Mlle Hirschwitz alla dire que tout était prêt.

Le préfet partit donc pour Vienne.

Il y arriva tard dans la soirée. Mais il savait où trouver ceux dont il avait besoin. Il connaissait les maisons où ils habitaient et les établissements où ils mangeaient. Smekal, le conseiller de gouvernement, et Pollak, le conseiller aulique, et Pollitzer, conseiller à la cour des Comptes, et Busch, conseiller à l'Hôtel de Ville, et Leschnigg, conseiller à la Statthalterei, et Fuchs, conseiller à la préfecture de police, tous, et quelques autres encore, virent entrer ce soir-là l'étrange M. von Trotta et, bien qu'il fût exactement du même âge qu'eux, chacun pourtant se dit avec inquiétude que le préfet était devenu bien vieux. Ils lui trouvaient même un air vénérable et osaient à peine le tutoyer. Ce soir-là donc, ils le virent faire son apparition en de nombreux endroits, presque simultanément, et il les fit penser à un revenant, revenant de l'ancien temps et de l'ancienne monarchie habsbourgeoise ; l'ombre de l'histoire l'accompagnait, il était lui-même une ombre argentée de l'histoire. Et, si étrange que fût ce qu'il leur confiait, c'est-à-dire son audacieux projet d'obtenir en l'espace de deux jours une audience particulière de l'Empereur, la personne de M. von Trotta leur semblait plus étrange encore : précocement vieillie, vieille pour ainsi dire d'emblée et, peu à peu, ils finissaient même par trouver son entreprise justifiée et toute naturelle.

Chez Montenuovo, grand-maître de la maison impériale, était casé « Gustl », le veinard, qu'ils enviaient tous bien qu'on sût que la mort du vieillard et l'avènement de François-Ferdinand mettraient une fin ignominieuse à sa magnificence. Ils l'attendaient déjà. Gustl cependant avait épousé la fille d'un Fugger, lui, le roturier, qu'ils avaient tous connu au troisième rang, du côté gauche, à qui ils avaient tous soufflé chaque fois qu'on l'interrogeait et dont, depuis trente ans, ils accompagnaient la « veine » d'acrimonieuses réflexions. Gustl avait été anobli, il faisait partie de la maison de l'Empereur, il ne se nommait plus Hasselbrunner, il se nommait von Hasselbrunner. Son service était simple, c'était un jeu d'enfant, tandis qu'eux tous, les autres, avaient à débrouiller des affaires insupportables et extrêmement compliquées. Hasselbrunner ! Mais c'était le seul qui pût quelque chose en l'occurrence.

Et le lendemain, à neuf heures du matin, le préfet était à la porte d'Hasselbrunner, à la grande maîtrise de la cour. Il apprit qu'Hasselbrunner était en voyage et reviendrait peut-être dans l'après-midi. Par hasard, Smetana, qu'il avait vainement cherché la veille, vint à passer. Et Smetana, rapidement mis au courant de l'affaire et vif comme toujours, savait beaucoup de choses. Si Hasselbrunner était parti, Lang était dans la pièce d'à côté. Et Lang était un chic type. Et ce fut ainsi que le préfet commença à errer de bureau en bureau. Il n'était nullement au courant des lois mystérieuses en usage parmi les autorités impériales et royales de Vienne. Il s'y initiait maintenant. Conformément à ces lois, les garçons de bureau se montraient bourrus, tant qu'il n'avait pas tiré sa carte et obséquieux aussitôt qu'ils connaissaient son rang. Les fonctionnaires supérieurs l'accueillaient tous avec la même respectueuse cordialité. Chacun d'eux, sans exception, paraissait prêt durant le premier quart d'heure à exposer pour le préfet sa carrière, voire sa vie. Et c'est seulement pendant le quart d'heure suivant que leur regard se rembrunissait, que leur visage s'allongeait ; le grand chagrin leur entrait dans le cœur, paralysait leur bonne volonté et chacun disait :

— Ah, s'il s'agissait d'autre chose, ce serait avec plaisir ! Mais dans cette affaire-là, cher baron von Trotta, même pour nous-mêmes... pas la peine de vous expliquer ça à vous, n'est-ce pas ?

Et c'est de tels propos et d'autres du même genre qu'ils tenaient, sans l'ébranler, à l'inébranlable M. von Trotta. Il traversa le Kreuzgang, le Lichthof, monta au troisième, au quatrième, redescendit au premier, au rez-de-chaussée. Puis, il décida d'attendre Hasselbrunner. Il l'attendit jusqu'après midi et il apprit qu'en réalité Hasselbrunner n'était pas parti en voyage mais resté chez lui. Et l'intrépide champion de l'honneur des Trotta pénétra dans la maison de Hasselbrunner. Une légère perspective s'ouvrait enfin. Les deux hommes se firent conduire ensemble chez celui-ci et chez celui-là. Il s'agissait d'arriver jusqu'à Montenuovo en personne. Sur les six heures du soir, ils réussirent à découvrir un ami de Montenuovo à la fameuse pâtisserie où les joyeux et gourmands dignitaires de l'empire se retrouvaient à l'occasion, l'après-midi. Et le préfet entendit répéter pour la quinzième fois de la journée que son projet était inexécutable. Mais il n'en fut pas ébranlé... Et la dignité argentée de son âge et la fermeté, étrange et quelque peu insensée, avec laquelle il parlait de son fils et du danger qui menaçait son nom, son obstination solennelle à appeler son défunt père le héros de Solferino et non autrement, l'Empereur Sa Majesté et non autrement agissaient de telle sorte sur ses auditeurs qu'eux-mêmes finissaient par trouver le projet de M. von Trotta justifié et tout naturel. S'il n'y avait pas d'autre moyen, disait le préfet de W., lui, vieux serviteur de Sa Majesté, fils du héros de Solferino, se jetterait comme un vulgaire porteur du Naschmarkt devant la voiture qui, chaque matin, conduisait l'Empereur de Schönbrunn à la Hofburg. C'était lui, le préfet François von Trotta, qui devait arranger toute l'affaire. A présent, le devoir de sauver l'honneur des Trotta, avec l'aide de l'Empereur, le mettait dans un enthousiasme tel qu'il lui semblait que sa longue vie n'avait commencé à prendre sa véritable signification que depuis l'« accident » de son fils, comme il appelait l'affaire à part lui. Oui, c'était uniquement cette affaire qui avait donné un sens à sa vie.

Il était difficile de passer outre à l'étiquette. On le lui répéta quinze fois. Il répondait que son père, le héros de Solferino, avait également passé outre à l'étiquette : Il a empoigné Sa Majesté comme ça, avec sa main, et il l'a fait tomber à terre ! disait-il. Et lui, qui ne pouvait voir, sans un léger frisson, les gestes violents ou superflus des autres, se levait lui-même, empoignait l'épaule du monsieur auquel il décrivait la scène et essayait de mimer sur place l'événement historique du sauvetage. Et personne ne souriait. Et l'on cherchait un moyen de tourner les lois de l'étiquette.

Il alla dans une papeterie, acheta une feuille de papier officiel du format réglementaire, une petite bouteille d'encre et une plume de la marque Adler, la seule avec laquelle il pût écrire. Et d'une main qui volait, mais de son écriture ordinaire, qui observait encore rigoureusement les règles des pleins et des déliés, il rédigea la demande réglementaire à Sa Majesté apostolique, impériale et royale et il ne douta pas un instant, ou plutôt il ne se permit pas un instant de douter qu'elle obtiendrait une « réponse favorable ». Il aurait été prêt à réveiller Montenuovo lui-même, au beau milieu de la nuit ! Dans le cours de cette journée et de l'avis de M. von Trotta, l'affaire de son fils était devenue l'affaire du héros de Solferino, donc l'affaire de l'Empereur : elle était devenue, dans une certaine mesure, l'affaire de la patrie. C'est à peine si, depuis son départ de W., il avait mangé quelque chose. Il avait l'air plus sec que d'habitude et il rappelait à son ami Hasselbrunner l'un de ces oiseaux exotiques du parc zoologique de Schönbrunn, chez qui la nature paraissait s'être ingéniée à reproduire la physionomie des Habsbourg dans le règne animal. C'était bien François-Joseph lui-même que M. von Trotta rappelait à tous ceux qui avaient vu l'Empereur. Ils n'avaient nullement l'habitude du degré de détermination montré par le préfet, ces messieurs de Vienne. Et, pour ceux qui avaient coutume de résoudre des affaires de l'empire, bien plus difficiles encore, par des boutades plus que légères, formulées dans les cafés de la Résidence, M. von Trotta n'était pas un personnage surgi d'une province géographiquement mais historiquement éloignée, c'était un revenant de l'histoire nationale, une exhortation personnifiée de la conscience patriotique. Leur perpétuelle tendance à saluer, par un mot d'esprit, tous les symptômes de leur propre déclin mourait pour la durée d'une heure et le nom de Solferino éveillait en eux la terreur et le respect, parce que c'était le nom de la bataille qui avait annoncé, pour la première fois, le déclin de la monarchie impériale et royale. Le spectacle et les discours que leur offrait ce curieux

préfet leur donnaient le frisson à eux-mêmes. Peut-être sentaient-ils
déjà, sur leurs épaules, le souffle de la mort qui devait tous les
prendre quelques années plus tard ? Oui, ils sentaient, sur leurs
épaules, le souffle glacé de la mort.

M. von Trotta ne disposait plus que de trois jours en tout. Et, en
l'espace d'une seule nuit où il ne dormit, ne mangea ni ne but, il
parvint à forcer la loi d'airain et d'or de l'étiquette. De même que le
nom du héros de Solferino ne se trouvait plus dans les manuels
d'histoire, ni les livres de lecture pour les écoles primaires et
communales, de même le nom du fils du héros de Solferino fait
défaut dans les procès-verbaux de Montenuovo. A l'exception de
Montenuovo lui-même et du valet de chambre (décédé depuis) de
l'Empereur, tout le monde ignora que le préfet François, baron von
Trotta, avait été reçu un certain matin par l'Empereur et cela juste
avant le départ de François-Joseph pour Ischl.

C'était un matin splendide. Le préfet avait passé toute sa nuit à
essayer sa tenue de gala. Il avait laissé sa fenêtre ouverte. Il faisait
une claire nuit d'été. De temps à autre, il allait à la fenêtre. Alors, il
percevait les bruits de la ville endormie et le chant d'un coq dans une
ferme éloignée. Il humait la respiration de l'été, il voyait les étoiles
dans l'échancrure du ciel nocturne, il entendait le pas régulier des
agents en patrouille. Il attendait le matin. Il s'approcha pour la
dixième fois du miroir, arrangea les coques de sa cravate sur les coins
cassés de son faux col, passa une fois de plus son mouchoir de batiste
blanche sur les boutons dorés de son frac, fourbit la poignée dorée de
son épée, astiqua ses chaussures, lissa ses favoris, dompta du peigne
les rares cheveux de son crâne dénudé qui se rebellaient sans cesse et
semblaient vouloir se tortiller, brossa derechef les pans de son habit.
Il prit son bicorne à la main, se mit devant la glace et répéta :

— Sire, je demande grâce pour mon fils !

Il vit les ailes de ses favoris s'agiter dans le miroir, trouva que
c'était une inconvenance et recommença à redire la phrase sans
remuer les favoris, mais en faisant entendre néanmoins distinctement les mots. Il ne ressentait aucune espèce de fatigue. Il alla une
fois encore à la fenêtre, comme on va au bord d'une rivière, et
attendit le matin avec cette ardeur nostalgique qu'on met à attendre
un navire qui vient de votre pays. Oui, il avait la nostalgie de
l'Empereur. Il demeura à sa fenêtre jusqu'au moment où la lueur

grise de l'aube éclaircit le ciel, où l'étoile du matin mourut, où les voix confuses des oiseaux annoncèrent le lever du soleil. Alors, il éteignit les lumières de sa chambre, appuya sur la sonnette près de la porte, demanda le coiffeur. Il retira son frac, s'assit, se fit raser.

— Deux fois, dit-il au jeune homme ivre de sommeil, et à rebrousse-poil !

Son menton avait maintenant un reflet bleuté entre les ailes argentées de ses favoris. La poudre rafraîchit son cou brûlé par la pierre d'alun. Il était convoqué pour huit heures trente. Il brossa encore une fois son frac vert noir. Puis il répéta devant le miroir :

— Sire, je demande grâce pour mon fils.

Il ferma sa fenêtre et descendit l'escalier. Toute la maison était encore endormie. Il tira sur ses gants blancs, en lissa les doigts, en caressa la peau, s'arrêta un instant encore devant la grande glace de l'escalier, entre le premier et le second étage, et chercha à se voir de profil. Puis il descendit l'escalier feutré de rouge, n'effleurant les marches que de la pointe du pied, dans le nimbe argenté de sa dignité, répandant un parfum de poudre et d'eau de Cologne, ainsi qu'une âcre odeur de cirage. Le portier lui fit une profonde courbette. La voiture à deux chevaux s'arrêta devant la porte à tambour. Le préfet balaya le siège capitonné du fiacre avec son mouchoir.

— A Schönbrunn ! commanda-t-il.

Et pendant toute la durée du trajet, il se tint raide dans la voiture. Les sabots des chevaux frappaient joyeusement l'asphalte fraîchement arrosé et les mitrons, quoique pressés, s'arrêtaient et suivaient la voiture des yeux, comme à la parade. C'était quasiment le « clou » d'une parade que M. von Trotta se rendant chez l'Empereur.

Il fit arrêter la voiture à une distance qui lui parut convenable. Et, ses deux gants d'un blanc aveuglant de chaque côté de son frac vert noir, posant avec précaution un pied devant l'autre pour préserver ses reluisantes bottines à élastique de la poussière de l'avenue, il gravit le chemin droit qui mène au château de Schönbrunn. Les oiseaux du matin exultaient au-dessus de sa tête. Le parfum du lilas et du seringa l'étourdissait. Les blanches chandelles des marronniers laissaient tomber çà et là un petit pétale sur son épaule. Il s'en débarrassait d'une chiquenaude. Lentement, il monta les marches plates et rayonnantes, déjà blanches de soleil matinal. Le faction-

298

naire salua militairement, le préfet von Trotta entra dans le château.

Il attendit. Comme il était de règle, il fut passé en revue par un employé du protocole. Son frac, ses gants, son pantalon, ses bottines étaient irréprochables. Il eût été impossible de découvrir un défaut sur M. von Trotta. Il attendit. Il attendait dans la grande pièce précédant le cabinet de travail de Sa Majesté, dont les six grandes fenêtres arquées, aux rideaux encore tirés, comme il est d'usage le matin, mais déjà ouvertes, laissaient pénétrer toute la richesse de l'été à son début, toutes les suaves senteurs et toutes les folles voix des oiseaux de Schönbrunn.

Il semblait ne rien entendre, le préfet. Il n'avait pas l'air non plus de remarquer le monsieur qui avait mission d'examiner discrètement les visiteurs de l'Empereur et de leur donner des règles de conduite. L'inaccessible dignité du préfet lui imposait silence et il négligeait son devoir. Devant les deux battants de la haute porte blanche à bordure d'or, deux gardes d'une taille exceptionnelle se dressaient comme des statues mortes. Le parquet d'un jaune brun, dont le tapis rougeâtre ne couvrait que le milieu, réfléchissait vaguement le bas du corps de M. von Trotta, le bout doré du fourreau de son épée ainsi que l'ombre flottante de sa queue de pie. M. von Trotta se leva. Il marcha sur le tapis à pas hésitants et silencieux. Son cœur battait. Mais son âme était calme. En cet instant, cinq minutes avant sa rencontre avec son Empereur, il semblait à M. von Trotta qu'il fréquentait ces lieux depuis des années, qu'il avait coutume de présenter personnellement chaque matin à Sa Majesté François-Joseph Ier un rapport sur ce qui avait eu lieu la veille dans le district de W. en Moravie. M. le préfet se sentait tout à fait « chez lui » au château de son Empereur. L'unique pensée qui le troublait était qu'il serait peut-être nécessaire de passer, une fois encore, les doigts dans ses favoris, pour les peigner, et que, maintenant, il n'allait plus s'offrir aucune occasion de retirer ses gants blancs. Pas un ministre de l'Empereur, pas même le grand maître de sa maison, n'eût pu se sentir plus « chez lui » que M. von Trotta. De temps à autre, le vent gonflait les rideaux jaunes des hautes fenêtres et un peu de verdure estivale se faufilait dans le champ visuel du préfet. Les oiseaux faisaient de plus en plus de bruit. Quelques lourdes mouches commençaient déjà à bourdonner avec l'idée prématurée et déraisonnable que midi était venu, la chaleur de l'été commençait aussi à se faire peu à peu sentir. Le préfet s'arrêta au milieu de la pièce, son bicorne contre la hanche droite, sa main gauche, d'un blanc aveuglant, sur la poignée dorée de son épée, le visage immobile tourné vers la porte de la pièce où se tenait l'Empereur. Il resta bien deux minutes dans cette posture. Par les fenêtres ouvertes, on entendit sonner de lointaines horloges. Alors, soudainement, la porte s'ouvrit à deux battants. Et, la tête dressée, d'un pas circonspect, silencieux et pourtant ferme, le préfet s'avança. Il s'inclina profondément et persévéra quelques secondes dans cette attitude, la figure vers le parquet, la tête vide de pensées. Quand il se redressa, la porte s'était refermée derrière son dos. François-Joseph était debout, en face de lui, derrière sa table de travail, et il sembla au préfet que c'était son frère aîné qui se tenait là. Les favoris de François-Joseph étaient bien un peu jaunis, surtout près de la bouche, mais, pour le reste, ils étaient aussi blancs que ceux de M. von Trotta. L'Empereur portait un uniforme de général et M. von Trotta un uniforme de préfet. Ils ressemblaient à deux frères dont l'un était devenu Empereur et l'autre préfet. Très humain, comme tout l'entretien de M. von Trotta avec l'Empereur — entretien que ne relate aucun procès-verbal — fut le geste exécuté par François-Joseph à ce moment-là : craignant d'avoir la goutte au nez, il prit son mouchoir dans la poche de son pantalon et le passa sur sa moustache. Il jeta un coup d'œil sur le dossier. « Ah ! Ah ! le voilà, ce Trotta », se dit-il. Il s'était fait expliquer la veille la nécessité de cette subite audience, mais il n'avait pas très bien écouté. Il y avait déjà des mois que ces Trotta ne cessaient pas de le persécuter. Il se rappelait avoir parlé, aux manœuvres, avec le plus jeune rejeton de la famille : un sous-lieutenant, sous-lieutenant d'une étrange pâleur. Celui-ci était certainement son père. Et l'Empereur avait déjà oublié, une fois de plus, si c'était le père ou le grand-père du lieutenant qui lui avait sauvé la vie à la bataille de Solferino. Est-ce que le héros de Solferino était devenu tout à coup préfet ? Ou n'était-ce pas plutôt le fils du héros de Solferino ? Et il s'appuya des deux mains sur sa table de travail.

— Eh bien, mon cher Trotta ? interrogea-t-il, car il était de son devoir d'Empereur de stupéfier ses interlocuteurs en les appelant par leur nom.

— Sire, dit le préfet en faisant un nouveau plongeon, je demande grâce pour mon fils !

— Qu'est-ce qu'il fait, votre fils ? demanda l'Empereur, pour gagner du temps et ne pas trahir immédiatement qu'il n'était pas au courant de l'histoire de la famille Trotta.

— Mon fils est sous-lieutenant de chasseurs à B., dit M. von Trotta.

— Ah bien, bien, fit l'Empereur, c'est le sous-lieutenant que j'ai vu aux dernières manœuvres. Un brave jeune homme.

Et comme ses idées s'embrouillaient un peu, il ajouta :

— Il m'a presque sauvé la vie. Ou n'était-ce pas plutôt vous ?

— Sire, c'était mon père, le héros de Solferino, remarqua le préfet en s'inclinant une fois encore.

— Quel âge a-t-il actuellement ? demanda l'Empereur. La bataille de Solferino ? C'est bien celui du livre de lecture

— Oui, Sire, dit le préfet.

Et l'Empereur se rappela soudain exactement l'audience du curieux capitaine. Et, tout comme lorsque le singulier capitaine avait fait son apparition chez lui, François-Joseph Ier abandonna sa place, derrière son bureau, fit quelques pas au-devant de son visiteur et dit :

— Approchez-vous donc un peu !

Le préfet s'approcha. L'Empereur tendit sa maigre et tremblante main, une main de vieillard, aux petites veines bleues avec des nodules aux articulations des doigts. Le préfet prit la main de l'Empereur et se courba. Il allait la lui briser. Mais il ne savait pas s'il pouvait se risquer à la tenir, ou bien s'il devait mettre sa propre main dans celle de l'Empereur afin que ce dernier eût la possibilité de retirer la sienne quand bon lui semblerait.

— Sire, répéta le préfet pour la troisième fois, je demande grâce pour mon fils !

Ils étaient comme deux frères. Un étranger, qui les eût aperçus à ce moment-là, aurait été capable de les prendre pour deux frères. Leurs favoris blancs, leurs étroites épaules tombantes, leur taille égale éveillaient en chacun d'eux l'impression d'être en face de sa propre image, vue dans une glace. Et l'un croyait qu'il s'était métamorphosé en un préfet. Et l'autre croyait qu'il s'était métamorphosé en l'Empereur. A main gauche de l'Empereur, à main droite de M. von Trotta, les deux grandes fenêtres de la pièce étaient ouvertes, voilées encore, elles aussi, de leurs rideaux jaunes, ensoleillées.

— Beau temps, aujourd'hui ! dit tout à coup François-Joseph.

— Temps merveilleux, aujourd'hui ! fit le préfet.

Et, tandis que l'Empereur désignait la fenêtre de sa main gauche, le préfet tendait sa main droite dans la même direction. L'Empereur avait le sentiment d'être devant son frère.

Tout à coup, François-Joseph se rappela qu'il avait encore beaucoup de choses à faire avant son départ pour Ischl. Et il dit :

— Bon, on va arranger ça. Qu'est-ce donc qu'il a fait ? Des dettes ? On va tout arranger. Le bonjour à M. votre papa.

— Mon père est mort, Sire, dit le préfet.

— Mort ? Ah ! fit l'Empereur. Dommage, dommage !

Et il se perdit dans le souvenir de la bataille de Solferino. Il retourna à son bureau, s'assit, appuya sur le bouton du timbre et ne vit plus le préfet sortir, la tête inclinée, le pommeau de son épée à sa hanche gauche, le bicorne à sa hanche droite.

Le gazouillis matinal des oiseaux emplissait toute la pièce. Malgré toute l'estime que l'Empereur ressentait pour les oiseaux, en tant que créatures privilégiées de Dieu, il n'en nourrissait pas moins contre eux une certaine méfiance, analogue à celle que lui inspiraient les artistes. Et, d'après ses expériences des dernières années, les oiseaux avaient toujours été pour lui le prétexte de petits oublis. Aussi s'empressa-t-il de noter sur le dossier : Affaire Trotta.

Puis il attendit la visite quotidienne du grand-maître de sa maison. Neuf heures sonnaient déjà. Il arrivait.

XIX

La fâcheuse affaire du lieutenant Trotta fut enterrée sous un prudent silence. Le commandant Zoglauer dit seulement :

— Votre affaire a été arrangée en très haut lieu. M. votre papa a envoyé l'argent. Il n'y a rien à ajouter.

Sur ce, Trotta écrivit à son père. Il lui annonça que le danger qui menaçait son honneur avait été écarté par une très haute intervention. Il demanda pardon au préfet d'avoir gardé le silence et laissé des lettres sans réponse pendant un laps de temps si outrageusement long. Il était troublé et touché, aussi s'efforça-t-il de traduire son émotion. Mais son pauvre vocabulaire ne contenait pas de termes pour : remords, mélancolie, nostalgie. Ce fut une rude tâche. Sa lettre signée, la formule : « Je pense avoir bientôt une permission et venir te demander pardon de vive voix » se présenta à son esprit. Pour des raisons de pure forme, il n'était pas possible de mettre cette heureuse phrase en post-scriptum. Le sous-lieutenant entreprit donc de recopier son épître. L'aspect de la lettre ne fit qu'y gagner. Et tout lui parut ainsi terminé, la répugnante histoire enterrée. Il admirait sa chance phénoménale. En toute situation, le petit-fils du héros de Solferino pouvait s'en remettre au vieil Empereur. Non moins réjouissant était le fait, dont la preuve se trouvait à présent établie, que son père possédait de l'argent. Maintenant que le danger d'être chassé de l'armée était écarté, on pourrait, le cas échéant, la quitter de son propre chef, vivre à Vienne avec Mme von Taussig, entrer peut-être dans les services de l'État, s'habiller en civil. On n'avait pas été à Vienne depuis déjà longtemps. On était sans nouvelles de la dame et l'on se languissait d'elle. On prenait un « quatre-vingt-dix degrés » et l'on se languissait encore davantage, mais avec une certaine nuance bienfaisante qui vous permettait de pleurer un peu. Ces derniers temps, on avait toujours des larmes disponibles sous les yeux. Un moment encore, le sous-lieutenant considéra avec admiration sa lettre, œuvre réussie de ses mains, il la mit sous enveloppe et traça l'adresse avec sérénité. En récompense, il se commanda un double « quatre-vingt-dix degrés ». Ce fut M. Brodnitzer en personne qui apporta l'eau-de-vie. Il dit :

— Kapturak est parti !

Heureuse journée, pas de doute possible ! Le sous-lieutenant était donc débarrassé de ce petit homme qui aurait pu lui rappeler sans cesse l'une de ses plus mauvaises heures.

— Pourquoi ?

— On l'a tout simplement expulsé.

Voilà donc jusqu'où atteignait le bras de François-Joseph, du vieil homme qui avait causé avec le sous-lieutenant Trotta, une goutte étincelante au bout de son impérial nez. Voilà jusqu'où atteignait le souvenir du héros de Solferino !

Une semaine après l'audience du préfet, on avait fait déguerpir Kapturak. Après avoir reçu, elles aussi, un avertissement supérieur, les autorités administratives interdirent également le tripot de Brodnitzer. Il ne fut plus jamais question du capitaine Jedlicek. Il sombra dans cet oubli énigmatique et muet d'où il est aussi difficile de revenir que de l'autre monde. Il sombra dans les prisons militaires de la vieille monarchie : les « plombs » de l'Autriche. Quand, par hasard, son nom se présentait à l'esprit des officiers, ils l'en chassaient aussitôt. Ils y parvenaient, pour la plupart, en vertu de leur disposition naturelle à tout oublier. Il vint un nouveau capitaine, un certain Lorenz, homme corpulent, trapu et débonnaire, doué d'une incorrigible propension à la négligence, dans son service et sa tenue, toujours prêt à enlever sa veste, bien que ce fût défendu, et à faire une partie de billard en exhibant de courtes manches de chemise parfois rapiécées et un peu déteintes par la sueur. Il était père de trois enfants et mari d'une femme acariâtre. Il s'acclimata tout de suite. On s'habitua immédiatement à lui. Ses enfants, qui se ressemblaient comme des triplés, arrivaient tous les trois, ensemble, pour le chercher au café. Les divers rossignols danseurs, celui d'Olmüz, d'Hernals et de Mariahilf s'égaillèrent peu à peu. L'orchestre du café ne joua plus que deux fois par semaine. Mais, s'il manquait déjà de verve et de tempérament, le défaut de danseuses le rendit classique et il sembla pleurer les temps anciens plutôt que faire de la musique. Les officiers recommençaient à s'ennuyer quand ils ne buvaient pas. Mais quand ils buvaient, ils étaient pris de mélancolie et se tenaient eux-mêmes en sincère pitié. L'été était très lourd. On interrompait l'exercice de la matinée par deux séances de repos. Les fusils et les hommes suaient. Les sons qui s'échappaient des clairons allaient se heurter, sourds et moroses, contre l'air pesant. Une brume ténue recouvrait tout le ciel d'un voile de plomb argenté. Ce voile s'étendait aussi au-dessus des marais et assourdissait même l'allègre vacarme des grenouilles. Les saules ne s'agitaient pas. Le monde entier attendait le vent. Mais tous les vents étaient endormis.

Chojnicki n'était pas revenu cette année. Tous lui en voulaient comme à un amuseur en rupture de contrat qui aurait été engagé par

304

l'armée pour fournir ses représentations tous les étés. Afin de donner, malgré tout, un nouvel éclat à la vie de cette garnison perdue, le comte Zschoch, capitaine de dragons, avait eu l'idée de génie d'organiser une grande fête estivale. Ce qui en faisait une idée de génie, c'est tout simplement que la fête pouvait passer pour une répétition de la célébration solennelle du centenaire du régiment. Le régiment de dragons ne devait fêter ce centième anniversaire de sa naissance qu'un an plus tard, mais on eût dit qu'il ne lui était pas possible de patienter ainsi pendant quatre-vingt-dix-neuf années complètes sans aucun divertissement. On fut donc unanime à déclarer que c'était une idée de génie.

Le colonel Festetics le disait également et il s'imaginait même qu'il avait été le seul et le premier à frapper cette formule. D'ailleurs il s'était mis, lui aussi, aux préparatifs du centenaire depuis plusieurs semaines. Chaque jour, à ses heures de liberté, dans les bureaux du régiment, il dictait la déférente lettre d'invitation qui devait être envoyée, six mois plus tard, au patron du régiment, petit prince allemand du Reich, appartenant malheureusement à une ligne collatérale quelque peu sacrifiée. La rédaction de cette lettre courtoise occupait deux hommes à elle toute seule : le colonel Festetics et le capitaine Zschoch. Parfois aussi, il leur arrivait d'entrer en violente discussion pour des questions de style. C'est ainsi, par exemple, que le colonel tenait pour autorisée la formule : « Et le régiment se permet très humblement. » Alors que le capitaine était d'avis que « et » était faux et « très humblement » pas tout à fait admissible. Ils avaient décidé de composer deux phrases par jour. Ils y parvenaient. Chacun d'eux dictait à un secrétaire : le capitaine à un caporal et le colonel à un sergent. Ils se faisaient des compliments réciproques et excessifs. Après quoi, le colonel enfermait les projets dans la grande armoire du secrétariat dont il était seul à posséder la clef. Il joignait ces ébauches aux autres plans qu'il avait déjà préparés pour la parade, ainsi que le carrousel des officiers et des hommes. Tous ces projets voisinaient avec la grande et sinistre enveloppe scellée où se cachaient les ordres secrets pour le cas d'une mobilisation.

Donc, quand le capitaine Zschoch eut divulgué son idée de génie, on interrompit la rédaction de la lettre au prince et l'on se mit à envoyer aux quatre vents du ciel des invitations uniformes. Ces invitations, de style laconique, nécessitaient un moindre effort littéraire, aussi furent-elles achevées en peu de jours. Il n'y eut quelque discussion qu'au sujet du rang des invités. Car, à la différence du colonel Festetics, le comte Zschoch était d'avis d'envoyer les invitations successivement, tout d'abord aux personnages les plus importants, puis à ceux de moindre importance.

— Toutes à la fois, dit le colonel, je vous l'ordonne !

Et, bien que les Festetics appartinssent aux meilleures familles hongroises, le comte Zschoch crut devoir déduire de cet ordre que les tendances démocratiques du colonel étaient imputables à sa race. Il fronça le nez et expédia toutes les invitations simultanément.

On appela l'officier d'administration. C'était lui qui détenait toutes les adresses des officiers de réserve ou à la retraite. Tous furent conviés. De plus, on invita les proches parents et les amis des officiers de dragons. On les informa qu'il s'agissait d'une répétition des fêtes du centenaire. C'était une manière de leur donner à entendre qu'ils avaient la perspective de rencontrer personnellement le patron du régiment, le prince allemand du Reich, qui n'appartenait à la vérité qu'à une branche collatérale peu considérée. Maints invités étaient de plus ancienne race que le patron du régiment. Ils n'en attachaient pas moins une certaine importance au fait d'entrer en contact avec le prince médiatisé. On décida, puisqu'il s'agissait d'une « fête d'été », de revendiquer le « Petit Bois » du comte Chojnicki. Ce Petit Bois se distinguait des autres forêts de Chojnicki en ce qu'il semblait avoir été, par la nature elle-même et par son propriétaire, destiné à des fêtes. C'était un jeune bois. Il se composait de joyeux petits pins, offrait de la fraîcheur et de l'ombre, des chemins nivelés et quelques petites clairières qui, visiblement, n'étaient propres qu'à servir de salles de danse. On loua donc le Petit Bois. A cette occasion, on déplora, une fois de plus, l'absence de Chojnicki. On le convia quand même, dans l'espoir qu'une invitation à la fête du régiment de dragons était irrésistible et qu'il serait même dans le cas d'y amener quelques « personnes charmantes », comme le disait Festetics. On invita les Hulin et les Kinsky, les Podstatzki et les Schönborn, la famille Albert Tassilo Larisch, les Kirschberg, les Weissenhorn et les Babenhausen, les Sennyi, les Benkyö, les Zuscher et les Dietrichstein. Chacun d'eux avait quelque rapport avec le régiment. Comme le capitaine Zschoch

passait en revue, une fois de plus, la liste des invités, il s'écria :
— Tonnerre de sort ! Sacrebleu !
Et il réitéra à plusieurs reprises cette remarque originale. C'était pénible, mais inévitable, on ne pouvait se dispenser d'inviter à une fête d'une telle envergure les officiers si peu décoratifs du bataillon de chasseurs.
— Bah ! on saura bien s'arranger pour qu'ils passent inaperçus ! déclara le colonel Festetics.
Le capitaine Zschoch fut exactement du même avis. Tout en dictant les invitations aux officiers de chasseurs, l'un à son caporal, l'autre à son sergent, ils se lançaient des regards furibonds. Et chacun rendait l'autre responsable de l'obligation d'inviter le bataillon de chasseurs. Quand vint le nom du baron von Trotta et Sipolje, leurs visages s'éclairèrent :
— Bataille de Solferino, remarqua en passant le colonel.
— Ah ! fit le capitaine Zschoch, persuadé que la bataille de Solferino remontait pour le moins au xvie siècle.
Tous les scribes des bureaux tressaient des guirlandes de papier rouge et vert. Les ordonnances des officiers, perchées sur les minces fûts de la pinède, tendaient des fils de fer d'un arbuste à l'autre. Trois fois par semaine, les dragons ne sortaient pas. Ils avaient « école » à la caserne. On les initiait à l'art de s'y prendre avec les hôtes de marque. Un demi-escadron fut mis provisoirement à la disposition du cuistot. Les paysans apprirent comment on récure les chaudrons, présente les plateaux, tient les verres à vin, tourne la broche. Tous les matins le colonel passait une sévère inspection des cuisines, de la cave et du mess. On s'était procuré des gants de fil blanc pour chaque homme menacé de la plus petite perspective d'entrer en contact avec les invités. Tous les matins les dragons, auxquels un caprice du maréchal des logis avait octroyé cette pénible distinction, devaient présenter au colonel leurs mains habillées de blanc, tous doigts écartés. Il examinait la propreté des gants, la manière dont ils allaient, la solidité des coutures. Il était de bonne humeur, tout illuminé par un soleil intérieur, particulier, caché. Il admirait sa propre puissance de travail, la vantait, réclamait de l'admiration. Il développait une imagination inhabituelle. Elle le gratifiait d'au moins deux idées par jour, alors que, d'ordinaire, il s'était parfaitement tiré d'affaire avec une par semaine. Et ces idées

n'étaient pas seulement en rapport avec la fête, elles touchaient aussi aux grandes questions de la vie, au règlement des exercices par exemple, à l'ajustement et même à la tactique. Ces jours-là le colonel se rendait clairement compte qu'il pourrait, sans plus de façons, être général.

Les fils de fer étaient tendus d'arbre en arbre, il s'agissait à présent d'y fixer les guirlandes. On les accrocha pour juger de l'effet. Le colonel les passa en revue. La nécessité de mettre des lampions s'avéra indéniable. Mais comme, malgré la chaleur lourde et les brouillards, il n'avait pas plu depuis longtemps, on devait s'attendre chaque jour à un subit orage. Le colonel décida donc d'établir en permanence des sentinelles dans le Petit Bois, avec mission de décrocher guirlandes et lampions au moindre signe d'orage.

— Les fils de fer aussi ? demanda-t-il prudemment au capitaine.

Car il savait bien que les grands hommes prennent volontiers conseil de leurs auxiliaires subalternes.

— Les fils de fer ne risquent rien, dit le capitaine.

On décida donc de les laisser aux arbres.

Il ne vint pas d'orage. Le temps resta lourd. En revanche, on apprit par divers refus que, le dimanche prévu pour les réjouissances, on devait aussi célébrer à Vienne, la fête d'un célèbre club aristocratique. Beaucoup d'invités étaient partagés entre leur désir d'apprendre toutes les nouvelles de la société (ce qui n'était possible qu'au bal du club) et l'aventureux plaisir d'aller voir la quasi légendaire frontière. L'exotisme leur paraissait tout aussi séduisant que les potins, que l'occasion de découvrir de bonnes ou mauvaises intentions à leur égard, d'utiliser une protection pour laquelle ils avaient précisément été sollicités, d'en acquérir une autre dont ils avaient précisément besoin. Quelques-uns promirent, il est vrai, d'envoyer un télégramme à la dernière minute. Ces réponses et la perspective des dépêches anéantirent presque complètement la sécurité acquise ces derniers jours par le colonel.

— C'est une malchance ! disait-il.

— C'est une malchance ! répétait le capitaine.

Et ils baissaient la tête.

Combien fallait-il préparer de chambres ? Cent ou seulement cinquante ? Et où ? A l'hôtel ? Chez Chojnicki ?

Malheureusement, il n'était pas là, il n'avait même pas répondu !

— C'est un sournois que ce Chojnicki, je ne me suis jamais fié à lui ! disait le capitaine.

— Tu as tout à fait raison, renchérissait le colonel.

On frappa à la porte et l'ordonnance annonça :

— Le comte Chojnicki.

— Quel garçon épatant ! s'écrièrent-ils tous les deux en chœur. L'accueil fut chaleureux. En lui-même, le colonel sentait que son génie était plongé dans la perplexité et avait besoin d'un soutien. Le capitaine Zschoch aussi, de son côté, sentait que son génie s'était déjà tari. Tous les deux, alternativement, donnèrent à leur visiteur une triple accolade. Et chacun attendit impatiemment la fin de l'accolade de l'autre. Puis ils commandèrent de l'eau-de-vie.

Tous les graves soucis se changèrent immédiatement en gracieuses idées. Si Chojnicki disait par exemple :

— Nous réserverons donc cent chambres et s'il nous en reste cinquante, il n'y aura rien à y faire !

Ils s'écriaient tous les deux, d'une seule voix :

— Génial ! et ils étouffaient leur visiteur sous de nouveaux embrassements.

Pendant la semaine précédant la fête, il ne plut pas. Toutes les guirlandes, tous les lampions demeurèrent accrochés. Parfois, un grondement éloigné, écho d'un tonnerre lointain, venait effrayer le sous-officier et les quatre hommes campés à l'orée du bosquet, comme une garde avancée, les yeux braqués vers l'ouest, dans la direction du céleste ennemi. Parfois, le soir, un éclair de chaleur flambait au-dessus des brumes bleu-gris qui s'épaississaient à l'horizon, vers l'ouest, pour offrir un doux lit au soleil couchant. Les orages pouvaient bien se décharger loin d'ici, dans un monde différent, le bosquet silencieux restait tout crépitant d'aiguilles et d'écorces de pins desséchées. Les oiseaux poussaient de petits piaillements las et endormis. Le sol mou, sablonneux, brûlait entre les arbres. Il ne venait pas d'orage. Les guirlandes restaient suspendues aux fils de fer.

Le vendredi, quelques invités arrivèrent. Des télégrammes les avaient annoncés. L'officier de service alla les attendre. L'excitation croissait d'heure en heure, dans les deux casernes. Au café Brodnitzer, les cavaliers tenaient des conciliabules avec les fantassins, pour de futiles raisons, dans l'unique dessein d'ajouter encore au trouble. L'impatience les poussait les uns vers les autres. Ils parlaient tout bas, ils se découvraient soudain en possession de curieux secrets qu'ils taisaient depuis des années. Ils se fiaient sans réticence les uns aux autres, ils s'aimaient. Ils transpiraient en parfait accord, dans leur commune attente. La fête, puissante et solennelle montagne, leur cachait l'horizon. Ils étaient tous convaincus qu'elle n'amenait pas seulement dans leur vie un changement passager, mais une transformation complète. Au dernier instant, ils furent pris de peur devant leur ouvrage. De son propre mouvement, la fête se mettait à leur adresser de joyeux signes et de dangereuses menaces. Elle assombrissait le ciel, elle l'éclaircissait. On brossait et l'on repassait les tenues de gala. Même le capitaine Lorenz n'osait pas faire, ces jours-là, sa partie de billard. La douillette tranquillité où il avait résolu de passer la fin de sa vie militaire était détruite. Il considérait sa tunique de cérémonie avec des regards de méfiance et ressemblait à un cheval gras resté longtemps dans l'ombre fraîche de l'écurie et que l'on contraint brusquement à prendre part à une course de trot.

Enfin le dimanche se leva. On comptait cinquante-quatre invités.

— Tonnerre de sort ! Sacrebleu ! fit le capitaine Zschoch à plusieurs reprises.

Il n'ignorait pas dans quel régiment il servait, mais à la vue de ces cinquante-quatre noms ronflants, sur la liste des hôtes, il lui sembla qu'il n'avait jamais été assez fier de son régiment. La fête commença, à une heure de l'après-midi, par une parade militaire d'une heure sur le Champ de Mars. On avait demandé deux musiques à des garnisons plus importantes. Elles jouaient dans de petits kiosques de bois, ronds et ouverts, installés dans la pinède. Les dames, assises dans des fourgons surmontés de tentes, portaient des robes d'été sur des corsets rigides et des chapeaux immenses où nichaient des oiseaux empaillés. Bien qu'ayant très chaud, elles souriaient et chacune était une joyeuse brise. Elles souriaient des lèvres, des yeux, des seins, prisonnières de leurs robes vaporeuses et serrées, avec des gants guillochés qui leur montaient jusqu'au coude, de petits mouchoirs qu'elles tenaient à la main et dont parfois elles se

LA MARCHE DE RADETZKY

tamponnaient le nez doucement, tout doucement, pour éviter de le casser. Elles vendaient des bonbons, du champagne, des billets pour la loterie dont l'officier d'administration manœuvrait la roue en personne, et de petits sacs de confettis dont elles étaient toutes couvertes et qu'elles essayaient de disperser en pointant malicieusement les lèvres pour souffler dessus. Les serpentins ne manquaient pas non plus. Ils s'enroulaient autour des cous et des jambes, pendaient aux arbres et transformaient en un clin d'œil tous les pins naturels en pins artificiels, d'un vert plus convaincant que le vert de la nature.

Cependant les nuages, depuis longtemps attendus, s'étaient élevés dans le ciel jusqu'au-dessus du Petit Bois. Le tonnerre se rapprochait de plus en plus, mais les musiques militaires dominaient son bruit. Comme le soir tombait sur les tentes, les voitures, les confettis et le bal, on alluma les lampions et l'on ne remarqua pas que de brusques coups de vent les balançaient plus qu'il n'était convenable pour des lampions de fête. Les éclairs de chaleur, qui illuminaient de plus en plus violemment le ciel, étaient loin de pouvoir se mesurer encore avec le feu d'artifice tiré par les soldats derrière le Petit Bois. Et l'on inclinait généralement à tenir pour des fusées ratées les éclairs que l'on remarquait par hasard.

— Il va y avoir de l'orage, dit soudain quelqu'un.

Et la nouvelle de l'orage commença à se propager dans le bosquet.

On se prépara donc à partir. A pied, à cheval et en voiture, on gagna la maison de Chojnicki. Toutes les fenêtres étaient ouvertes. Les bougies déversaient à profusion, sur la large avenue, de puissants faisceaux de lumière flamboyants, doraient le sol et les arbres, le feuillage avait l'air métallique. Il était tôt encore, mais il faisait déjà sombre à cause des armées de nuages qui s'avançaient de toutes parts, les unes contre les autres, et se rejoignaient. Devant l'entrée du château, dans une large avenue et sur l'esplanade ovale semée de gravier, se rassemblaient maintenant les voitures, les chevaux, les invités, les femmes bigarrées et les officiers qui l'étaient plus encore. Les montures, que les soldats tenaient par la bride, les attelages des voitures difficilement maîtrisés par les cochers, s'impatientaient, le vent passait sur leur pelage brillant, comme un peigne électrique, leurs hennissements anxieux réclamaient l'écurie et ils grattaient le gravier de leurs sabots frémissants. L'excitation de la nature et des animaux paraissait gagner aussi les hommes. Les joyeux appels qu'ils se lançaient encore comme des ballons, quelques minutes plus tôt, s'éteignaient, quelque peu effarouchés, tous regardaient les portes et les fenêtres. Le grand portail s'ouvrait maintenant à deux battants et l'on commença à se rapprocher de l'entrée, par groupes. Soit parce que l'on était trop occupé des phénomènes orageux qui émeuvent toujours l'homme, même quand ils n'ont rien d'exceptionnel, soit parce que l'on était distrait par les sons confus des deux musiques militaires qui déjà commençaient à accorder leurs instruments à l'intérieur de la maison, personne n'entendit le galop de l'ordonnance qui, au même moment, arrivait, à bride abattue, sur l'esplanade, s'arrêtait d'une brusque secousse, et, dans sa tenue de service, casque étincelant, carabine bouclée sur le dos, cartouchière à la ceinture, sous la lueur fulgurante des éclairs blancs et la vapeur violette des nuages, n'était pas sans analogie avec un messager de guerre au théâtre. Le dragon mit pied à terre et s'informa du colonel Festetics. On lui dit qu'il était déjà à l'intérieur. Le colonel ressortit l'instant d'après, prit la lettre que lui tendait l'ordonnance et retourna dans la maison. Il s'arrêta dans le vestibule en forme de rotonde, où il n'y avait pas de lustre. Un domestique s'avança derrière lui, un candélabre à la main. Le colonel déchira l'enveloppe. Bien que dressé depuis sa plus tendre adolescence au grand art de servir, le domestique ne put cependant pas maîtriser le tremblement de sa main. Les bougies qu'il tenait commencèrent à vaciller violemment. Sans qu'il eût essayé de lire par-dessus l'épaule du colonel, le texte de la missive tomba dans le champ visuel de ses yeux bien entraînés, phrase unique formée de mots énormes très distinctement tracés au crayon bleu. Il lui aurait été aussi difficile de détourner son regard de la terrible dépêche que de ne pas sentir, à travers ses paupières fermées, l'un des éclairs dont la succession de plus en plus précipitée illuminait maintenant toutes les régions du ciel. « Bruit court prince héritier assassiné à Sarajevo », disaient les caractères bleus.

Ces mots tombèrent comme un bloc dans la conscience du colonel et dans les yeux du domestique debout derrière lui. Le colonel lâcha l'enveloppe. Son candélabre à la main gauche, le laquais se baissa pour la ramasser de la droite. Quand il se fut redressé, il se trouva face à face avec le colonel Festetics qui s'était retourné. Le domestique recula d'un pas. Il tenait le candélabre dans une main, l'enveloppe dans l'autre, ses mains tremblaient toutes les deux. La lueur vacillante des bougies jetait la figure du colonel alternativement dans la lumière et dans l'ombre. La figure du colonel, figure ordinaire, rosée, ornée d'une forte moustache d'un blond gris, devenait tantôt violette, tantôt d'un blanc crayeux. Ses lèvres frémissaient un peu et sa moustache tressaillait. Hormis le colonel et le laquais, il n'y avait personne dans le vestibule. De l'intérieur de la maison arrivaient déjà, assourdie, la première valse des deux orchestres militaires, le cliquetis des verres et le murmure des voix. Par la porte du vestibule, on apercevait le reflet de lointains éclairs, on entendait le faible écho du tonnerre lointain. Le colonel regarda le domestique.

— Avez-vous lu ? demanda-t-il.

— Oui, mon colonel.

— Tenez votre langue ! fit Festetics et il mit l'index sur ses lèvres.

Il s'éloigna. Il chancelait un peu. Peut-être sa démarche mal assurée était-elle due à la lueur vacillante des bougies.

Le domestique, curieux, bouleversé tout autant de l'ordre de silence intimé par le colonel que de la sanglante nouvelle qu'il venait d'apprendre, attendit un de ses collègues pour le charger de son service et du candélabre afin de se rendre dans les salles où il apprendrait peut-être des détails. De plus, bien que ce fût un homme éclairé, raisonnable et d'âge mûr, il sentait peu à peu l'inquiétude le gagner dans ce vestibule où ses bougies ne répandaient qu'une pâle lueur et qui, après la violente illumination due à chaque éclair, retombait dans une obscurité plus profonde encore. De lourdes nappes d'air chargées d'électricité pesaient sur les lieux, l'orage tardait à éclater. Le domestique découvrait une surnaturelle coïncidence entre cet orage fortuit et la terrible nouvelle. Il songeait que l'heure était enfin venue où des puissances surnaturelles allaient se manifester nettement et cruellement au monde. Il se signa, son candélabre à la main gauche. Chojnicki, qui sortait au même instant, le regarda avec stupeur et lui demanda s'il avait peur de l'orage.

— Ce n'est pas seulement de l'orage, répondit le laquais.

Car bien qu'il eût promis de se taire, il ne lui était plus possible de porter à lui seul le poids de la confidence.

— De quoi donc encore ?

L'homme dit que le colonel Festetics avait reçu une terrible nouvelle et il en fit connaître la teneur.

Chojnicki ordonna de tirer les rideaux de toutes les fenêtres, déjà fermées à cause de l'orage, puis de préparer sa voiture. Il voulait aller à la ville. Pendant qu'on attelait les chevaux, un fiacre arrivait, dont le tablier relevé, ruisselant, indiquait qu'il venait de traverser une région où l'orage s'était déjà abattu. De cette voiture descendit, sa serviette sous le bras, le sous-préfet qui avait dissous la réunion politique des grévistes du chiendent. Il commença par annoncer, comme s'il était venu principalement dans ce but, qu'il pleuvait dans la petite ville. Puis il fit savoir à Chojnicki que, selon toute vraisemblance, le prince héritier de la monarchie austro-hongroise avait été assassiné à Sarajevo. Des voyageurs arrivés trois heures plus tôt en avaient tout d'abord répandu la nouvelle. Puis un télégramme chiffré était parvenu, mutilé, de la Statthalterei. Les communications télégraphiques étaient probablement troublées par l'orage et, jusqu'à présent, sa demande de confirmation n'avait pas reçu de réponse. De plus, on était un dimanche, le personnel des bureaux se trouvait réduit, mais l'émotion allait sans cesse croissant dans la ville et même dans les bourgades où les gens se rassemblaient dans les rues en dépit de l'orage.

Pendant que le sous-préfet faisait son récit d'une voix basse et rapide, on entendait, venant des salons, le pas traînant des danseurs, le clair tintement des verres, et, de temps à autre, la grave explosion d'un rire masculin. Chojnicki décida de réunir tout d'abord dans une pièce isolée quelques-uns de ses invités qu'il tenait pour compétents, avisés et suffisamment à jeun. Sous toutes sortes de prétextes, il amena celui-ci ou celui-là dans la pièce choisie, leur présenta le commissaire de district et les mit au courant. Parmi les initiés, on comptait le colonel du régiment de dragons, le commandant du bataillon de chasseurs, leurs officiers d'ordonnance, plusieurs porteurs de noms célèbres et, parmi les officiers de chasseurs, le lieutenant Trotta. La pièce où ils se trouvaient contenait peu de sièges, si bien que plusieurs durent s'adosser aux murs et que quelques-uns, sans rien soupçonner, s'installèrent cavalièrement par terre, sur le tapis, les jambes croisées. Ils demeurèrent dans leur position, même quand on leur eut tout expliqué. Certains avaient dû être paralysés par la peur, d'autres étaient tout simplement ivres, quant aux derniers, ils étaient indifférents, par nature, à tout ce qui se passait dans le monde, paralysés, pour ainsi dire, à force de distinction congénitale ; il leur semblait inconvenant d'incommoder leur personne pour une simple catastrophe. Quelques-uns avaient même gardé sur les épaules, le cou et la tête, serpentins et feuilles de coriandre. Et ces accessoires insensés renforçaient encore l'horreur de la nouvelle.

Au bout de quelques minutes, on étouffa dans la petite pièce. « Ouvrons une fenêtre », dit l'un. Un autre manœuvra la poignée de l'une des hautes et étroites croisées, s'y pencha et rebondit aussitôt en arrière. Un éclair d'une longueur inusitée venait de frapper le parc où donnait la fenêtre. On ne pouvait, il est vrai, distinguer l'endroit où la foudre était tombée, mais on percevait l'éclatement d'arbres abattus, l'écroulement de leurs cimes lourdes et noires. Et ceux-là même qui étaient cavalièrement installés par terre, les indifférents, se levèrent brusquement, ceux qui étaient gris commencèrent à tituber et tous blêmirent. Ils s'étonnaient d'être encore en vie. Ils retenaient leur respiration, se regardaient de leurs yeux dilatés, attendant le coup de tonnerre. Il se passa à peine quelques secondes avant qu'il ne retentît, mais c'est l'éternité elle-même qui s'était insinuée entre l'éclair et le tonnerre. Tous cherchèrent à se rapprocher les uns des autres. Ils formèrent un petit paquet de corps et de têtes autour de la table. L'espace d'un instant, et si dissemblables que fussent leurs traits, ils présentèrent une fraternelle ressemblance. C'était comme s'ils assistaient au premier orage de leur vie. Pleins de terreur et de respect, ils attendirent la fin de la brève déflagration. Puis ils respirèrent. Et tandis que, devant les fenêtres, les lourds nuages déchirés par la foudre se déversaient avec un joyeux tapage, les hommes commencèrent à regagner leurs places.

— Il faut interrompre la fête, dit le commandant Zoglauer.

Le capitaine Zschoch, quelques confettis dans les cheveux et un reste de serpentin rose autour du cou, bondit de son siège. Il se sentait offensé en tant que comte, capitaine de cavalerie et singulièrement de dragons, disons en tant que cavalier, mais surtout en tant que lui-même, individu d'une espèce toute particulière, en tant que Zschoch tout court. Ses épais sourcils se hérissèrent, formèrent deux haies de petits piquants dirigés contre le commandant Zoglauer. Ses grands yeux clairs et stupides, qui reflétaient d'ordinaire ce qui avait pu les impressionner des années auparavant, mais rarement ce qu'ils voyaient au moment même, semblaient exprimer à présent la morgue des ancêtres de Zschoch, une morgue du XVe siècle. Il avait presque oublié l'éclair, le tonnerre, la terrible nouvelle, toutes les péripéties des minutes précédentes. Sa mémoire conservait seulement le souvenir du mal qu'il s'était donné pour la fête, son idée de génie. Il n'était pas non plus des plus résistants, il avait bu du champagne et son petit nez en pied de marmite transpirait un peu.

— La nouvelle n'est pas vraie, dit-il, elle n'est certainement pas vraie. Que quelqu'un me prouve qu'elle est vraie ! Pur mensonge : « le bruit court » ou « selon toute vraisemblance » et tout votre charabia politique me le prouvent bien !

— Un bruit est bien suffisant, déclara le commandant Zoglauer.

Alors M. von Babenhausen, capitaine de réserve dans la cavalerie, se mêla au débat. Il était un peu éméché, s'éventait de son mouchoir, tantôt le fourrant dans sa manche et tantôt l'en tirant. Il se détacha du mur, s'approcha de la table, contracta les paupières :

— Messieurs, dit-il, la Bosnie est loin de nous. Pour nous, les bruits ne comptent pas. Moi, pour ma part, je me fiche des bruits ! Si c'est vrai, on l'apprendra bien assez tôt !

— Bravo ! s'écria le baron Nagy Jenö, le capitaine de hussards.

Bien qu'il descendît, sans doute possible, d'un grand-père juif d'Odenburg et que sa baronnie n'eût été achetée que par son père, il tenait les Magyars pour l'une des races les plus nobles de la monarchie et du monde et il s'efforçait, avec succès d'ailleurs, d'oublier la race sémite, dont il était, en prenant tous les défauts de la *gentry* hongroise.

— Bravo ! répéta-t-il une fois encore.

Il était parvenu à aimer, ou, le cas échéant, à haïr, tout ce qui lui semblait servir ou desservir la politique nationale des Hongrois. Il avait entraîné son cœur à détester le prince héritier de la monarchie, parce qu'on disait généralement qu'il était favorable aux populations slaves et qu'il en voulait aux Hongrois. Le baron Nagy n'était pas venu assister aux fêtes de cette frontière perdue spécialement pour se laisser déranger par quelque incident. Au reste, il estimait qu'un ressortissant de la nation magyare commettait une trahison à l'égard de son pays, quand un « bruit » lui faisait négliger l'occasion de danser une « czardas » que des raisons de race lui créaient l'obligation de danser. Il affermit son monocle, ainsi qu'il le faisait quand il devait éprouver des sentiments patriotiques, tout comme un vieillard qui part en promenade affermit la main sur sa canne, et, dans l'allemand des Hongrois qui ressemblait à une sorte d'épellation pleurarde, il dit :

— M. von Babenhausen a tout à fait raison ! Tout à fait raison ! Si M. le prince héritier est réellement assassiné, il y a encore d'autres princes héritiers !

M. von Sennyi, de sang plus magyar que M. von Nagy, pris de peur à l'idée que le descendant d'un Juif pourrait le surpasser en patriotisme hongrois, se leva et déclara :

— Si le prince héritier est assassiné, primo, nous n'en savons encore rien de précis, secundo, ça ne nous regarde pas le moins du monde !

— Ça nous regarde bien un peu, dit le comte Benkyö, mais il n'est pas assassiné du tout. Ce n'est qu'un bruit.

Dehors, le vacarme de la pluie continuait avec la même violence. Les éclairs devenaient de plus en plus rares, le tonnerre s'éloignait.

Le lieutenant Kinsky, qui avait grandi au bord de la Moldau, soutint que le prince héritier n'avait représenté qu'une chance bien aléatoire pour la monarchie... à supposer toutefois que l'on pût employer la forme « avait représenté ». Lui-même, le lieutenant, partageait l'opinion de ceux qui avaient parlé avant lui : il fallait considérer l'assassinat du prince héritier comme un faux bruit. On était tellement loin ici du théâtre du prétendu attentat qu'on n'avait aucun moyen de contrôle. Et l'on n'apprendrait toute la vérité qu'après la fête.

Là-dessus, le comte Battyanyi, complètement saoul, se mit à s'entretenir en hongrois avec ses compatriotes. On ne comprenait pas un traître mot. Les autres observaient le silence, considéraient tour à tour ceux qui péroraient, et attendaient, un peu interloqués il est vrai. Mais les Hongrois paraissaient d'humeur à continuer allégrement toute la nuit, comme si leurs coutumes nationales l'exigeaient. Bien qu'on fût loin de saisir une seule syllabe, on remarquait à leur mine qu'ils commençaient petit à petit à oublier la présence des autres. Parfois, ils s'esclaffaient d'un commun accord. On se sentait offensé, moins parce que les rires paraissaient déplacés à ce moment que parce qu'on pouvait en deviner la cause. Jelacich, un Slovène, se mit en colère. Il haïssait autant les Hongrois qu'il méprisait les Serbes. Il aimait la monarchie. C'était un patriote. Mais il restait là, tenant son amour de la patrie dans ses mains étalées et embarrassées, comme un drapeau qu'il faut planter quelque part et pour lequel on ne trouve pas de pignon. Une partie des Slovènes, ses frères de race, et les Croates, leurs cousins, vivaient sous la domination immédiate des Hongrois. La Hongrie tout entière séparait le capitaine de cavalerie Jelacich de l'Autriche, de Vienne et de l'Empereur François-Joseph. C'était à Sarajevo, presque dans son pays, que le prince héritier avait été tué, peut-être même de la main d'un Slovène, comme le capitaine Jelacich en était un lui-même. Si le capitaine se mettait maintenant à défendre la victime contre les outrages des Hongrois (il était le seul de la société qui comprît le hongrois) on pourrait lui répondre que c'étaient ses compatriotes qui étaient les meurtriers. En fait, il se reconnaissait une légère part de culpabilité. Il ne savait pourquoi. Il y avait environ cent cinquante ans que sa famille servait la dynastie des Habsbourg avec loyauté et dévouement. Mais ses deux fils, qui n'étaient encore que des blancs-becs, parlaient déjà de l'autonomie de tous les Slaves du Sud et lui cachaient des brochures probablement originaires de Belgrade, de l'ennemi. Eh bien, il les aimait, ses fils ! Tous les après-midi, à une heure, quand le régiment passait devant le lycée, ils se précipitaient à sa rencontre, ils surgissaient du grand portail, les cheveux ébouriffés et du rire plein la bouche, et sa tendresse paternelle l'obligeait à descendre de cheval pour embrasser ses enfants. Il fermait les yeux, quand il les voyait lire des journaux suspects, et les oreilles, quand il les entendait tenir des propos suspects. Il était intelligent et il savait qu'il se tenait, impuissant, entre ses ancêtres et ses descendants, destinés à devenir les ancêtres d'une race toute nouvelle. Ils avaient son visage, sa couleur de cheveux et d'yeux, mais leurs cœurs battaient un autre rythme, leurs têtes enfantaient des pensées étranges, leurs gorges chantaient de nouvelles chansons étrangères qu'il ne connaissait pas. Avec ses quarante ans, le capitaine se faisait l'effet d'un vieillard, et ses enfants lui semblaient d'incompréhensibles arrière-petits-fils.

« Rien n'importe plus ! » se dit-il en cet instant, il s'approcha de la table, frappa dessus du plat de la main.

— Nous prions ces messieurs de continuer leur conversation en allemand ! fit-il.

Benkyö, qui venait de parler, s'interrompit et déclara :

— Je vais vous le dire en allemand. Nous sommes tombés d'accord, mes compatriotes et moi, que nous pourrons nous estimer heureux, si ce cochon est bien mort !

Tous se levèrent brusquement. Chojnicki et le jovial commissaire de district quittèrent la pièce, laissant les invités seuls. On leur avait donné à entendre que les conflits entre membres de l'armée ne souffraient point de témoins. Le sous-lieutenant Trotta était debout à côté de la porte. Il avait beaucoup bu. Sa figure était livide, ses membres mous, sa bouche sèche, son cœur vide. Il sentait bien qu'il était ivre, mais il s'étonnait de l'absence devant ses yeux de son bienfaisant brouillard habituel. Il lui semblait plutôt qu'il avait une vision bien plus nette de toutes les choses, comme s'il les voyait à travers un pur cristal. Les visages qu'il avait aperçus ce jour-là, pour la première fois, lui paraissaient connus depuis longtemps. D'une manière générale, il avait l'impression de vivre une heure qui lui était tout à fait familière, la réalisation d'un événement qu'il avait vécu en rêve.

Chez lui, dans la préfecture morave de W., l'Autriche existait peut-être encore. Tous les dimanches, la musique de M. Nechwal y jouait la *Marche de Radetzky*. Une fois par semaine, le dimanche, l'Autriche existait. L'Empereur, vieillard oublieux, sa goutte brillante au bout du nez, et le vieux M. von Trotta étaient l'Autriche. Le vieux Jacques était mort. Le héros de Solferino était mort. Le major Demant était mort. Quitte cette armée ! avait-il dit. Je vais quitter cette armée, songeait le sous-lieutenant. Mon grand-père l'a quittée, lui aussi. Je vais le leur dire, songea-t-il encore. Comme il y avait des années, dans l'établissement de Mme Rési, il sentait la nécessité de faire quelque chose. N'y avait-il pas de portrait à sauver ici ? Il fit un pas vers le milieu de la pièce. Il ne savait pas encore ce qu'il allait dire. Déjà, quelques-uns regardaient dans sa direction.

— Je sais... débuta-t-il, et il ne savait toujours rien.

— Je sais, répéta-t-il en avançant encore d'un pas, que Son Altesse Impériale et Royale, l'archiduc héritier, est réellement assassinée.

Il se tut. Il serra les lèvres. Elles formèrent un mince trait rose. Dans ses petits yeux sombres, une lueur claire, presque blanche, s'alluma. Sa chevelure noire, en désordre, ombrageait son front court et enténébrait le pli, héritage des Trotta, qui surmontait la racine de son nez. Il gardait la tête baissée. Ses poings étaient serrés à l'extrémité de ses bras mous. Tous regardèrent ses mains. Si les assistants avaient connu le portrait du héros de Solferino, ils auraient pu croire que le vieux Trotta était ressuscité.

— Mon grand-père, reprit le sous-lieutenant, et il sentit le regard du vieillard sur ses épaules, mon grand-père a sauvé la vie de l'Empereur. Je ne tolérerai pas, moi, son petit-fils, que l'on insulte la maison du chef suprême de notre armée. Votre conduite, messieurs, est un scandale !

Il éleva la voix :

— Un scandale ! cria-t-il.

Il s'entendait crier pour la première fois. Jamais il n'avait crié, comme les camarades, devant ses troupiers.

— Un scandale, répéta-t-il, et l'écho de sa voix lui résonna dans les oreilles.

Benkyö, complètement saoul, fit un pas vers le lieutenant en titubant.

— Un scandale ! cria le sous-lieutenant pour la troisième fois.

— Un scandale ! répéta le capitaine Jedlavich.

— Si quelqu'un dit encore un mot à l'encontre du mort, poursuivit le sous-lieutenant, je l'abats !

Il porta la main à sa poche. Comme Benkyö, dans son ivresse, entreprenait de murmurer quelque chose, Trotta lui cria :

— Silence ! d'une voix qui lui parut d'emprunt, une voix de tonnerre, peut-être la voix du héros de Solferino.

Il sentait qu'il ne faisait qu'un avec son grand-père. Le héros de Solferino, c'était lui-même. C'était son propre portrait qui s'embrumait sous le plafond du fumoir paternel.

Le colonel Festetics et le commandant Zoglauer se levèrent. Depuis qu'il y avait une armée autrichienne, c'était la première fois qu'un sous-lieutenant donnait l'ordre de se taire à des capitaines, des commandants, des colonels. Aucun des assistants ne croyait plus que le meurtre du prince héritier n'était qu'un simple bruit. Ils voyaient le prince héritier dans une mare de sang, rouge, fumante. Ils eurent peur de voir aussi du sang, la seconde d'après, dans cette pièce.

— Ordonnez-lui de se taire, dit tout bas le colonel Festetics.

— Lieutenant, dit Zoglauer, allez-vous-en !

Trotta se tourna vers la porte. Dans le même instant, elle s'ouvrit brutalement. Des invités envahirent la pièce, la tête et les épaules couvertes de confettis et de serpentins. La porte resta béante. Des autres salles parvenaient des rires de femme, de la musique et les pas des danseurs frôlant le parquet. Quelqu'un cria :

— Le prince héritier est assassiné !

— La marche funèbre ! clama Benkyö.

— La marche funèbre ! répétèrent quelques voix.

Ils quittèrent la pièce en masse. Dans les deux grandes salles où l'on avait dansé jusqu'à présent, les deux musiques militaires, dirigées par leurs chefs souriants, écarlates, jouaient la marche funèbre de Chopin, tandis que quelques invités tournaient tout autour, en cercle, au rythme de la marche funèbre, des serpentins bariolés et des étoiles de coriandre sur les épaules et sur les cheveux. Des hommes, en uniforme et en civil, donnaient le bras à des femmes. Leurs pieds, mal assurés, obéissaient à la cadence macabre et trébuchante. Les musiques, en effet, jouaient par cœur, non pas conduites mais accompagnées par les arabesques que dessinaient dans les airs les bâtons des chefs d'orchestre. Parfois, l'une des musiques restait en retard sur l'autre, essayait de rattraper celle qui avait pris les devants et devait sauter quelques mesures. Les invités défilaient en rond autour du cercle vide et miroitant du parquet. Ils tournaient ainsi, les uns autour des autres, et chacun conduisant le deuil, suivant le cadavre de celui qui le précédait, avec, au milieu, l'invisible cadavre du prince héritier et de la monarchie. Ils étaient tous ivres. Et celui qui n'avait pas encore assez bu sentait la tête lui tourner à force de virer ainsi sans relâche. Peu à peu, les musiques précipitèrent la mesure et les jambes des promeneurs prirent le pas cadencé. Les tambours battaient sans s'arrêter, et les lourds tampons de la grosse caisse se mirent à tourbillonner aussi vite que les alertes baguettes. Soudain, le timbalier ivre frappa sur le triangle argentin et, au même instant, le comte Benkyö fit une joyeuse gambade.

— Il est mort, le cochon ! braillait-il en hongrois.

Et tous comprirent comme s'il avait parlé allemand. Tout à coup, quelques-uns commencèrent à sautiller. Les orchestres accéléraient de plus en plus la marche funèbre. Par intervalles, le triangle souriait, argentin, clair et ivre.

Enfin les laquais de Chojnicki entreprirent d'emporter les instruments. Les musiciens les laissèrent faire en souriant. Les violonistes suivaient leurs violons de leurs yeux hagards, les violoncellistes leurs violoncelles, les cornistes leur cor. Quelques-uns, qui avaient gardé leurs archets, continuaient de le passer sur le drap sourd de leurs manches et balançaient la tête au son imperceptible des mélodies qui résonnaient sans doute dans leurs têtes ivres. Quand on eut retiré ses instruments au timbalier, il continua de brandir baguettes et tampons dans le vide. Les chefs d'orchestre, qui avaient bu encore plus que les autres, furent finalement enlevés chacun par deux domestiques, comme des instruments. Les invités rirent. Puis le silence se fit. Personne ne dit plus mot. Tous restèrent à l'endroit où ils se trouvaient : soit assis, soit debout, ne bougeant plus. Après les instruments, on rangea les bouteilles. Puis on enleva le verre à demi plein que tel ou tel tenait encore à la main.

Le sous-lieutenant Trotta quitta la maison. Sur les marches de l'entrée étaient assis le colonel Festetics, le commandant Zoglauer et le capitaine Zschoch. Il ne pleuvait plus. De temps à autre seulement, quelques gouttes tombaient des nuages, maintenant clairsemés, et de l'auvent du toit. On avait étalé sur les marches de grandes toiles blanches pour les trois officiers. Et l'on eût dit qu'ils étaient déjà assis sur leurs propres linceuls. De grandes taches de pluie s'écrasaient dans leur dos. Des bouts de serpentin humide collaient, maintenant indélébiles, à la nuque du capitaine.

Le sous-lieutenant vint se placer devant eux. Ils ne bougeaient pas. Ils gardaient la tête baissée. Ils rappelaient un groupe militaire du musée de cire.

— Mon commandant, dit Trotta à Zoglauer, je vous offrirai ma démission demain.

Zoglauer se leva. Il avança la main, voulut dire quelque chose et ne put proférer un mot. Le temps s'éclaircissait graduellement, un doux vent déchirait les nuages. A la lueur argentée de la brève nuit, où se mêlait déjà un soupçon de matin, on pouvait distinguer nettement les figures. Sur le visage hâve du commandant, tout était en mouvement. Les petites rides s'enchevêtraient les unes dans les autres, la peau tressaillait, le menton oscillait de droite et de gauche, comme un véritable pendule, quelques muscles minuscules jouaient autour des pommettes, les paupières palpitaient et les joues trem-blaient. Tout avait été mis en mouvement par l'agitation que pouvaient avoir causée, à l'intérieur de la bouche, les paroles non prononcées et non prononçables. Une lueur de folie vacillait à la surface de ce visage. Zoglauer pressa la main de Trotta. Quelques secondes. Des éternités. Festetics et Zschoch restaient accroupis, immobiles, sur les marches. On sentait l'odeur forte du sureau. On entendait la pluie s'égoutter doucement, le tendre bruissement des arbres mouillés et déjà les voix des animaux, que l'orage avait fait taire, recommençaient à s'éveiller timidement. Dans la maison, la musique avait cessé. Seules, les paroles des invités filtraient à travers les fenêtres closes aux rideaux tirés.

— Peut-être avez-vous raison, vous êtes jeune ! dit enfin Zoglauer.

C'était la partie la plus ridicule, la plus pauvre, de ce qu'il avait pensé pendant ces quelques secondes. Pour le reste, un gros peloton d'idées emmêlées, il le ravala.

Il était tard après minuit. Mais dans la petite ville, les habitants parlaient encore devant les maisons, sur les trottoirs de bois. Ils se turent quand le sous-lieutenant passa.

Quand il arriva à son hôtel, le matin blanchissait déjà. Il ouvrit son armoire. Il mit dans sa malle deux uniformes, son costume civil, son linge et le sabre de Demant. Il travaillait avec lenteur, pour occuper le temps. Il calculait, d'après sa montre, la durée de chacun de ses mouvements. Il ralentissait ses gestes. Il craignait le vide du temps qui lui resterait nécessairement avant le rapport.

Le matin venu, Onufrij apporta l'uniforme de service et les bottes bien astiquées.

— Onufrij, dit le sous-lieutenant, je quitte l'armée.

— Oui, mon lieutenant, dit Onufrij.

Il sortit, longea le corridor, descendit l'escalier, alla dans sa chambre, empaqueta ses affaires dans une étoffe bigarrée, l'attacha à la poignée de son gourdin et posa le tout sur son lit. Il décida de rentrer à Burdlaki, les travaux de la moisson allaient bientôt commencer. Il n'avait plus rien à faire dans l'armée impériale et royale. Cette sorte de chose s'appelait « déserter » et vous valait d'être fusillé. Les gendarmes ne venaient à Burdlaki qu'une fois par semaine, on pouvait se cacher. Combien l'avaient déjà fait ? Panterlejmon, fils d'Ivan, Grigorij, fils de Nikolaj, Pawel le grêlé, Nikofor le rouquin. On n'en avait attrapé et condamné qu'un seul, il y avait longtemps de ça.

Quant au sous-lieutenant Trotta, il présenta sa demande de mise en congé au rapport des officiers. On lui donna immédiatement une permission. Il fit ses adieux aux camarades pendant l'exercice. Ils ne savaient pas ce qu'ils devaient lui dire. Ils formèrent, autour de lui, un cercle clairsemé, jusqu'au moment où le commandant Zoglauer trouva la formule d'adieux. Elle était d'une extrême simplicité :

— Bonne chance ! disait-elle, et tous la répétèrent.

Le lieutenant se fit conduire chez Chojnicki.

— Il y a toujours de la place chez moi, déclara le comte, du reste j'irai vous prendre.

Pendant une seconde, Trotta pensa à Mme von Taussig. Chojnicki le devina et dit :

— Elle est auprès de son mari. Cette fois-ci, la crise durera longtemps. Peut-être va-t-il rester là-bas pour toujours. Il a raison et je l'envie. Au surplus, je suis allé la voir. Elle a vieilli, cher ami, elle a vieilli !

Le lendemain matin, à dix heures, le sous-lieutenant Trotta entrait à la préfecture. Son père était dans son cabinet. On l'apercevait, sitôt la porte ouverte. Il était assis en face de la porte, à côté de la fenêtre. A travers les jalousies vertes, le soleil dessinait de minces rayures sur le tapis grenat. Une mouche bourdonnait, l'horloge faisait tic tac. La pièce était fraîche, ombreuse, d'un calme estival, comme jadis, aux vacances. Ce jour-là pourtant, un nouvel et indéfinissable éclat en enveloppait les objets. On ne savait pas d'où il émanait. Le préfet se leva. C'était lui-même qui répandait cet éclat nouveau. L'argent pur de ses favoris colorait le vert atténué de la lumière du jour et le reflet rougeâtre du tapis, il exhalait la lumineuse douceur d'un jour inconnu, jour de l'autre monde peut-être, qui se levait au beau milieu de la vie terrestre de M. von Trotta, de même que les aubes d'ici-bas commencent à blanchir alors que luisent encore les étoiles de la nuit. Autrefois, quand on arrivait de Märisch-Weisskirchen pour les vacances, les favoris de M. von Trotta étaient encore une petite nuée noire, partagée en deux.

Le préfet resta debout auprès de son bureau. Il laissa son fils venir à lui, posa son lorgnon sur ses papiers et tendit les bras. Ils s'embrassèrent rapidement.

— Assieds-toi, dit le vieillard et il désigna le fauteuil où Charles-Joseph s'installait quand il était à l'école des cadets, le dimanche, de neuf heures à midi, sa casquette sur les genoux et ses gants d'un blanc éblouissant sur sa casquette.

— Père, dit Charles-Joseph, je quitte l'armée.

Il attendit. Il sentit tout de suite qu'il ne pourrait rien expliquer tant qu'il resterait assis. Il se leva donc, se plaça en face de son père, à l'autre extrémité de sa table de travail, et regarda les favoris d'argent.

— Après le malheur qui nous a frappés avant-hier, dit M. von Trotta, un départ de ce genre ressemble à une... à une... désertion !

— C'est toute l'armée qui a déserté, répondit Charles-Joseph.

Il quitta sa place. Il se mit à arpenter la pièce, la main gauche derrière son dos, accompagnant son récit de la main droite. Autrefois, il y avait de nombreuses années de cela, c'était le préfet qui marchait ainsi dans la pièce. Une mouche bourdonnait, l'horloge faisait tic tac. Les rayures se renforçaient sur le tapis, le soleil montait vite, il devait déjà être haut dans le ciel. Charles-Joseph interrompit son récit et jeta un coup d'œil sur le préfet. Le vieil homme était assis. Ses deux mains pendaient mollement contre les bras du fauteuil, à moitié recouvertes par les manchettes empesées, rondes et brillantes. Sa tête s'affaissa sur sa poitrine, les ailes de ses favoris reposaient sur les revers de sa redingote. « Il est jeune et plein d'innocence, se disait le fils. C'est un cher jeune innocent à cheveux blancs. Peut-être est-ce moi qui suis son père, le héros de

Solferino. Moi, j'ai vieilli, lui, il n'a fait que prendre des années. » Il allait et venait, il expliquait :

— La monarchie est morte... morte ! s'écria-t-il enfin, puis il se tut.

— Vraisemblablement ! murmura le préfet.

Il sonna, dit à l'huissier :

— Prévenez Mlle Hirschwitz que nous mangerons vingt minutes plus tard.

— Viens, fit-il.

Il se leva, prit son chapeau et sa canne. Ils allèrent au parc.

— L'air frais ne peut faire de mal ! dit le préfet.

Ils évitèrent le pavillon où la demoiselle blonde servait des sodas au sirop de framboise.

— Je suis fatigué, dit le préfet, asseyons-nous.

Pour la première fois depuis qu'il exerçait ses fonctions dans cette ville, il s'installa sur un banc ordinaire. Avec sa canne, il traça dans le sol des lignes et des figures sans aucun sens, tout en disant :

— J'ai été chez l'Empereur. A vrai dire, je ne voulais pas t'en parler. C'est l'Empereur lui-même qui a arrangé ton affaire... Plus un mot là-dessus.

Charles-Joseph passa son bras sous celui de son père. Il sentait à ce moment le bras de son père comme, des années auparavant, lors de leur promenade du soir, à Vienne. Il ne retirait plus sa main. Ils se levèrent ensemble. Ils rentrèrent bras dessus, bras dessous.

Mlle Hirschwitz arriva dans sa soie grise des dimanches. Une étroite bande de sa haute coiffure, au-dessus du front, avait pris la couleur de sa robe de cérémonie. Il lui avait encore été possible de préparer en toute hâte un repas dominical : potage au vermicelle, *Tafelspitz* et beignets aux cerises.

Mais le préfet ne fit aucune remarque à ce sujet. Ce fut comme s'il mangeait une vulgaire escalope.

XX

Charles-Joseph quitta son père une semaine plus tard. Ils s'embrassèrent dans le vestibule avant de monter en voiture. De l'avis du vieux M. von Trotta, les effusions ne pouvaient pas avoir lieu sur le quai de la gare, devant des témoins de hasard. L'étreinte fut rapide, comme toujours, dans l'ombre humide du corridor et le souffle frais montant des dalles de pierre. Mlle Hirschwitz attendait déjà sur le balcon, résolue, comme un homme. C'est en vain que le préfet avait essayé de lui faire entendre qu'il était superflu d'agiter son mouchoir. Elle devait considérer ce geste comme un devoir. Bien qu'il ne plût pas, M. von Trotta ouvrit son parapluie. La légère nébulosité du ciel lui parut une raison suffisante et il monta dans le fiacre sous la protection de son parapluie. Mlle Hirschwitz ne put donc le voir du haut du balcon. Il ne prononça pas une parole. Mais quand son fils fut dans le train, le vieillard leva la main, pointa l'index et dit :

— Il serait bon que tu puisses te retirer pour raison de santé. On ne quitte pas l'armée sans motif important.

— Oui, papa, fit le sous-lieutenant.

Le préfet quitta le quai juste avant le départ du train. Charles-Joseph le regarda s'éloigner, le dos raide, son parapluie roulé au bras, pointe en l'air, comme un sabre dégainé. Il ne se retourna plus, le vieux M. von Trotta.

Charles-Joseph obtint son congé.

— Et maintenant, que vas-tu faire ? lui demandèrent ses camarades.

— J'ai un poste, dit Trotta, et ils cessèrent de l'interroger.

Il s'informa d'Onufrij. On lui dit aux bureaux du régiment que l'ordonnance Kolohin avait déserté.

Le lieutenant alla à l'hôtel. Il changea lentement de vêtements. D'abord il déboucla son sabre, arme et emblème de son honneur. Il avait eu peur de cet instant. Il s'étonna. Cela se faisait sans mélancolie. Il y avait une bouteille de « quatre-vingt-dix degrés » sur la table, il n'éprouva même pas le besoin de boire. Chojnicki venait le chercher, déjà son fouet claquait en bas, il entrait dans la chambre. Il s'assit et regarda. C'était l'après-midi. Trois heures sonnaient au clocher. Toutes les voix repues de l'été pénétraient à flots par la fenêtre ouverte. C'est l'été lui-même qui appelait le sous-lieutenant Trotta. En costume gris clair, bottes jaunes, son manche de fouet à la main, Chojnicki était comme un ambassadeur de l'été. Le sous-lieutenant passa sa manche sur le fourreau terni du sabre, dégaina, souffla sur la lame, essuya l'acier de son mouchoir et coucha l'arme dans un étui. Ce fut comme s'il faisait la toilette d'un mort avant l'enterrement. Il soupesa encore une fois l'écrin sur la paume de sa main avant de le fixer à sa valise. Puis il y ajouta le sabre de Max Demant. Il lut encore l'inscription gravée au-dessous de la poignée.

« Quitte cette armée ! » avait dit Demant. Eh bien, on la quittait, cette armée.

Les grenouilles coassaient, les grillons stridulaient ; en bas, sous les fenêtres, les chevaux bais de Chojnicki hennissaient, tiraient un peu sur la petite voiture, les essieux geignaient. Le sous-lieutenant était là, sa tunique déboutonnée, le collier de caoutchouc noir visible entre les parements verts. Il se retourna et dit :

— La fin d'une carrière.

— La carrière est terminée pour tout le monde, déclara Chojnicki. C'est la carrière elle-même qui s'achève !

Trotta retira sa tunique, la livrée de l'Empereur. Il l'étala sur la table, comme il l'avait appris à l'école des cadets, retourna d'abord le col raide, puis il plia les manches et les disposa à l'intérieur contre le drap, rabattit le bas de la veste qui n'était déjà plus qu'un tout petit paquet. La doublure de moire grise chatoyait. Enfin, le pantalon vint se poser par-dessus, deux fois replié. Trotta mit alors son costume civil. Il conserva sa ceinture, dernier souvenir de sa carrière (il n'avait jamais pu s'entendre avec les bretelles).

— Il se pourrait, dit-il, que mon grand-père, lui aussi, eût empaqueté, un jour, de la même façon, sa personnalité militaire.

— C'est vraisemblable, confirma Chojnicki.

La valise était encore béante. La personnalité militaire de Charles-Joseph y gisait, cadavre réglementairement plié. Il était temps de fermer la valise.

— Buvons ! fit Chojnicki. Voilà que vous devenez mélancolique !

Ils burent. Puis Chojnicki se leva et ferma la valise du sous-lieutenant.

Ce fut Brodnitzer lui-même qui la porta à la voiture.

— Vous étiez un bien agréable locataire, monsieur le baron, dit-il.

Il restait debout à côté du véhicule, le chapeau à la main. Chojnicki tenait déjà les guides. Charles-Joseph fut pris d'une soudaine tendresse pour Brodnitzer. « Portez-vous bien », allait-il dire, mais Chojnicki faisait claquer sa langue et les chevaux se mettaient en branle. Ils levèrent en même temps leur tête et leurs pieds, les hautes roues de la petite voiture roulèrent en crissant dans le sable de la route, comme dans un lit moelleux.

Ils allèrent par les marais qui retentissaient du tapage des grenouilles.

— Voici votre demeure, dit Chojnicki.

C'était une petite maison à l'orée de la forêt, avec des jalousies vertes, comme celles de la préfecture. Elle était habitée par l'aide-forestier Jan Stepaniuk, vieil homme à la longue moustache tombante, d'argent oxydé. Il avait fait douze ans de service militaire. Revenant au langage de l'armée, comme à sa langue maternelle, il appela Trotta : « Mon lieutenant. » Il portait une chemise de toile grossièrement tissée, à col étroit brodé de rouge et de bleu. Le vent en gonflait les larges manches, on eût dit que ses bras étaient des ailes.

C'est là que le lieutenant demeura.

Il était décidé à ne revoir aucun de ses camarades. A la lueur chatoyante de la bougie, dans sa chambre de bois, il écrivait à son père, sur du papier officiel, jaune et fibreux, la suscription à quatre doigts de distance du bord supérieur, le texte à deux doigts du bord latéral. Toutes ses lettres se ressemblaient comme des notes de service.

Il avait peu de besogne. Il inscrivait les noms des ouvriers dans de grands livres reliés en vert et noir, les salaires, les besoins des hôtes logés par Chojnicki. Il additionnait les nombres avec beaucoup de bonne volonté, mais avec des erreurs, rédigeait des rapports sur l'état de la volaille, des porcs, des fruits que l'on vendait ou conservait, du petit terrain où poussait du houblon jaune, de la touraille louée chaque année à un concessionnaire.

Il connaissait maintenant la langue du pays. Il comprenait dans une certaine mesure ce que disaient les paysans. Il faisait du commerce avec les Juifs à poil roux, qui commençaient déjà les achats de bois pour l'hiver. Il apprenait la différence de valeur entre les bouleaux, les pins, les sapins, les chênes, les tilleuls et l'érable. Il lésinait. Exactement comme son grand-père, le héros de Solferino, chevalier de la vérité, c'est avec des doigts secs et durs qu'il comptait ses pièces d'argent quand, le jeudi, il se rendait au marché aux porcs de la ville, pour faire emplette de selles, de colliers, de jougs et de faux, de pierres à aiguiser, de faucilles, de râteaux et de semences. Quand il voyait par hasard passer un officier, il baissait la tête. C'était une précaution inutile. Sa moustache poussait et foisonnait, les poils de sa barbe, durs, noirs et épais se hérissaient sur ses joues, il était à peine reconnaissable. Déjà on se préparait partout pour la moisson. Debout devant les maisonnettes, les paysans affûtaient leurs faux contre des pierres rondes, rouge brique. Partout dans le pays, le grincement de l'acier contre les pierres dominait le chant des grillons. La nuit, le lieutenant entendait parfois de la musique et du bruit provenant du Château Neuf de Chojnicki. Il emportait ces voix dans son sommeil, avec le chant nocturne des coqs et les aboiements des chiens à la pleine lune. Il était enfin satisfait, solitaire et silencieux. C'était comme s'il n'avait jamais mené d'autre vie. Quand il ne pouvait dormir, il se levait, prenait son bâton, s'enfonçait à travers champs dans le chœur nocturne aux multiples voix. Il attendait le matin, saluait le rutilant soleil, respirait la rosée et la douce chanson du vent qui annonce le jour. Il était frais comme après ses nuits de bon sommeil.

Chaque après-midi, il traversait les villages limitrophes. « Loué soit Jésus-Christ, disaient les paysans. — Dans l'éternité, amen ! » répondait Trotta. Il marchait comme eux, les genoux fléchis. C'est ainsi qu'avaient marché les paysans de Sipolje.

Un jour, il passa par le village de Burdlaki. Son minuscule clocher se dressait, tel le doigt du village, vers le ciel bleu. C'était un bel après-midi. Les coqs chantaient d'une voix somnolente. Les moucherons dansotaient et bourdonnaient tout le long de la rue du village. Soudain, un paysan noiraud, portant toute sa barbe, sortit de sa cabane, se planta au milieu du passage et salua :

— Loué soit Jésus-Christ !

— Dans l'éternité, amen ! répondit Trotta, et il voulut continuer son chemin.

— Mon lieutenant, ici Onufrij ! dit le paysan barbu.

Sa face était enveloppée par sa barbe, éventail ouvert, noir, aux branches serrées.

— Pourquoi as-tu déserté ? demanda Trotta.

— Suis seulement rentré chez moi, dit Onufrij.

Poser de pareilles questions n'avait pas de sens. On comprenait bien Onufrij. Il avait servi le sous-lieutenant comme le sous-lieutenant l'Empereur. Il n'y avait plus de patrie. Elle se brisait, s'émiettait.

— Tu n'as pas peur ? demanda Trotta.

Onufrij n'avait pas peur. Il habitait chez sa sœur. Chaque semaine, les gendarmes traversaient le village sans regarder autour d'eux. Au reste, c'étaient des Ukrainiens, des paysans comme Onufrij lui-même. Si on ne le dénonçait pas par écrit au maréchal des logis-chef, il n'avait aucune raison de s'inquiéter. A Burdlaki, on ne faisait pas de dénonciations.

— Adieu, Onufrij, dit Trotta.

Il gravit la rue tortueuse qui débouchait inopinément dans les champs. Onufrij le suivit jusqu'au tournant. Charles-Joseph entendait le bruit de ses bottes ferrées sur les cailloux du chemin. Onufrij avait emporté les bottes de l'administration. On entra dans le cabaret du village, chez le Juif Abramtschick. On y trouvait du savon de Marseille, de l'eau-de-vie, des cigarettes, du tabac ordinaire et des timbres. Le Juif avait une barbe de feu. Assis devant le portail voûté de son débit, il éclairait la route à plus de deux kilomètres. Un jour, quand il sera vieux, se disait le sous-lieutenant, ce sera un Juif à barbe blanche, comme le grand-père de Demant.

Trotta prit un autre verre, acheta du tabac, des timbres et s'en alla. En sortant du village de Burdlaki, le chemin conduisait au village de Sosnow par Oleksk, puis à Sosnow, à Bytok, Leschnitz et Dombrowa. Il le parcourait tous les jours. Il traversait deux fois le passage à niveau : deux barrières jaune et noir, délavées, les signaux cristallins tintaient sans relâche dans les maisonnettes des gardes-barrière. C'était les joyeuses voix du grand monde, dont le baron Trotta ne se souciait plus. Le grand monde s'était éteint, éteintes les années de service militaire, comme si l'on avait toujours arpenté les champs et les routes, le bâton à la main et jamais le sabre au côté. On vivait comme son grand-père, le héros de Solferino, comme son bisaïeul, l'invalide du parc de Laxenburg, peut-être comme les anonymes inconnus, ses ancêtres, les paysans de Sipolje. Toujours le long du même chemin qui, par Oleksk, conduisait à Sosnow, à Bytok, à Leschnitz et à Dombrowa. Ces villages faisaient cercle autour du château de Chojnicki, ils lui appartenaient tous. De Dombrowa, un sentier planté de saules menait chez Chojnicki. Il était encore tôt. En allongeant le pas, on y arriverait dès avant six heures et ne rencontrerait aucun des anciens camarades. Trotta allongea le pas. Il était devant le château. Il siffla. Chojnicki parut à une fenêtre, fit un signe de tête et sortit.

— Enfin, ça y est, dit-il. C'est la guerre ! Voilà longtemps que nous l'attendions. Pourtant, elle va nous surprendre. On dirait qu'il n'est pas donné à un Trotta de vivre longtemps en liberté ! Mon uniforme est prêt. Je pense que nous serons mobilisés dans une semaine ou deux.

Il semblait à Trotta que jamais la nature n'avait été aussi paisible qu'en cette heure. On pouvait déjà regarder le soleil en face, il descendait vers l'ouest à une vitesse perceptible. Un vent violent venait le recevoir, crêpant les petites nuées blanches du ciel, ondulant les épis de froment et de seigle de la terre, caressant les faces rouges des coquelicots. Une ombre bleue planait au-dessus des vertes prairies. A l'est, le petit bois disparaissait dans un violet noirâtre. La maisonnette blanche de Stepaniuk, où logeait Trotta, luisait à l'orée du bois, la lumière fondante du soleil brûlait dans ses fenêtres. La stridulation des grillons s'amplifia. Puis le vent emporta leurs voix dans le lointain ; un instant, le silence régna. On perçut la respiration de la terre. Soudain, d'en haut, sous le ciel, de faibles cris rauques descendirent. Chojnicki leva la main.

— Savez-vous ce que c'est ? Des oies sauvages ! Elles nous quittent de bonne heure. On n'est qu'au milieu de l'été ! Elles entendent déjà les coups de feu. Elles savent ce qu'elles font.

On était un jeudi, jour des « petites fêtes ». Chojnicki rebroussa chemin et Trotta s'en alla lentement dans la direction de sa maisonnette.

Il ne dormit pas cette nuit-là. A minuit, il entendit le cri rauque des oies sauvages. Il s'habilla, sortit de la maison. Stepaniuk était étendu devant le seuil, en chemise. Sa pipe rougeoyait. Il gisait à plat sur le sol et dit sans bouger :

— Pas moyen de dormir aujourd'hui.

— Les oies, répondit Trotta.

— C'est ça, les oies ! confirma Stepaniuk. Depuis que je suis au monde, je ne les ai jamais entendues si tôt en saison. Écoutez ! Écoutez !...

Trotta regarda le ciel. Les étoiles scintillaient comme toujours. On n'y distinguait rien d'autre. Cependant, des cris rauques retentissaient sans relâche sous les étoiles.

— Elles s'exercent, dit Stepaniuk. Il y a déjà longtemps que je suis là. Parfois, je peux les voir. Ce n'est qu'une ombre grise. Regardez !

Stepaniuk leva vers le ciel le fourneau rougeoyant de sa pipe. En cet instant, la minuscule ombre blanche des oies sauvages était visible sous la voûte bleu cobalt. Elles passaient, voile clair et léger, entre les étoiles.

— Ce n'est pas tout, dit Stepaniuk. Ce matin, j'ai vu des centaines de corbeaux. Comme jamais. Des corbeaux étrangers. Ils viennent de contrées étrangères. Ils viennent de Russie, je crois. Chez nous, on dit que les corbeaux sont les prophètes des oiseaux.

Vers le nord-est, une large bande d'argent s'étendait à l'horizon. Elle s'éclaircissait à vue d'œil. Le vent se leva. Il apportait quelques sons indistincts du château de Chojnicki. Trotta s'étendit par terre, à côté de Stepaniuk. Il contempla les étoiles d'un œil somnolent, épia les cris des oiseaux sauvages et s'endormit.

Il se réveilla au lever du soleil. Il lui semblait n'avoir dormi qu'une demi-heure, mais il s'était passé au moins quatre heures. Au lieu du babillage des oiseaux qui saluaient habituellement le matin, retentissait aujourd'hui le noir croassement de centaines et de centaines de corbeaux. Stepaniuk se dressa à côté de Trotta. Il retira sa pipe de sa bouche (elle s'était refroidie pendant son sommeil) et, du tuyau, il désigna les arbres qui les entouraient. Sur les branches, de grands oiseaux étaient perchés, noirs, sinistres fruits tombés des airs. Ils ne

333

bougeaient pas, les oiseaux noirs, ils ne faisaient que croasser. Stepaniuk leur lança des pierres. Mais les corbeaux n'eurent que quelques battements d'ailes. Ils étaient comme les fruits naturels des branches.

— Je vais tirer, dit Stepaniuk.

Il entra dans la maison, prit son fusil, tira. Quelques oiseaux tombèrent, les autres parurent n'avoir pas entendu la détonation. Tous restèrent sur les branches. Stepaniuk ramassa les cadavres noirs. Il en avait tué une bonne douzaine, il emporta son butin au logis, dans ses deux mains, le sang s'égouttait sur l'herbe.

— Curieux corbeaux, disait-il, ils ne bougent pas, ce sont les prophètes des oiseaux...

C'était le vendredi. L'après-midi, Charles-Joseph traversa les villages, comme d'ordinaire. Les grillons ne stridulaient pas, les grenouilles ne coassaient pas. Seuls, les corbeaux criaient. Il y en avait partout : sur les tilleuls, sur les chênes, sur les bouleaux, sur les saules. Peut-être viennent-ils, chaque année, avant la moisson, se disait Trotta. Ils entendent les paysans aiguiser leurs faux, alors ils se rassemblent... Il traversa le village de Burdlaki, il espérait secrètement qu'Onufrij allait revenir. Mais Onufrij ne vint pas. Devant les chaumières, les paysans affûtaient l'acier contre des pierres rougeâtres. Parfois ils levaient les yeux, le croassement des corbeaux les gênaient et ils déchargeaient une volée de noirs jurons sur les oiseaux noirs.

Trotta passa devant le café d'Abramtschick, le Juif au poil roux était assis devant le portail, sa barbe flamboyait. Abramtschick se leva. Il ôta sa calotte de velours noir et dit :

— Les corbeaux sont venus. Ils crient toute la journée. Ils sont intelligents ! Il faut prendre garde !

— Peut-être ? Oui, peut-être vous avez raison ! dit Trotta et il poursuivit sa route par le sentier planté de saules qu'il prenait d'ordinaire pour aller chez Chojnicki.

Arrivé sous ses fenêtres, il siffla. Personne ne vint.

Chojnicki était sûrement en ville. Trotta prit la direction de la ville, à travers les marais, pour ne rencontrer personne. Les paysans étaient seuls à utiliser ce chemin. Quelques-uns venaient à sa rencontre. Le sentier était si étroit qu'on ne pouvait s'éviter. L'un était obligé de s'arrêter pour laisser passer l'autre. Tous ceux que

Trotta croisait aujourd'hui lui parurent marcher plus hâtivement que de coutume. Ils saluaient plus hâtivement que de coutume. Ils faisaient de plus grandes enjambées. Ils allaient, la tête baissée, comme des gens absorbés par des idées importantes. Et tout à coup (Trotta apercevait déjà la barrière de la douane derrière laquelle commençait le territoire de la ville), les piétons se multiplièrent, un groupe de vingt personnes et plus se disloquait en ce moment pour entrer dans le sentier par unités, les unes derrière les autres. Trotta s'arrêta. Il constata que ce devait être des ouvriers du chiendent, qui regagnaient leurs villages. Peut-être y en avait-il parmi eux sur lesquels il avait tiré. Il s'arrêta pour les laisser passer. Ils se hâtaient, muets, l'un suivant l'autre, chacun son petit balluchon au bout du bâton qu'il portait sur l'épaule. Le soir paraissait tomber plus vite, comme si ces gens qui se hâtaient en renforçaient l'obscurité. Le ciel était légèrement nuageux, le soleil se couchait, petit et rouge, le brouillard gris argent se levait au-dessus des marais, frère terrestre des nuées, qui essayait de se joindre à ses sœurs. Soudain, toutes les cloches de la petite ville se mirent à sonner. Les piétons s'arrêtèrent un moment, prêtant l'oreille, puis se remirent en marche. Trotta retint l'un des derniers et lui demanda pourquoi les cloches sonnaient.

— C'est à cause de la guerre, répondit l'homme, sans relever la tête.

— A cause de la guerre, répéta Trotta.

Il y avait la guerre, naturellement. C'était comme s'il le savait depuis ce matin, depuis hier, depuis hier soir, depuis avant-hier, depuis des semaines, depuis son départ, depuis la funeste fête des dragons. C'était la guerre à laquelle il s'était préparé depuis l'âge de sept ans. C'était *sa* guerre, la guerre du petit-fils. Solferino et les héros de Solferino revenaient. Les clochers grondaient sans trêve. Il était à la barrière de la douane. Le gardien à la jambe de bois, assis devant la maisonnette, était très entouré. Une éclatante affiche jaune et noire avait été apposée sur sa porte. Les premiers mots, noirs sur fond jaune, se lisaient même de loin. Ils se dressaient comme des poutres noires au-dessus des têtes :

« A mes peuples ! »

Des paysans en courtes peaux de mouton à forte odeur, des Juifs en caftans flottants d'un noir verdâtre, des cultivateurs souabes des colonies allemandes, en loden vert, des bourgeois polonais, des marchands, des artisans et des fonctionnaires cernaient la cabane du douanier. La grande affiche était collée sur chacun des quatre murs disponibles, chacune dans une des langues du pays, toutes débutant par : « A mes peuples ! » Ceux qui savaient lire lisaient tout haut. Leurs voix se mêlaient au grondement des cloches. Certains s'en allaient d'un mur à l'autre et lisaient le texte dans chacune des langues. Quand l'une des cloches s'était tue, une autre commençait aussitôt à bourdonner. Des flots de gens sortaient de la petite ville, s'engouffraient dans la large rue menant à la gare. Trotta allait à leur rencontre, vers la ville. Le soir était venu. Et, comme c'était un vendredi soir, les bougies étaient allumées dans les petites maisons juives et elles éclairaient les trottoirs. Chaque maisonnette était comme une petite crypte. C'est la mort elle-même qui avait allumé les cierges. Le chant des Juifs, qui sortait des maisons, était plus fort que les autres jours de fête juive. C'était qu'ils saluaient un sabbat extraordinaire, un sabbat sanglant. Leurs noirs essaims, pleins de hâte, se précipitaient hors de leurs demeures, se rassemblaient aux carrefours et, bientôt, leurs lamentations montèrent autour de ceux des leurs qui étaient soldats et seraient à pied d'œuvre dès le lendemain. Ils se serraient la main, se baisaient les joues et, quand deux d'entre eux s'embrassaient, leurs barbes rousses se joignaient comme pour des adieux particuliers, les hommes étaient obligés de séparer leurs barbes avec leurs mains. Au-dessus des têtes, les cloches sonnaient. Entre leur chant et les appels des Juifs, retentissaient les voix tranchantes des trompettes venant des casernes. La nuit était déjà tombée. On ne voyait pas une étoile. Un ciel sombre, bas et plat, était suspendu au-dessus de la petite ville.

Trotta fit demi-tour. Il chercha une voiture, il n'y en avait pas. Il se rendit chez Chojnicki à grands pas rapides. La grand-porte était ouverte. Les pièces étaient éclairées comme aux « grandes fêtes ». Chojnicki s'avança à sa rencontre dans le vestibule, en uniforme, avec son casque et sa cartouchière. Il faisait atteler. Il avait trois milles à faire jusqu'à sa garnison, il voulait partir dès cette nuit.

— Attends un instant, dit-il.

C'était la première fois qu'il tutoyait Trotta, peut-être par inadvertance, peut-être parce qu'il portait déjà l'uniforme.

— Je vais passer par chez toi, puis aller en ville.

LA MARCHE DE RADETZKY

Ils arrivent devant la maisonnette de Stepaniuk. Chojnicki s'assied. Il regarde Trotta enlever son costume civil et mettre son uniforme, pièce par pièce. C'est ainsi que, quelques semaines seulement auparavant — mais il y a longtemps de cela ! — il a vu, à l'hôtel Brodnitzer, Trotta retirer son uniforme. Trotta rentre dans sa tenue militaire, dans sa patrie ! Il sort son sabre du fourreau. Il boucle son écharpe, les énormes glands jaunes caressent tendrement le métal luisant du sabre. Trotta referme sa valise.

Ils n'ont que peu de temps pour leurs adieux. Ils font halte devant la caserne des chasseurs : « Adieu ! » dit Trotta.

Leur poignée de main se prolonge. C'est comme si l'on entendait le temps passer derrière le dos immobile du cocher. C'est comme s'il ne suffisait pas de se serrer la main. Ils sentent qu'il faudrait faire quelque chose de plus.

— Chez nous, on s'embrasse, dit Chojnicki.

Ils s'étreignent donc et s'embrassent rapidement. Trotta descend de voiture. Le factionnaire le salue militairement devant la caserne. Il reste encore un instant arrêté. Il entend s'éloigner la voiture de Chojnicki.

XXI

Le bataillon de chasseurs se mit en marche la nuit même pour la frontière de Woloczyska, dans la direction du nord-est. La pluie commença à tomber, d'abord doucement, puis plus fort, la poussière blanche de la route se transforma en fange grise. La boue retombait en claquant sur les bottes des soldats, elle éclaboussait les uniformes impeccables des officiers qui s'en allaient à la mort, réglementairement. Leurs longs sabres les gênaient. A leur côté pendaient les superbes glands à longs poils de leurs écharpes noir et or feutrées, trempées et mouchetées de mille petites taches de boue. A l'aube, le bataillon atteignit son but, se joignit à deux régiments d'infanterie inconnus et se forma en tirailleurs. Ils attendirent ainsi pendant deux jours, sans rien voir de la guerre. Parfois, dans le lointain, sur leur droite, ils entendaient des coups de feu isolés. C'étaient de petites

337

escarmouches de frontière, entre troupes montées. On apercevait de temps en temps un douanier blessé, çà et là aussi un gendarme tué. Des ambulanciers, emportant blessés et cadavres, passaient auprès des soldats en attente. La guerre ne voulait pas commencer. Elle hésitait, comme les orages hésitent parfois pendant plusieurs jours avant d'éclater.

Le troisième jour, l'ordre arriva de battre en retraite, et le bataillon se reforma en ordre de départ. Officiers et troupiers étaient déçus. Le bruit se répandit qu'à deux milles à l'est, tout un régiment de dragons avait été anéanti. On disait que les cosaques avaient envahi leur propre pays. On marchait vers l'ouest, silencieux et maussade. Bientôt, on constata que la retraite n'était pas préparée car, aux croisements de routes, dans les villages et les petites villes, on se heurtait à un fourmillement désordonné de troupes appartenant aux armes les plus diverses. Des ordres multiples et contradictoires arrivaient du quartier général. La plupart avaient trait à l'évacuation des villages et des villes, au traitement des Ukrainiens en sympathie avec la Russie, des prêtres et des espions. Des conseils de guerre trop prompts rendaient dans les villages de trop prompts jugements. Des mouchards livraient des rapports incontrôlables sur les paysans, les popes, les maîtres d'écoles, les photographes, les fonctionnaires. On n'avait pas le temps. Il fallait se retirer au plus vite, mais aussi punir au plus vite les traîtres. Et, tandis qu'ambulances, colonnes de train, artillerie de campagne, dragons, uhlans et fantassins se trouvaient soudainement réunis en pelotons, dans la pluie incessante, sur les routes détrempées, que les agents de liaison passaient et repassaient au galop, que les habitants des petites villes s'enfuyaient vers l'ouest en troupes sans fin, accompagnés du vol blafard de l'épouvante, chargés d'oreillers rouges et blancs, de sacs gris, de meubles bruns et de lampes à pétrole bleues, on entendait crépiter devant les églises des bourgs et des villages la fusillade des exécutions sommaires, un sombre roulement du tambour accompagnait les sentences monotones des juges, les femmes des victimes se couchaient, criant grâce, devant les bottes crottées des officiers. Des flammes rouges et blanches jaillissaient des cabanes et des granges, des étables et des meules en feu. La guerre de l'armée autrichienne commençait par des tribunaux militaires. Pendant des jours, les traîtres, véritables ou supposés, restaient accrochés aux arbres, sur la place de l'église, pour faire peur aux vivants. Mais les vivants de toute la région avaient pris la fuite. Des incendies étaient allumés autour des cadavres pendus aux arbres, déjà le feuillage commençait à crépiter et le feu était plus fort que la pluie persistante dont le doux ruissellement préludait au sanglant automne. La vieille écorce des arbres séculaires se carbonisait lentement et d'infinies étincelles argentées couvaient, qui se propageaient lentement en rampant dans les rainures comme des vers de feu, elles atteignaient le feuillage, la feuille verte se recroquevillait, elle devenait rouge, noire, puis grise, les cordes se détachaient et les cadavres tombaient par terre, le visage carbonisé, le corps encore intact.

Un jour, ils firent halte au village de Krutyny. Ils y arrivèrent l'après-midi, ils devaient repartir le lendemain matin vers l'ouest, dès avant le lever du soleil. Ce jour-là, la pluie avait cessé et le soleil, en cette fin de septembre, tissait une bienveillante lumière d'argent au-dessus des vastes champs où le blé, pain vivant qui ne devait plus être consommé, se dressait encore. Un été de la Saint-Martin passait lentement à travers les airs. Corneilles et corbeaux eux-mêmes se tenaient tranquilles, trompés par la paix fugitive de cette journée, ayant perdu l'espoir de la charogne attendue. Il y avait huit jours qu'on n'avait pas quitté ses vêtements. Les bottes étaient trempées, les pieds gonflés, les genoux raides, les mollets douloureux, on ne pouvait plus courber le dos. On était logé dans des cabanes, on essayait d'extraire de sa cantine des vêtements secs et de se laver aux rares fontaines. La nuit — c'était une nuit claire et silencieuse et seuls les chiens oubliés et abandonnés dans des fermes isolées hurlaient de faim et de peur — le sous-lieutenant ne put dormir. Il quitta la cabane où il était logé. Il suivit la longue rue du village, se dirigeant vers l'église qui levait vers les étoiles sa double croix grecque. L'église, avec son toit couvert en bardeaux, se dressait au milieu du petit cimetière, entourée de croix de bois penchées qui avaient l'air de danser doucement à la clarté nocturne. Devant la grand-porte, largement béante, du cimetière pendaient trois cadavres : au milieu, un prêtre barbu, de part et d'autre, deux jeunes paysans en vareuse jaune sable et chaussons de rafia grossièrement tressé. La soutane du prêtre, pendu au milieu, lui descendait jusqu'aux pieds. Et parfois, le vent de la nuit lui agitait les pieds de telle manière qu'ils venaient frapper, comme les battants muets

d'une cloche sourde-muette, contre la soutane et que, sans provoquer aucun son, ils semblaient pourtant carillonner.

Le sous-lieutenant Trotta s'approcha des pendus. Il considéra
leurs figures bouffies et crut reconnaître tel ou tel de ses soldats. Ces
visages étaient ceux du peuple auquel, tous les jours, il avait fait faire
l'exercice. La large barbe en éventail du prêtre lui rappela celle
d'Onufrij. Tel était Onufrij, quand il l'avait vu pour la dernière fois.
Et — qui sait ? — peut-être Onufrij était-il le frère de ce prêtre
pendu. Le sous-lieutenant Trotta regarda autour de lui. Il resta aux
écoutes. Aucun bruit humain ne se faisait entendre. Les chauves-
souris s'agitaient dans le clocher de l'église. Les chiens abandonnés
aboyaient dans les fermes abandonnées. Alors, le lieutenant dégaina
son sabre et, successivement, il coupa la corde des trois pendus. Puis
il prit leurs cadavres, l'un après l'autre, sur ses épaules et les emporta
tous les trois, l'un après l'autre, au cimetière. Puis, à l'aide de son
sabre, il se mit à ameublir la terre des allées, entre les tombes,
jusqu'au moment où il crut avoir trouvé de la place pour trois corps.
Puis il les y coucha tous les trois, ramena la terre sur eux avec son
sabre et son fourreau, la piétina pour la raffermir. Puis il fit le signe
de la croix. Depuis sa dernière messe à l'école des cadets de
Märisch-Weisskirchen, il n'avait plus fait le signe de la croix. Il
voulut dire un *Pater,* mais il ne put que remuer les lèvres sans
proférer un son. Un oiseau de nuit cria. Les chauves-souris
bruissaient. Les chiens hurlaient.

Le lendemain, avant le lever du soleil, ils se remirent en marche.
Les brumes argentées du matin automnal voilaient le monde. Mais
bientôt le soleil en jaillit, ardent, comme en plein été. La soif les prit.
Ils avançaient à travers une région déserte et sablonneuse. Parfois, il
leur semblait entendre de l'eau murmurer quelque part. Des soldats
couraient dans la direction d'où paraissait provenir le bruit de l'eau
et ils rebroussaient chemin aussitôt. Pas de ruisseau, pas d'étang, pas
de puits. Ils traversèrent plusieurs villages, mais les puits étaient
bouchés par les cadavres des fusillés. Parfois, les corps pliés en deux
pendaient par-dessus la margelle de bois. Les soldats ne jetaient
même plus un regard au fond. Ils s'en revenaient. On continuait
d'avancer.

La soif devenait plus intense. Midi approchait. Ils entendirent des
coups de feu et s'aplatirent par terre. Sans doute les ennemis les

avaient-ils déjà rattrapés. Ils continuèrent d'avancer en rampant, à même le sol. Bientôt, ils le voyaient déjà, le chemin s'élargissait. Déjà une gare abandonnée apparaissait. Les rails y commençaient. Le bataillon atteignit la gare au pas de course, on y était en sûreté, les talus du chemin de fer vous protégeaient des deux côtés sur plusieurs kilomètres. L'ennemi, peut-être une sotnia de cosaques lancée au galop, devait se trouver au même niveau, de l'autre côté du talus. Ils avancèrent, silencieux et déprimés.

Tout à coup, quelqu'un cria : « De l'eau ! » L'instant d'après, tous avaient déjà aperçu le puits, sur la crête du talus, à côté d'une maison de garde-barrière.

— Restez ici ! ordonna le commandant Zoglauer.

— Restez ici ! répétèrent les officiers.

Mais on ne pouvait retenir les hommes altérés. Par unités d'abord, puis par groupes, les soldats escaladaient la pente. Des coups de feu éclatèrent et les hommes tombèrent. Les cavaliers ennemis, de l'autre côté du talus, tiraient sur les hommes altérés et les hommes altérés couraient, de plus en plus nombreux, vers la fontaine meurtrière. Quand la deuxième section de la deuxième compagnie s'approcha du puits, une douzaine de morts gisait déjà sur la pente verdoyante.

— Halte ! commanda le sous-lieutenant Trotta.

Il sortit du rang et dit :

— Je vais vous apporter de l'eau, que personne ne bouge ! Attendez-moi ici ! Les seaux !

On lui apporta deux seaux, en toile imperméable, de la section de mitrailleuses. Il en prit un à chaque main et monta la pente, vers le puits. Les balles sifflaient autour de lui, tombaient à ses pieds, leur vol effleurait ses oreilles, ses jambes, passait par-dessus sa tête. Il se pencha sur le puits. Il apercevait, de l'autre côté du talus, les deux lignes de cosaques en train de viser. Il n'avait pas peur. L'idée qu'il pouvait être atteint, comme les autres, ne lui venait pas à l'esprit. Il entendait les coups qui n'étaient pas encore tirés et, en même temps, les premiers battements de tambour de la *Marche de Radetzky*. Il était sur le balcon de la maison paternelle. En bas, la musique militaire jouait. Maintenant Nechwal lève son bâton d'ébène à bouton d'argent. Trotta plonge son deuxième seau dans le puits. Maintenant les cymbales éclatent. Trotta retire le seau. Un seau plein, débordant, à chaque main, enveloppé du fracas des balles, il avance le pied gauche pour redescendre, il fait deux pas. Maintenant sa tête seule dépasse la crête du talus...

Maintenant, une balle vient le frapper au crâne. Il fait encore un pas, il tombe. Les seaux pleins oscillent, s'écroulent, se renversent sur lui. Du sang chaud coule de sa tête sur la terre fraîche du talus. D'en bas, les paysans ukrainiens de sa section s'écrient en chœur :

— Loué soit Jésus-Christ !

« Dans l'éternité, amen ! » voulut-il répondre. C'étaient les seuls mots d'ukrainien qu'il pût dire. Mais ses lèvres ne bougeaient plus. Sa bouche resta ouverte, ses dents blanches fixant le ciel bleu de l'automne. Sa langue bleuit lentement, il sentit son corps se refroidir. Puis il mourut.

Telle fut la fin du sous-lieutenant Charles-Joseph, baron von Trotta.

C'est de cette façon toute simple et impropre à être exaltée dans les livres de lecture des écoles primaires et communales de la double monarchie que mourut le petit-fils du héros de Solferino. Ce n'est pas les armes à la main, mais avec deux seaux d'eau, que mourut le lieutenant Trotta. Le commandant Zoglauer écrivit au préfet. Le vieux Trotta relut la lettre à plusieurs reprises et laissa ses mains retomber. La lettre lui échappa et voltigea sur le tapis rougeâtre. M. von Trotta ne retira pas son lorgnon. Sa tête tremblait et le lorgon branlant aux petits verres ovales palpitait sur le nez du vieillard comme un papillon de verre. Deux lourdes larmes de cristal s'échappèrent en même temps des yeux de M. von Trotta, ternirent le lorgnon et continuèrent à couler jusque dans ses favoris. Le corps de M. von Trotta restait immobile, sa tête seule tremblait. Elle oscillait d'arrière en avant et de gauche à droite, les verres du lorgnon palpitaient sans relâche. Le préfet resta bien ainsi une heure ou même davantage devant son bureau. Puis il se leva, regagna son appartement de son pas habituel. Il prit dans l'armoire son costume noir, sa cravate noire et les crêpes noirs qu'il avait portés à son bras et à son chapeau, après la mort de son père. Il changea de vêtements sans se regarder dans la glace. Sa tête continuait de branler. Il s'efforçait bien de dompter ce crâne agité. Mais plus le préfet faisait d'efforts, plus le tremblement s'accentuait. Son lorgnon lui chevauchait toujours le nez, il palpitait. Le préfet finit par renoncer à tout

effort et laissa branler son crâne. Dans son costume noir, le brassard
noir à sa manche, il se rendit à la chambre de Mlle Hirschwitz,
s'arrêta sur le seuil et dit :

— Mademoiselle, mon fils est mort.

Il ferma rapidement la porte et alla dans les bureaux, d'un service
à l'autre, passant seulement la tête par l'entrebâillement de la porte,
il annonça :

— Monsieur Untel, mon fils est mort. Monsieur Untel, mon fils
est mort.

Puis il prit son chapeau et sa canne et sortit dans la rue. Tout le
monde le saluait et considérait avec étonnement sa tête tremblante.
Le préfet arrêtait celui-ci ou celui-là et disait : « Mon fils est mort. »
Il n'attendait pas les formules de condoléances des gens consternés,
mais continuait son chemin, il allait retrouver le docteur Skowronnek. Le docteur était en uniforme de médecin-chef, il passait ses
matinées à l'hôpital militaire, ses après-midi au café. Il se leva en
voyant entrer le préfet. Il vit la tête tremblante du vieillard, son
brassard de deuil et il comprit. Il saisit la main du préfet, regarda la
tête agitée et le lorgnon palpitant.

— Mon fils est mort, répéta M. von Trotta.

Skowronnek retint la main de son ami, longuement, quelques
minutes. Ils restaient tous les deux debout, la main dans la main. Le
préfet s'assit. Skowronnek posa l'échiquier sur une autre table.
Quand le garçon vint, le préfet lui dit :

— Garçon, mon fils est mort !

Le garçon s'inclina profondément, puis il apporta un cognac.

— Encore un, commanda le préfet.

Il enleva enfin son lorgnon, il se souvint que la lettre de mort était
restée sur le tapis de son cabinet, il se leva, repartit pour la
préfecture. Le docteur Skowronnek le suivit. M. von Trotta n'eut
pas l'air de s'en apercevoir, mais il ne fut aucunement surpris de voir
Skowronnek ouvrir sans frapper la porte de son cabinet, entrer puis
demeurer debout.

— Voilà la lettre ! dit le préfet.

Cette nuit-là, et pendant les nuits suivantes, le vieux M. von
Trotta ne dormit pas. Sa tête tremblait et oscillait, même sur ses
oreillers. Quelquefois, le préfet rêvait de son fils. Le sous-lieutenant
Trotta se tenait devant son père avec sa casquette d'officier pleine

d'eau et il disait : « Bois, papa, tu as soif... » Ce rêve se répéta souvent, de plus en plus souvent ; peu à peu, le préfet réussit à appeler son fils toutes les nuits! Certaines nuits même, Charles-Joseph revenait plusieurs fois. M. von Trotta commença donc à désirer ardemment la nuit et son lit. Le jour l'impatientait. Et, quand le printemps revint et que les jours rallongèrent, matin et soir, le préfet faisait l'obscurité dans les pièces et prolongeait artificiellement ses nuits. Le tremblement de sa tête ne cessa plus. Et lui-même, et tous les autres, s'accoutumèrent au perpétuel tremblement de sa tête.

La guerre paraissait peu inquiéter M. von Trotta. Il ne prenait le journal que pour masquer son crâne branlant. Jamais il ne fut question de victoires, ni de défaites, entre lui et le docteur Skowronnek. La plupart du temps, ils jouaient aux échecs sans échanger une parole. Mais parfois, l'un d'eux disait à l'autre : « Vous rappelez-vous encore notre partie d'il y a deux ans ? Alors, vous avez été aussi peu attentif qu'aujourd'hui. » C'était comme s'il parlait d'événements qui avaient eu lieu des décennies auparavant.

Il s'était passé du temps depuis la funèbre nouvelle, les saisons s'étaient succédé suivant les antiques et imperturbables lois de la nature, mais c'est à peine si les hommes les avaient senties passer derrière le voile rouge de la guerre... et le préfet moins encore que les autres. Un perpétuel tremblement continuait d'agiter sa tête, comme un grand fruit trop léger, au bout d'une queue par trop mince. Le sous-lieutenant était déjà décomposé depuis longtemps, ou dévoré par les corbeaux qui tournoyaient alors au-dessus des talus meurtriers, mais il semblait toujours au préfet avoir reçu la veille seulement la nouvelle de sa fin. Et la lettre du commandant Zoglauer, mort déjà, lui aussi, restait dans le portefeuille du préfet. Elle était relue chaque jour et entretenue dans une terrible fraîcheur, comme une tombe est entretenue par des mains pieuses. En quoi les cent mille nouveaux morts, qui avaient suivi son fils depuis, concernaient-ils M. von Trotta, en quoi les ordonnances hâtives et confuses, que lui envoyait de semaine en semaine son chef hiérarchique, le concernaient-elles ? En quoi le naufrage du monde, dont il pouvait à présent distinguer la venue, plus nettement que, jadis, le prophétique Chonicki le concernait-il ? Son fils était mort. Ses fonctions étaient terminées. Son monde avait sombré.

Épilogue

Il ne nous reste plus qu'à retracer les derniers jours de M. von Trotta. Ils s'écoulèrent presque comme un seul jour. Le temps passait auprès de lui, tel un large fleuve régulier au murmure monotone. Le préfet se souciait peu des nouvelles de la guerre et des divers arrêtés et ordonnances de la Statthalterei. En outre, il aurait dû prendre sa retraite depuis longtemps et ne restait en fonctions que parce que la guerre l'exigeait. Il avait parfois l'impression de vivre seulement une seconde vie plus terne, d'avoir clos sa première et véritable existence. Ses jours, lui semblait-il, ne se précipitaient pas au-devant de la tombe, comme les jours des autres humains. Devenu de pierre, le préfet se dressait sur le rivage des jours comme son propre monument funéraire. Jamais il n'avait tant ressemblé à l'Empereur François-Joseph. Il allait parfois jusqu'à oser se comparer lui-même à l'Empereur. Il pensait à son audience du château de Schönbrunn, et, à la manière des vieux hommes simples qui parlent d'un commun malheur, il disait en pensée à François-Joseph : « Hein ? Si quelqu'un nous avait dit cela, jadis ! A nous autres vieux !... »

M. von Trotta dormait fort peu. Il mangeait sans faire attention à ce qu'on lui servait. Il signait des pièces qu'il n'avait pas bien lues. Il lui arrivait, l'après-midi, de se montrer au café quand M. Skowronnek n'y était pas encore. Alors le préfet s'emparait d'un *Fremden-blatt* datant de trois jours et il relisait une fois de plus ce qu'il savait déjà depuis longtemps. Mais si le docteur Skowronnek parlait des dernières nouvelles du jour, le préfet se contentait d'opiner de la tête, comme si ces nouvelles lui étaient connues depuis long-temps.

Un jour, il reçut une lettre. Une certaine Mme von Taussig, totalement inconnue de lui, actuellement infirmière bénévole à

345

l'asile d'aliénés Steinhof de Vienne, faisait savoir à M. von Trotta que le comte Chojnicki, revenu fou du front, depuis quelques mois, parlait souvent du préfet. Dans ses propos embrouillés, il soutenait constamment qu'il avait quelque chose d'important à dire à M. von Trotta. Et si, par hasard, le préfet avait l'intention de venir à Vienne, sa visite pourrait peut-être provoquer chez le malade une certaine clarification des esprits, comme il s'en était déjà produit de temps à autre dans des cas analogues. Le préfet s'informa auprès du docteur Skowronnek.

— Tout est possible, dit Skowronnek, si vous pouvez le supporter... le supporter facilement, veux-je dire...

M. von Trotta répondit :

— Je puis tout supporter. Il décida de partir tout de suite. Peut-être le malade savait-il quelque chose d'important sur le sous-lieutenant. Peut-être avait-il quelque chose à remettre au père, de la main de son fils. M. von Trotta se rendit à Vienne.

On le conduisit dans la section militaire de l'asile d'aliénés. C'était une sombre journée d'automne finissant, l'établissement était noyé sous la pluie persistante qui, depuis plusieurs jours, ruisselait sur la terre. Assis dans le corridor d'un blanc aveuglant, par la fenêtre grillagée, M. von Trotta regardait le rideau plus fin et plus serré de la pluie et il songeait au talus du chemin de fer où son fils était mort. « Il va être tout mouillé », se disait le préfet, comme si son fils était tombé le jour même ou la veille, le corps encore frais. Le temps s'écoulait lentement. On voyait passer des gens au visage égaré, aux membres atrocement distordus, mais pour le préfet et bien qu'il se trouvât pour la première fois dans une maison de santé, la folie n'avait point de signification terrifiante. La seule chose terrifiante, c'était la mort. « Dommage ! songeait M. von Trotta. Si Charles-Joseph était devenu fou au lieu de tomber au champ d'honneur, j'aurais bien su lui rendre la raison. Et si je n'avais pas pu, je serais tout au moins venu le voir chaque jour ! Peut-être son bras aurait-il été aussi atrocement distordu que celui du lieutenant qu'on amène là, en ce moment, mais c'est quand même un bras. On peut aussi plonger son regard dans des yeux révulsés ! L'essentiel, c'est que ce soient les yeux de mon enfant. Heureux les pères dont les fils sont fous ! »

Mme von Taussig arriva enfin : une infirmière comme toutes les autres. Il ne vit que le costume, que lui importait le visage ? Mais elle le considéra longuement, puis elle dit :

— J'ai connu votre fils.

Alors seulement, le préfet dirigea son regard sur le visage de Mme von Taussig. C'était le visage d'une femme vieillie, mais toujours belle. La coiffe d'infirmière la rajeunissait même, comme toutes les femmes, parce qu'il est dans leur nature d'être rajeunies par la douceur et la pitié, ainsi que par les signes extérieurs de la pitié. « C'est une dame du grand monde », songea M. von Trotta.

— Combien y a-t-il de temps, demanda-t-il, que vous avez connu mon fils ?

— C'était avant la guerre, dit Mme von Taussig.

Puis elle prit le bras du préfet, le conduisit le long du corridor, comme elle avait l'habitude de conduire ses malades, et fit doucement :

— Nous nous sommes aimés, Charles-Joseph et moi.

Le préfet demanda :

— Pardonnez-moi, mais cette sotte affaire, ce fut à cause de vous ?

— A cause de moi aussi, répondit Mme von Taussig.

— Ah ! fit le préfet, à cause de vous aussi !

Puis il pressa légèrement le bras de l'infirmière et continua :

— Je voudrais bien que Charles-Joseph eût encore des affaires à cause de vous !

— Allons voir notre malade, à présent, dit Mme von Taussig, car elle sentait les larmes lui monter aux yeux et elle était d'avis qu'elle ne devait pas pleurer.

Chojnicki était assis dans une pièce nue, qu'on avait débarrassée de tout son mobilier, parce qu'il pouvait avoir des moments de frénésie. Il était dans un fauteuil dont les quatre pieds étaient fixés au sol par des vis. Quand le préfet entra, il se leva, alla au-devant de son hôte, et dit à Mme von Taussig :

— Sors, Wally ! Nous avons à parler de choses importantes.

Maintenant ils étaient seuls. Il y avait un judas dans la porte. Chojnicki alla à la porte, obstrua le judas de son dos et dit :

— Soyez le bienvenu dans ma demeure !

Pour de mystérieuses raisons, son crâne chauve paraissait encore plus chauve à M. von Trotta. De ses grands yeux bleus, légèrement saillants, semblait venir un vent glacial, un froid qui soufflait sur sa face jaune, décrépite en même temps que bouffie, et sur son crâne dénudé. De temps à autre, la commissure droite de ses lèvres tressaillait. C'était comme s'il voulait sourire du coin de la bouche. Son aptitude à sourire s'était fixée précisément dans cette commissure droite et avait abandonné à tout jamais le reste de la bouche.

— Asseyez-vous, dit Chojnicki. Je vous ai fait venir pour vous confier une chose importante. Ne la révélez à personne ! Personne ne la connaît aujourd'hui, hormis vous et moi : le vieux se meurt !

— D'où le tenez-vous ? demanda M. von Trotta.

Chojnicki, toujours contre la porte, leva le doigt vers le plafond, le mit sur ses lèvres et dit :

— D'en haut !

Puis il se retourna, ouvrit la porte, appela :

— Sœur Wally ! et dit à Mme von Taussig immédiatement apparue : L'audience est terminée.

Il s'inclina. M. von Trotta sortit.

Accompagné de Mme von Taussig, il suivit les longs corridors, descendit le large escalier.

— Peut-être cela a-t-il agi, dit-elle.

M. von Trotta prit congé et se fit conduire chez Stransky, l'ingénieur des chemins de fer. Lui-même ne savait pas bien pourquoi il allait chez Stransky, qui avait épousé une Koppelmann. Les Stransky étaient chez eux. On ne reconnut pas tout de suite le préfet. Puis on lui fit un accueil embarrassé, mélancolique et froid en même temps, comme il lui sembla. On lui offrit du café et du cognac.

— Charles-Joseph… dit Mme Stransky, née Koppelmann. Il est venu nous voir tout de suite après sa nomination de sous-lieutenant. C'était un bien gentil garçon !

Le préfet peignait ses favoris et se taisait. Puis le fils de la famille Stransky arriva. Il boitait. Il était affreux à voir. Il boitait très bas. « Charles-Joseph ne boitait pas ! » songeait le préfet.

— On dit que le vieux est en train de mourir, déclara soudain Stransky, l'ingénieur en chef.

Aussitôt le préfet se leva et s'en alla. Il le savait bien que le vieux se mourait. Chojnicki l'avait dit et Chojnicki avait toujours été au courant de tout. Le préfet se fit conduire chez Smetana, son ami de jeunesse, à la grande maîtrise du château.

— Le vieux se meurt, dit Smetana.

— Je voudrais aller à Schönbrunn ! fit M. von Trotta et il roula vers Schönbrunn.

Inlassable, la pluie fine noyait le château de Schönbrunn, tout comme l'asile de Steinhof. M. von Trotta monta l'avenue, cette même avenue qu'il avait suivie il y avait longtemps, longtemps, pour l'audience secrète, lors de l'affaire de son fils. Son fils était mort. Et l'Empereur se mourait aussi. Et, pour la première fois depuis qu'il avait reçu la funèbre nouvelle, il crut savoir que la mort de son fils n'était pas due au hasard. « L'Empereur ne peut pas survivre aux Trotta ! se disait le préfet. Il ne peut pas leur survivre ! Ils l'ont sauvé, et lui, il ne leur survit pas. »

Il resta dehors. Il resta dehors parmi le personnel subalterne. Un jardinier du parc de Schönbrunn arriva, en tablier vert, sa bêche à la main, demanda aux assistants :

— Que fait-il en ce moment ?

Et les assistants : gardes forestiers, cochers, petits fonctionnaires, portiers, invalides, comme l'avait été le père du héros de Solferino, répondirent au jardinier :

— Rien de nouveau. Il se meurt !

Le jardinier s'éloigna. Il s'en alla avec sa bêche retourner les plates-bandes, la terre éternelle.

La pluie tombait, douce, fine, de plus en plus serrée. M. von Trotta enleva son chapeau. Les employés subalternes de la cour, qui l'entouraient, le prenaient pour l'un des leurs, ou pour l'un des facteurs de la poste de Schönbrunn. Et l'un ou l'autre dit au préfet :

— Tu l'as connu, le vieux ?

— Oui, répondit M. von Trotta. Une fois il a causé avec moi.

— Et maintenant il se meurt, dit un garde forestier.

C'était le moment où un ecclésiastique entrait avec le saint-sacrement dans la chambre de l'Empereur.

François-Joseph avait trente-neuf trois, on venait de prendre sa température.

— Alors, dit-il au capucin, c'est donc ça, la mort !

Il se dressa contre ses oreillers. Il entendait l'inlassable murmure de la pluie devant ses fenêtres et, çà et là, par intervalles, un crissement de pieds sur le gravier. Il semblait tour à tour à l'Empereur que les bruits étaient très lointains ou très proches. Il distinguait parfois que c'était la pluie qui produisait le doux ruissellement devant ses fenêtres. Mais il oubliait tout de suite après que c'était la pluie, il demanda plusieurs fois à son médecin :

— D'où vient ce murmure ?

Car il était incapable de prononcer le mot « ruissellement », bien qu'il l'eût sur le bout de la langue. Mais, après avoir demandé la cause du murmure, il crut effectivement n'entendre qu'un murmure. La pluie murmurait. Les pas des passants murmuraient aussi. Le mot, comme les bruits qu'il désignait pour lui, plaisait de plus en plus à l'Empereur. Au reste, ce qu'il demandait était indifférent, car on ne l'entendait plus. Il ne faisait que remuer les lèvres, mais il lui semblait, à lui, qu'il parlait d'une manière perceptible à tous, bien qu'un peu basse, pas plus basse toutefois que ces jours derniers. De temps en temps, il s'étonnait qu'on ne lui répondît pas. Mais bientôt après, il oubliait tout aussi bien ses questions que l'étonnement causé par le mutisme de ceux qu'il interrogeait. Et il s'abandonnait de nouveau à ce « murmure » du monde qui vivait autour de lui, pendant qu'il se mourait... Et il ressemblait à un enfant qui renonce à toute résistance contre le sommeil, vaincu par la berceuse qu'on lui chante, couché dans la chanson. Il ferma les yeux. Mais il les rouvrit un moment après. Il aperçut le simple crucifix d'argent et, sur la table, les cierges d'un blanc éblouissant qui attendaient le prêtre. Et il connut que le Père allait bientôt arriver. Et il remua les lèvres et pria comme il l'avait appris petit garçon : « Humble et repentant, je confesse mes péchés... » Mais cela non plus, on ne l'entendit pas. D'ailleurs, il vit immédiatement après que le capucin était déjà là.

— Il m'a fallu attendre longtemps ! dit-il.

Puis il réfléchit à ses péchés : « Orgueil ! » lui vint-il à l'esprit.

— C'est par orgueil que j'ai péché, dit-il.

Il passait les péchés en revue, l'un après l'autre, comme ils étaient dans le catéchisme. « J'ai été trop longtemps Empereur », songeait-il. Mais il crut l'avoir dit à haute voix. « Il faut que tous les hommes meurent. L'Empereur aussi meurt ! » Et il lui semblait en même temps que quelque part, loin de là, mourait cette partie de lui-même qui avait été l'Empereur.

— La guerre est un péché aussi, dit-il à haute voix.

Mais le prêtre ne l'entendit pas. François-Joseph s'en étonna de nouveau. Chaque jour, il arrivait des listes de pertes, la guerre durait depuis 1914.

— En finir ! dit François-Joseph.

On ne l'entendit pas.

— Que ne suis-je tombé à Solferino ! dit-il.

On ne l'entendit pas. « Peut-être suis-je déjà mort et c'est en mort que je parle, songea-t-il. C'est pour cela qu'ils ne me comprennent pas. » Et il s'endormit.

Dehors, parmi le personnel subalterne, M. von Trotta, fils du héros de Solferino, attendait, son chapeau à la main, sous le ruissellement de la pluie persistante. Les arbres du parc de Schönbrunn frémissaient, bruissaient sous la pluie qui les fouettait, douce, patiente, abondante. Le soir vint. Des curieux arrivèrent. Le parc se remplissait. La pluie ne cessait pas. Ceux qui attendaient se renouvelaient, ils arrivaient, ils repartaient. M. von Trotta restait. La nuit se leva. Les marches étaient désertes. Des gens allaient se coucher. M. von Trotta se tassa contre la porte. Il entendait des voitures s'avancer. Parfois, quelqu'un ouvrait une fenêtre au-dessus de sa tête. Des voix appelaient. On ouvrait la grand-porte, la refermait. On ne l'apercevait pas. La pluie ruisselait, inlassable, douce, les arbres frémissaient et bruissaient.

Enfin, les cloches retentirent. Le préfet s'éloigna. Il descendit les marches basses, suivit l'avenue jusqu'à la grille de fer. Il fit à pied tout le long chemin menant à la ville, tête nue, son chapeau à la main, comme derrière un char mortuaire. Il atteignit son hôtel comme l'aube blanchissait.

Il retourna chez lui. Il pleuvait aussi au chef-lieu de W. M. von Trotta fit venir Mlle Hirschwitz et lui dit :

— Je vais me coucher, mademoiselle. Je suis fatigué.

Et, pour la première fois de sa vie, il se mit au lit pendant la journée.

Il ne put s'endormir. Il fit venir le docteur Skowronnek :

— Mon cher docteur, dit-il, voudriez-vous me faire apporter le canari.

On alla chercher le canari dans la petite maison du vieux Jacques.

— Donnez-lui un morceau de sucre, dit le préfet.

Et le canari eut son morceau de sucre.

— Gentille petite bête, fit le préfet.

Skowronnek répéta :

— Gentille petite bête.

— Elle va nous survivre à tous, dit Trotta. Dieu merci !

Puis il ajouta :

— Allez me chercher le prêtre ! Mais revenez !

Le docteur Skowronnek attendit que le prêtre eût fini, puis il revint. Le vieux M. von Trotta gisait, calme, sur ses oreillers. Il tenait les yeux mi-clos. Il dit :

— Votre main, cher ami !... Voulez-vous m'apporter le portrait ?

Le docteur se rendit au fumoir, monta sur une chaise et décrocha le portrait du héros de Solferino. Quand il revint, le tenant à deux mains, le préfet n'était plus en état de le voir. La pluie tambourinait doucement contre la vitre.

Le docteur Skowronnek attendit, le portrait du héros de Solferino sur les genoux. Quelques minutes après, il se leva, prit la main de M. von Trotta, se pencha sur la poitrine du préfet, poussa un profond soupir et ferma les yeux du mort.

C'était le jour où l'on descendait l'Empereur dans la Crypte des capucins. Trois jours plus tard, on mettait dans sa tombe le corps de M. von Trotta. Le maire de la ville de W. prononça un discours. Et, comme tous les discours de ce temps, le sien aussi commença par la guerre. Puis le maire dit encore que le préfet avait donné à l'Empereur son fils unique et qu'il avait continué malgré tout à vivre et à servir. Cependant, la pluie arrivait, infatigable, sur les têtes nues des personnes rassemblées autour de la fosse. Un frémissement, un bruissement s'échappaient des buissons, des couronnes et des fleurs mouillées. Dans la tenue de médecin-chef de la territoriale, qui lui était inhabituelle, le docteur Skowronnek essayait de garder la position martiale du garde-à-vous, bien qu'en sa qualité de civil, il ne la tînt aucunement pour l'expression d'une piété exemplaire. « La mort n'est pas un médecin d'état-major, après tout ! » se disait le docteur. Puis il fut l'un des premiers à s'approcher de la fosse. Il dédaigna la bêche que lui tendait le fossoyeur, se baissa, détacha une motte de terre humide, la brisa dans sa main gauche et, de la droite, en fit tomber les miettes une à une sur le cercueil. Puis il se retira. Il lui vint à l'esprit que c'était l'après-midi, l'heure des échecs approchait. Il n'avait plus de partenaire dorénavant, mais il décida d'aller au café quand même.

Comme il quittait le cimetière, le maire l'invita à partager sa voiture. Le docteur y monta.

— J'aurais bien dit encore, déclara le maire, que M. von Trotta ne pouvait pas survivre à l'Empereur. Ne croyez-vous pas, docteur ?

— Je ne sais pas, répondit Skowronnek. Je crois qu'ils ne pouvaient, ni l'un ni l'autre, survivre à l'Autriche.

Le docteur fit arrêter la voiture au café. Il alla, comme tous les jours, à sa table habituelle. L'échiquier attendait comme si le préfet n'était pas mort. Le garçon s'approcha pour l'enlever.

— Vous pouvez le laisser ! dit le docteur.

Et il joua une partie contre lui-même. De temps à autre, en souriant d'un air entendu, il regardait le fauteuil vide en face de lui, avec, dans les oreilles, le doux murmure de la pluie automnale qui continuait de ruisseler inlassablement le long des carreaux.

IMPRIMERIE HÉRISSEY À ÉVREUX (7-84)
D.L. 4ᵉ TRIM. 1982. Nᵒ 6270-5 (34963)